读客® 这本史书真好看文库

轻松有趣，扎实有力

大唐兴亡三百年 7

比《唐书》有趣，比《资治通鉴》通俗，
比《隋唐演义》靠谱，一部令人上瘾的300年大唐全史。

王觉仁 著

人民日报出版社

北 京

图书在版编目（CIP）数据

大唐兴亡三百年 . 7 / 王觉仁著 . -- 北京：人民日报出版社，2018.10

ISBN 978-7-5115-5506-9

Ⅰ . ①大… Ⅱ . ①王… Ⅲ . ①中国历史—唐代—通俗读物 Ⅳ . ① K242.09

中国版本图书馆 CIP 数据核字 (2018) 第 109565 号

书　　　名	大唐兴亡三百年 . 7	
	DATANG XINGWANG SANBAINIAN 7	
作　　　者	王觉仁	
出　版　人	刘华新	
责 任 编 辑	林　薇	
特 邀 编 辑	汪超毅　沈　骏	
封 面 设 计	谢明华	
出 版 发 行	人民日报出版社	
出 版 社 地 址	北京金台西路 2 号	
邮 政 编 码	100733	
发 行 热 线	（010）65369527 65369512 65369509 65369510	
邮 购 热 线	（010）65369530	
编 辑 热 线	（010）65369526	
网　　　址	www.peopledailypress.com	
经　　　销	新华书店	
印　　　刷	三河市龙大印装有限公司	
开　　　本	710mm x 1000mm 1/16	
字　　　数	320 千	
印　　　张	23.25	
印　　　次	2018 年 10 月第 1 版　2021 年 11 月第 13 次印刷	
书　　　号	ISBN 978-7-5115-5506-9	
定　　　价	59.90 元	

如有印刷、装订质量问题，请致电 010-87681002（免费更换，邮寄到付）

目 录

|第一章| **混沌贞元**

贤明宰相与糊涂天子 / 001

官场铁律：劣币驱逐良币 / 007

藩镇：疯狂奔驰的烈马（上） / 013

藩镇：疯狂奔驰的烈马（下） / 021

|第二章| **从顺宗到宪宗**

一场来势汹涌的改革 / 029

王叔文：举世浑浊我独清 / 034

飘风骤雨的"永贞革新" / 039

宪宗：不要挑战我的底线 / 045

削藩不是件容易的事 / 052

一个心向李唐的人 / 059

革命尚未成功，李纯仍需努力 / 066

| 第三章 | 元和中兴

宦官与文臣的博弈 / 076

两个宰相的斗法 / 082

武元衡被刺案 / 094

李愬雪夜袭蔡州 / 098

平藩的最后一战 / 108

中兴：一朵刹那凋零的昙花 / 113

宪宗之死 / 119

| 第四章 | 青春皇帝，玩乐天子

蠢蠢欲动的河北 / 128

永不臣服的心 / 133

元稹的仕途：官场就是一张网 / 142

相权之争：渔翁得利的李逢吉 / 151

敬宗登基 / 156

一人独大的朝堂 / 161

玩乐天子：我的青春我做主 / 166

把娱乐进行到死 / 175

| 第五章 | 平藩、除阉、斗相，悲剧三重奏

向藩镇宣战 / 181

志大"财"疏：文宗的软肋 / 186

牛李党争：半个世纪的政治风暴 / 191

流产的"除阉计划" / 200

党争进行时 / 211

狂飙突进的政治运动 / 219

甘露之变：喋血大明宫 / 226

不共戴天的宰相恶斗 / 236

武宗登基 / 243

| 第六章 **盛唐终结之前的回光返照**

强势宰相与超级宦官 / 249

仇士良：一个权宦的完美谢幕 / 255

李德裕的人生巅峰 / 261

宣宗登基 / 267

"傻子光叔"的帝王之路 / 272

山河长在掌中看 / 278

大中之治：最后一抹辉煌 / 283

懿宗登基 / 291

| 第七章 | **一盘散沙的唐朝**

内忧外患的帝国 / 294

庞勋之乱：大唐的人心散了 / 300

僖宗登基：乱世小皇帝 / 305

黄巢：被社会遗忘的人 / 310

我花开后百花杀 / 316

狼虎谷 / 320

|第八章| 凄凉大唐晚景

遍地枭雄 / 328

昭宗：孤独的拯救者 / 333

守望春天 / 337

灵魂中的七道伤 / 343

光化政变：天子成了阶下囚 / 348

流亡的路上没有方向 / 353

走向终点 / 358

|后记| / 363

| 第一章 |

混沌贞元

贤明宰相与糊涂天子

李泌的离世是德宗的损失，更是帝国的莫大损失。

不过，德宗是幸运的。因为上天除了李泌之外，还给他准备了另一位贤明的宰相。

他就是陆贽。

早在建中四年（公元783年），也就是德宗流亡奉天期间，陆贽就以一个普通翰林学士的身份担起了一个宰相的职责。当时，朝廷的许多大政方针都出自陆贽的筹划，德宗也对他言听计从，《罪己诏》的颁布即是其中典型一例。

所以，当时的陆贽普遍被人誉为"内相"。

但是，诸藩之乱平定后，德宗却有意无意地疏远了陆贽。

因为陆贽为人率直，言辞总是过于激切，经常让德宗很不爽。每次陆贽进言，德宗都会感到宝贵的自尊心受到了伤害。此外，一帮嫉贤妒能的朝臣也时常在天子耳边嘤嘤嗡嗡，编排陆贽的不是。因此，即便陆贽德才兼备、人望颇高，却始终与宰相之位无缘。

李泌去世后，户部侍郎窦参、太常卿董晋继任宰相。窦参为人刚愎自用，凡事独断专行，而董晋却是个唯唯诺诺的老好人，朝政大权自然都落到了窦参一个人手里。窦参不仅专权，而且还纵容一帮亲信贪污纳贿。德宗屡屡警告，可他却置若罔闻。德宗忍无可忍，只好在贞元八年（公元792年）四月将其罢黜。

窦参一贬，朝堂上就只剩下董晋这个形同虚设的宰相了。要想让帝国朝政尽快回到正轨，清除窦参留下的恶劣影响，就必须物色一个刚正贤明、德高望重的人来当首席宰相。

直到此刻，德宗才想起了与他共过患难的陆贽。

这一年四月，被冷落了十年之久的陆贽终于登上了早该属于他的宰相之位。

埋藏在心中多年的政治理想和报国热情终于有了付诸实践的机会，陆贽自然是全力以赴。就在拜相当月，陆贽便奏请德宗改革中央政府的官员选拔制度，也就是把原来由宰相一手包揽的人事权下放到各个政府机构，由各台省的长官自行推荐人才担任下属官员。但是在任命状上，要注明推荐人的职务和姓名，以便将来考察被推荐人的政绩，从而对推荐人进行相应的奖惩。

陆贽之所以推行这项人事改革，目的就是要避免因宰相权力过度集中而导致任人唯亲、专擅朝政、行政效率低下等问题。而让熟悉本部政务的台省长官公开推荐下属官员并承担相应责任，就能在很大程度上做到行政公开化，消除暗箱操作和权力寻租的可能性，尽最大努力做到唯才是举和量才录用。

陆贽这么做，显然极大地削弱了本来属于宰相的权力。

而此时此刻，削弱宰相权力就是在削弱他自己的权力。

仅此一点，我们就不难看出陆贽的坦荡襟怀和无私品格，更不难看出他作为一个执政者的清明理性和廉洁精神。

无论古今中外，要判断一个执政者（或执政集团）是否合格，最简单的办法就是——为了维护国家、社会和民众的利益，这个人（或这个集团）愿不愿意用权力的右手砍断权力的左手？或者退一步说，愿不愿意让自己手中的权力受到严格的制约和监督？

　　这个要求貌似很高，但是如果我们从现代政治文明的角度来看，这其实只是对执政者最基本的要求。因为，权力的属性是公有的，从来不是某个人或某个集团的私有财产，无论这个人或这个集团用什么方式获得权力，都只是权力的"代理人"，而非"所有者"。

　　虽然陆贽不懂得现代政治文明，但他本着自己的良知做事，却在某种程度上暗合了现代政治文明的基本精神。陆贽之所以愿意削弱手中的权力，就是因为他并不把权力视为自己的私有财产。因此，为了维护朝廷和国家的利益，他当然乐于为权力寻找一种更有效、更合理、更透明、更公正的运作方式。即使这种方式是用自己的右手砍断左手，即使这么做伤害了他个人的利益，陆贽也在所不惜。

　　毫无疑问，这才是一个合格的执政者。

　　对于陆贽推行上述人事改革的目的，以及陆贽在这件事上表现出的坦荡和无私，德宗当然都看得很清楚，所以很快就批准了这个改革方案，于这一年五月下诏颁行。

　　然而，仅仅数日之后，便一再有人跟德宗打小报告，说各台省长官举荐的人都是徇私受贿的产物，并不是真正的人才。德宗一听，赶紧私下告诉陆贽："自即日起，各台省官员的任命和调动，都由你自己做主，不要交给各部门长官。"

　　陆贽闻言，随即连上三道奏疏。

　　第一道奏疏说："唐朝自开国以来便有规定，五品以上官员的选拔由宰相合议，六品以下官员由吏部铨选，然后上奏皇帝批准，下诏任命。但后来佞臣当政，废除了宰相合议制度和公开推举制度，单独行使权力，用以捞取个人利益，因此即便是品行才学出众者，若没有当时宰相同意，也得不到提拔和任用。这就是一直以来的弊政。"

第二道奏疏说："自从陛下颁布人事改革诏书，被推荐的人才不过十几个，评议他们的资历和人望，并不逊色于同僚；考察他们的德行和才能，也没有发现什么污点和败绩。可是某些别有用心的人却随口抨击，误导皇上的判断。由此可见，要让用人制度公正透明何其困难！臣建议，让那些抨击者提出具体的指控，何人受贿，何人徇私，然后交给有关部门严加审查，判断虚实。若确有其事，就对推荐人进行惩罚；若纯属诬告，就对诬告者实行反坐法。再者说，宰相不过才几个人，怎么可能了解所有的人才？如果所有官员都由宰相亲自遴选，宰相势必也要辗转向各台省长官征求意见。如此一来，公开推选就变成了私下举荐，阳光政务就变成了暗箱操作（易明扬以暗投），任人唯亲的现象就会更多，流弊也会越来越严重。所以自古以来，只要是实行人事改革，就会触及很多人的利益，因此不可能不遭到毁谤。"

第三道奏疏说："今日之宰相，必是往日之台省长官；今日之台省长官，必是将来之宰相，只是官职有所变化，做事情的方式不会马上改变。既然如此，哪有当台省长官时没有能力推举一两个下属，一旦居宰相之位，便有能力遴选千百个官员？所以，若要人尽其才，才尽其用，就要由最高领袖选拔宰辅大臣，宰辅大臣选拔中层官员，中层官员选拔下级官吏——没有比这种层层负责的办法更好。总之，选拔人才的时候，接触面越广越好；考核他们的能力和绩效时，标准则越精细越好。这才是正确的用人之道。"

陆贽这三道奏疏，摆事实讲道理，把用人制度方方面面的得失利弊都分析得十分透彻，相信只要是脑袋清醒的皇帝，一定会采纳他的建议，把人事制度改革继续推行下去。

然而，德宗的脑袋并不清醒。

无论陆贽如何苦口婆心、据理力争，他还是执意追回前诏，罢废了这项新政。

德宗虽然迫于时势，不得不提拔陆贽为相，但是心里还是很不喜欢这个人。在德宗看来，陆贽身上的种种闪光点似乎都太过刺眼了。

就拿"清廉"这个品质来说，按理说是个不折不扣的优点，没有哪个领导不喜欢自己的手下清廉，可德宗偏偏就是看不惯陆贽的清廉。

贞元九年（公元793年）春，德宗让人转告陆贽，说："卿清慎太过！诸道馈遗，一皆拒绝，恐事情不通，如鞭靴之类，受亦无伤。"（《资治通鉴》卷二三四）

你做人太过清廉和谨慎了！各道馈赠的礼物，你一概拒绝，恐怕不通人情，像马鞭和靴子之类的小东西，就算接受也没什么大不了的。

陆贽闻言，顿时哭笑不得。

面对这样的糊涂天子，他也只能再次不厌其烦地摆事实讲道理："官员接受贿赂，就算只有一尺布，也算犯罪，必须惩处[1]。即便是低级官吏，也要严禁受贿，何况是身为百僚之长的宰相，岂可开此方便之门？受贿之门一开，欲望一定膨胀，一开始是马鞭和靴子，接下来就是黄金和美玉。眼前有种种诱惑，内心又岂能不乱！既然与人私下收受结交，就不能不满足他的请求，于是涓涓细流汇成江河，江河泛滥遂至成灾！再者说，若接受某甲的东西而拒收某乙的东西，则某乙必定会有怨言；若无论何人概不接受，大家便习以为常，又怎么会对宰相生出猜嫌之心？"

不知道陆贽的这番道理有没有说服德宗，反正仅从"鼓励宰相受贿"这一点来看，说德宗是糊涂天子就不算冤枉他。暂且不说大唐的律法对贪污受贿的惩罚是何等严厉，就算没有这些律法，一个皇帝也应该深深懂得"千里之堤，毁于蚁穴"的道理。

当年太宗李世民得知一个官员受贿一匹绢，就大发雷霆，打算砍掉

1　根据唐朝律法，监守自盗者，一尺布打四十棍；受贿枉法者，一尺布打一百棍。

那个人的脑袋，没想到如今的德宗皇帝却反其道而行之，主动劝说宰相受贿。太宗皇帝倘若地下有知，不知会作何感想？

虽然德宗只是劝宰相收一些马鞭、靴子之类的小东西，可就像陆贽说的那样，方便之门一开，谁的欲望不会膨胀？马鞭、靴子既然"奉旨"可收，黄金美玉凭什么不能"奉旨"而收？

正所谓窥一斑可知全豹。有德宗李适这样的天子，大唐帝国重回太平盛世的可能性即便不说是零，恐怕也是微乎其微了。

陆贽很不幸。他怀抱的是辅佐圣主的理想，可遭遇的却是糊涂天子的现实。在德宗手下当宰相，陆贽注定不可能有什么作为。

在陆贽前后不到三年的宰相生涯中，大多数针砭时弊的建言献策都得不到德宗的采纳。陆贽的满腔热忱和宏大抱负，最终只能化为一摞摞厚厚的奏章堆积在天子的御案上，旋即又被塞进年深日久、汗牛充栋的宫廷档案库里，等待灰尘的覆盖和白蚁的蛀蚀。

一直到许多年后，有心人把陆贽的奏稿辑为一册，命名为《陆宣公奏议》，从而流传于世，后人才得以从那些发黄的书稿中，窥见一种清明透亮的政治智慧，并且感受到一种超迈高洁的人格力量。

在暗如长夜的贞元年间，在混沌不堪的中唐历史上，这样的智慧和人格力量虽然不曾照亮那个时代，但它们所发出的光芒却足以擦亮后人回望历史的目光。虽然谏言多数不被采纳，但陆贽却始终不肯放弃原则去迎合皇帝。左右亲信劝他不要总是犯颜直谏，而且进谏的言辞也不宜太过尖锐。陆贽淡然一笑，说："我只求上不负天子，下不负所学，其他的事情在所不计！"

陆贽可以不计较个人得失，可德宗却不能不计较他的天子尊严。

对李适来说，陆贽无异于一面让人纤毫毕现的镜子，他总是在这面镜子前一而再、再而三地照见自己的缺点和丑陋，这就使得皇帝到最后不仅是觉得丢了面子，而甚至于是感到愤怒了。相形之下，时任户部侍郎、判度支的裴延龄就让皇帝很有好感，李适跟他在一起总是觉得自在，就像他当年跟卢杞在一起时一样。

而这个裴延龄，正是卢杞当年在位时引荐的。

官场铁律：劣币驱逐良币

常言道名师出高徒，当初的卢杞最善逢迎，如今的裴延龄自然也是精于拍马。有一次，德宗打算重修京师的神龙寺，需要五十尺长的松木，却遍寻不获，结果裴延龄马上说："臣最近在同州（今陕西大荔县）的山谷里，发现了几千棵大松树，高达八十尺！"

德宗很诧异，说："开元、天宝年间，千方百计在京师附近寻找大型木材，却一直找不到，为何现在忽然有了呢？"

裴延龄答："天生珍材，往往要等到圣明天子在位时才会出现，开元、天宝年间，怎么可能找得到！"言下之意，如今的天子比缔造了开元盛世的玄宗还要圣明。

德宗闻言，表面上虽不动声色，实际上却浑身酥麻，受用无比。

当然，德宗之所以喜欢裴延龄，不仅是因为他很会说话，还有很重要的一点是——裴延龄很会帮朝廷搞钱，尤其是帮皇帝的小金库搞钱。

贞元九年七月，刚刚当了一年财政大臣的裴延龄奏称："臣自从就任判度支以来，查出天下各州欠缴的赋税多达八百余万缗，此外，已征收各州的交易税三百万缗，收缴的各种贡物折合现钱三十万缗。臣建议，在左藏库中另行设立一个'季库'，对欠缴、耗损和盈余的账目每三个月清查一次；另外设立一个'月库'，专门管理各种绢帛贡物，并每月核查。"

裴延龄这道奏疏相当于他上任一年来的工作报告，里头既发现了前任遗留下的问题，又总结了自己上任以来的工作成绩，并且对下一步工作提出了合理化建议，看起来确实是个精明能干的理财高手。德宗看了奏疏后非常满意，马上照准。

然而，裴延龄真的是理财高手吗？

不，他是个冒牌货。

他所发现的巨额欠税问题，事实上并不是什么新闻。历届财政大臣都知道这回事，可没人能把这笔款收上来。因为欠税的对象均为赤贫或破产的农民，所以这笔巨额欠款早就成了呆账坏账（徒存其数）。此事财政部门尽人皆知，可裴延龄却像发现了新大陆一样大肆鼓吹，把它当作上任后的一大政绩。这件事除了忽悠一下外行人德宗李适之外，只能让内行人视为笑柄。

再来就是三百万缗的交易税。这笔钱其实左手收进来右手就花出去了（给用旋尽），到裴延龄汇报政绩时，这笔钱估计已经一文不剩，可他却还煞有介事地设立什么"季库"，好像国库里头的钱多得管理不过来似的。

最后就是管理贡物的所谓"月库"。这也纯属脱裤子放屁的无聊之举。因为绢帛贡品本来就是左藏库中的经常项目（皆左藏正物），何必多此一举，另立管理部门呢？

很明显，裴延龄之所以要脱裤子放屁，目的就是"虚张名数以惑上（德宗）"。这就像一个头发快掉光了的人去拍相亲照，为了掩饰谢顶的尴尬，只好先把仅有的头发梳到左边拍张左侧照，再把头发全部梳到右边拍张右侧照，这样不管左看右看就都很帅了，其实他的秀发梳来梳去也就那么几根。

裴延龄就是拿着这样的"相亲照"博得了德宗的青睐和宠幸。"上信之，以为能富国而宠之，于实无所增也。"（《资治通鉴》卷二三四）

裴延龄为了报答德宗的知遇之恩，除了尽力"充实"国库之外，当然也要尽力充实德宗的小金库。

可裴延龄实际上是太常博士出身，写几篇歌功颂德的文章还算凑合，要说扩大税源、增收财政，他压根就一窍不通，怎么才能让德宗的腰包鼓起来呢？

很简单，把国库的钱挪到天子的腰包里就行了。

怎么挪？

当然不能明目张胆地挪，要有恰当的理由和说法。

作为一个擅长挪移大法的"半秃头"，裴延龄绝不会说右边的头发是左边梳过去的，而会说左边的头发非常富余，反正闲着也是闲着，干脆梳一些过去给右边。再说了，就算是三毛，人家理发的时候也能理个"三七开"，即使再掉一根，人家还可以理个"中分"嘛，所以裴延龄头上的毛虽然不多，但也足够他左右倒腾了。

贞元十年（公元794年）秋，裴延龄向德宗奏称："左藏库过去管理混乱，财物遗失很多，臣最近清仓核查，重新造册登记，居然在尘土中找出银子十三万两，另外还有绸缎、布匹等大量杂货，粗略估算，价值应该一百万钱有余。这些钱物本来已经遗失了，现在找出来，当然属于富余物资（羡余），应悉数拨入宫中内库，专供陛下使用。"

德宗笑了。

看来裴延龄果真是个理财高手！

然而，说左藏库的尘土里居然能找出十三万两银子和一百余万财物，基本上是无稽之谈。换言之，裴延龄这种行为跟明火执仗的抢劫毫无差别！有朝臣忍无可忍，立即上疏抗辩，说："这些都是正式登记在册的国家财产，每月都列表呈报，岂能说是'羡余'钱物？请皇上即刻派人核查。"

陆贽也提出，应该让三法司（御史台、刑部、大理寺）对此展开调查。可是，德宗会同意复查吗？

肯定不会。已经落进口袋里的钱，哪个傻瓜会把它再吐出来？事情明摆着，虽然德宗不会傻到真相信尘土里会长出钱来，但他绝不可能去追查真相。

因为真相对他没好处。

裴延龄很清楚这一点，所以才敢冒天下之大不韪，公然炮制这样一个弥天大谎。

其实，早在几年前，当德宗准备起用裴延龄为财政大臣的时候，陆贽就曾指斥裴延龄为"诞妄小人"，坚决反对，可德宗却充耳不闻，执意任命了裴延龄。

现在，满朝文武虽然也都知道裴延龄是个小人，但大伙更清楚他是天子跟前的红人，所以几乎没人敢去惹他。只有盐铁转运使张滂、京兆尹李充、司农卿李铦等少数几个大臣，因职务关系经常跟裴延龄打交道，很清楚他玩的那些猫腻，因而时常向德宗举报。

然而，张滂等人也只是私下举报而已，从不敢公开弹劾。满朝文武中，唯一一个屡屡上疏弹劾裴延龄的人，就只有陆贽了。

贞元十年十一月，陆贽连续上疏，历数裴延龄的罪恶，痛斥其为奸诈小人，同时还把矛头直指德宗。他说："陛下为了保护裴延龄，对他的罪状连问都不问，他势必以为什么事都可以瞒天过海，所以把东边的东西挪到西边，就当成他的政绩；把这里的财物转移到那里，就胆敢称为'羡余'。愚弄朝廷，如同儿戏！从前赵高指鹿为马，鹿和马尚且是同类；如今裴延龄变有为无，指无为有，如此凶险虚妄，天下皆知。上至公卿大臣，下至小吏百姓，无不对此议论纷纷，但是亿万官民，能向陛下进言者又有几人？臣虽不才，但备位宰相，即便不愿开口，最后还是不能保持沉默。"奏疏呈上，德宗大为不悦，从此日渐疏远陆贽，却愈发宠幸裴延龄。

裴延龄当初被提拔时遭遇陆贽阻挠，早就对他恨之入骨，如今又屡屡遭其弹劾，这口恶气更是咽不下去，于是很快就发起反击，频频向德宗施加影响，怂恿他罢黜陆贽。

在陆贽与裴延龄的这场较量中，陆贽显然是居于劣势的，因为德宗并不站在他这一边。

贞元十年十二月，德宗终于下决心罢免了陆贽的宰相职务，把他贬为太子宾客。

陆贽其实早就料到有这一天了。他唯一没有料到的是——自己居然会栽在裴延龄这种小人的手里。

经济学中有一条著名定律，叫"劣币驱逐良币"，意思是当那些低于法定重量或成色的劣币进入流通领域后，人们就倾向于将良币（足值货币）收藏起来，用劣币去交易。最后，劣币的流通量越来越大，就会把良币驱逐出流通领域。

在职场中，这个定律其实同样适用。当君子和小人共事时，君子凡事只考虑公共利益，因此必然不善于自我保护，并且容易得罪人；而小人不管干什么都一意追求个人利益的最大化，因此更谙熟利益交换的原则，自然就容易吃得开。久而久之，小人的势力就会越来越大，君子的空间则会越来越小。最后，君子只能被小人驱逐。

成功扳倒陆贽后，裴延龄再接再厉，又把目标转向张滂、李充、李铦，准备把这些告过他御状的人全部搞掉。他对德宗说，这三个人都跟陆贽结党，应该把他们一网打尽。

德宗虽然宠幸裴延龄，但他也不想把打击面搞得太大，所以听过也就算了，并没当一回事。

裴延龄当然不会善罢甘休。

贞元十一年（公元795年）春，关中大旱，朝廷的财政收入骤然紧张起来，一些开支不得不缩减。裴延龄趁机缩减了军队的粮草，然后对德宗说："陆贽、张滂等人失势以后，心怀怨恨，最近在大庭广众中宣称：'天下大旱，百姓流亡，度支使克扣诸军粮草，军中的士兵和马匹都没有吃的，这事该怎么办？'陆贽等人散播这种言论，不仅是中伤朝臣，还想动摇士气和民心啊！"

德宗闻言，将信将疑。几天后，德宗到禁苑中打猎，护驾的神策军士兵恰好向他诉苦，说："度支使最近一直没有拨发粮草。"德宗一听，确信陆贽等人肯定散播了蛊惑人心的言论，顿时勃然大怒。

这一年四月，德宗下诏，将陆贽贬为忠州（今四川忠县）别驾，张滂贬为汀州（今福建长汀县）长史，李充贬为涪州（今重庆涪陵区）长史，李铦贬为邵州（今湖南邵阳市）长史，把裴延龄痛恨的这些人全部逐出了朝廷。

陆贽从此远离朝堂，在偏远的蜀地度过了他的余生，再也没有回到长安。

裴延龄大为得意。他觉得如此一来，宰相之位肯定非他莫属了。

然而，人算不如天算，尽管裴延龄处心积虑想搏出位，可多行不义必自毙，第二年秋天就身染重病，呜呼哀哉了。

裴延龄一死，朝野上下争相庆贺，唯独德宗一人哀伤不已。

毫无疑问，如果裴延龄不死，肯定会继卢杞之后成为德宗最宠幸的宰相。所幸老天爷开眼，早早就把这个坏得掉渣的极品小人收了，否则此人必定会像卢杞那样，把帝国朝堂搞得乌烟瘴气、鸡犬不宁，并最终祸及四方、贻害天下。

从这个意义上说，德宗实在是很幸运。

其实，就算把德宗李适放在整个唐朝历史上来看，说他是个幸运的皇帝也并不为过。尽管从他即位的那一刻起，大唐帝国早已深陷藩镇割据的泥沼，他面临的是一个纲纪废弛、山河裂变的历史困局，但事实上，德宗李适并不缺乏与历史博弈的资本。进而言之，他所拥有的资本完全有可能使他成为大唐帝国的中兴之主。

他的资本就是人才——文臣如李泌和陆贽，武将如李晟、马燧、浑瑊。然而，李适终究没能中兴李唐。

问题当然出在他自己身上。

李适一生中唯一值得称道的地方，就是他登基之初的那一番雄心壮志，可如此心志之所以横遭挫折并且迅速偃旗息鼓，除了藩镇问题积重难返之外，主观原因就是他的促狭、猜忌、所用非人而又执迷不悟。比如重用卢杞便是他一生中最大的一次失败，可直到诸藩之乱早已平定的贞元四年（公元788年），当曾经的用人得失和成败利钝都已相对明朗的时候，李适有一次和李泌谈话，却仍然在强调："卢杞忠贞清廉、刚强耿介，人人都说他奸，朕却不这么认为。"

李泌当时的回答是："人人都说卢杞奸，只有陛下不觉得他奸，这正是卢杞所以奸邪的证明。假如陛下早发现他奸，何至于有建中年间的诸藩之乱？卢杞倾泄私愤，诬杀杨炎，将颜真卿排挤到死地，最后又激怒李怀光，迫使他叛变，幸亏陛下把卢杞流放到远方，否则大祸如何能止！"

李适不以为然地说："建中之乱，术士早有预言，说起来也是天命，卢杞哪有那么大的力量招致祸乱！"

李泌毫不客气地说："要是把一切都归于天命，那教育、行政、司法，就全都没用了。"

这场谈话显然并未扭转李适对卢杞的看法，否则李适后来也不会重用跟卢杞同属一丘之貉的裴延龄，更不会把公忠体国、德才兼备的贤相陆贽逐出朝廷。

一个人偶然被石头绊倒，那是运气不好，只要爬起来绕道走就可以了。可如果这个人坚持认为绊倒他的不是石头，而是老天爷，那他就会在这块石头上绊倒第二次、第三次……

像这种人，只能用四个字来形容——无可救药。

一个无可救药的皇帝，纵然身边猛将如云、谋臣如雨，又能有什么作为呢？再多的猛将和谋臣，最终也只能——一成为被驱逐的"良币"。

藩镇：疯狂奔驰的烈马（上）

从历史的两头往中间看，德宗在位的整个贞元二十年，大唐帝国就像是一驾行走在混沌黑夜中的马车，看上去显得了无生气而且疲惫不堪。虽然天下再也不像建中年间那么混乱，但是帝国的方方面面都看不出丝毫起色。人到中年的德宗李适就像历史上的每一个守成之君那样，浑浑噩噩、得过且过地守着祖宗留下的江山，既没有智慧和能力让它重绽盛唐时代的光芒，也不至于昏庸到把它失手打翻。

大唐帝国的马车就这样摇摇晃晃地依靠惯性在黑夜中前行。

如果说帝国是一驾马车，那么桀骜不驯的藩镇就是一群拉着帝国疯狂奔驰的烈马。尽管头上套着马缰、身上拴着车轭，可它们还是经常乱蹦乱跳，把老大帝国搞得险象环生、几欲倾覆。进入贞元年间，虽然相当多的藩镇还是野性未驯、我行我素，但毕竟没有闹出太大的乱子，只有"宣武"和"彰义"这两匹烈马最为疯狂，在相当一段时期内让德宗朝廷疲于应付，伤透了脑筋。

宣武镇（治所汴州，今河南开封市）的乱子是从贞元八年（公元792年）开始闹起来的。这一年四月，宣武节度使刘玄佐病卒，德宗小心翼翼地征求宣武军方的意见，说："调陕虢观察使吴凑过去接任，可不可以？"

宣武军方说可以，德宗松了一口气，赶紧命吴凑走马上任。

不料，吴凑刚刚走到半路，刘玄佐的女婿和侍卫亲军就突然发动兵变，拥立刘玄佐之子刘士宁为留后，并磔杀数名倾向朝廷的文武将吏，劫持了朝廷派驻宣武的监军宦官，胁迫朝廷发布正式任命状。

德宗慌忙问计于宰相。当时的宰相窦参说："宣武将领大多暗中依附平卢（淄青）节度使李纳，如果朝廷拒绝，恐怕宣武就会和平卢连成一气了。"

德宗担心建中年间的诸藩之乱重演，只好息事宁人，正式任命刘士宁为宣武节度使。

然而，即便德宗想要息事宁人，可宣武并没有从此太平。

因为，依靠兵变上台的刘士宁根本就不能服众。刘士宁是个典型的"官二代"，昏庸淫乱，生性残暴，行为乖张。据说每次出门打猎都要带上好几万人，比别人打仗带的兵还多，而且总要跑到很远的地方去打，往返一次就要好几天，把随从的将士搞得苦不堪言。

刘士宁很清楚，很多将领心里不服他，尤其是都知兵马使李万荣。此人向来深得将士拥戴，对他始终是个威胁。所以，刘士宁上台没多久就剥夺了李万荣的兵权。

李万荣当然不会坐以待毙。

贞元九年（公元793年）十二月十日，刘士宁一大早就带着两万多人出城打猎，李万荣意识到机会来了，马上进入节度使府，召集留守的刘士宁亲兵一千多人，宣称朝廷已经敕令刘士宁入朝，并任命他李万荣为留后，即日起接管宣武军权。

就在士兵们半信半疑的时候，李万荣又说："凡执行敕令者，每人赏钱三十缗。"士兵们一听，立刻纳头便拜。紧接着，李万荣又以相同手法接管了整个宣武军队，然后下令关闭城门，并派人去对刘士宁说："朝廷命你前往京师，最好马上动身，若稍有拖延，即刻砍下你的人头，传首京师。"

刘士宁顿时傻眼。

他早知道这个李万荣是个祸害，可没想到他这么快就动手了。

刘士宁恨得咬牙切齿，却一点办法也没有。虽说他现在手底下还有两万多人，可这些人是跟他出来打猎的，不是打仗的。真要打起仗来，这些人十有八九不会听他的。况且刘士宁也有自知之明，真要跟李万荣过招，他还是太嫩了，压根没半点胜算。

没辙了，刘士宁只好带着五百名亲信骑兵乖乖入朝，另外那两万将士立刻掉头奔回汴州。刘士宁走到东都时，所有亲信骑兵全跑光了，身边只剩下几个奴仆和侍妾。到达京师后，德宗马上给他下了道敕令，命他老老实实在京师的宅邸里待着，给他父亲服丧，并严禁他自由出入。

宣武刚刚消停了一年多就又闹起来了，让德宗实在头大。他问当时还在朝中的陆贽该怎么办。陆贽认为，虽然刘士宁被逐是宣武人心所向，但李万荣驱逐节度使并未得到朝廷批准；为了严肃纲纪，应该立即派遣能干的大臣视察宣武，然后相机行事。

可德宗想来想去，还是决定妥协。他对陆贽说："如果拖下去，事态恐怕会恶化。朕打算任命一个亲王为节度使，让李万荣代理留后之职，任命状马上就发。"

不知道李适有没有听过"一朝被蛇咬，十年怕井绳"这句话，如果有的话，他一定知道这句话就是在说他的。自从建中年间的诸藩之乱后，李适就成了一只彻头彻尾的惊弓之鸟。不管哪个藩镇发生兵变，也不管哪个人用什么方式夺取了军权，他最后采取的办法几乎都是妥协退让、听之任之。

现在他说要派个亲王当宣武节度使，其实就是名义上的遥领。谁都知道，这种"遥领"的把戏不过是德宗惯用的一块遮羞布罢了。

陆贽当然不同意妥协，于是接连上疏，说："如今的藩镇将帅，什么事都自任自专、为所欲为。如果朝廷纵容将士随意颠覆主帅、篡夺权力，甚至赋予他们合法性，那么谁不想以他们为榜样呢？面对巨大的利益，每个人都会动念，若任由这种祸根潜滋暗长，迟早必生无以挽救的大乱！"

然而，现在的德宗什么都听不进去了。只要藩镇不造朝廷的反，不颠覆他李适的皇位，他什么条件都可以答应。

随后，德宗下诏，任命通王李谌为宣武节度使，李万荣为留后。

次年四月，宣武大将韩惟清等人又发动兵变。李万荣亲自率兵将其平定，事后向德宗奏称，此事的幕后主使就是刘士宁。德宗旋即将刘士宁流放郴州。

李万荣既然平定了暴乱，也算是为朝廷立了一功，德宗赶紧以此为由，扯掉了通王李谌这块遮羞布，于贞元十一年（公元795年）五月正式任命李万荣为宣武节度使。

德宗希望用自己的一再妥协换来宣武的安定，但是这匹疯狂的"烈马"却始终不让他省心。贞元十二年（公元796年）六月，李万荣中风瘫痪，不省人事。消息传到朝廷，德宗马上又慌了神，只好把宦官霍仙鸣找来商量。

皇帝碰到藩镇问题不找宰相，却去找宦官，这是什么道理？

道理很简单，自从陆贽被罢相后，继任者都是些庸庸碌碌、尸位素餐的家伙，只知道奉旨办事，遇到事情根本就没主意，所以德宗不敢指望他们。相形之下，宦官们这些年来倒是拥有了越来越大的话语权。

早在兴元元年（公元784年），亦即平定朱泚、克复长安后，德宗李适便把禁军重新交到了宦官窦文场、霍仙鸣的手里。当初那个贪污军饷的文臣白志贞太让德宗失望了，而窦、霍二人则在泾师之变中护驾有功，所以从那以后，德宗对宦官的看法就彻底改变了。

自从接管神策军后，窦文场、霍仙鸣的势力便迅速膨胀。到了贞元中期，经过多年经营的窦文场、霍仙鸣已然势倾朝野。史称，当时"藩镇将帅多出神策军，台省清要亦有出其门者"（《资治通鉴》卷二三五）。

既然藩镇将帅多出自窦文场和霍仙鸣门下，此刻藩镇又出了问题，德宗当然只能找这些神通广大的当权宦官了。

霍仙鸣一听藩镇出缺，马上向德宗举荐了宣武将领刘沐。他向德宗担保，此人神勇无比，一定可以镇得住那些骄兵悍将。德宗大喜，赶紧擢升刘沐为宣武行军司马，命他代理宣武军政。

德宗以为如此一来，宣武应该就不会出乱子了，然而事情并没有这么简单。

自安史之乱后，天下藩镇早就把节度使的职位及其相应地盘当作世袭罔替的了，"父死子继、兄终弟及"早成惯例。眼下李万荣虽然卧病在床，可他儿子还活蹦乱跳呢，岂容你朝廷来插一杠子？

六月下旬，朝廷派遣的宣诏宦官抵达汴州，刚刚宣完刘沐的任命诏书，李万荣的儿子、宣武兵马使李迺就授意手下将士大喊大叫："兵马使劳苦功高，却得不到奖赏，他刘沐是什么东西，竟然能当行军司马！"随即拔刀出鞘，把刘沐和宣诏宦官团团围住。

刘沐其实是个软蛋，并不像霍仙鸣夸的那么神勇。一见形势不妙，刘沐顿时吓得面无人色，赶紧假装中风，哎哟一声扑倒在地，然后就被人七手八脚抬了出去。

紧接着，李迺又纵容乱兵砍杀了好几个不依附他的大将，企图拥兵自立。

然而，螳螂捕蝉，黄雀在后。李迺没有料到，还有一个人也早就盯上了节度使的宝座。

此人叫邓惟恭，时任宣武都虞侯。就在李迺纵容手下作乱的时候，邓惟恭早已和监军宦官俱文珍联手，出动军队包围了节度使府。

双方短暂交手之后，年纪轻轻、缺乏军事经验的李迺就败了。邓惟恭随即将其逮捕，押送京师问罪。李万荣几天后也翘了辫子。

宣武乱成了一锅粥，让德宗好生烦恼。无奈之下，他只好命令东都留守董晋赶赴汴州，就近兼任宣武节度使。

这个董晋就是当初与窦参同朝为相的老臣。此人生性温和，向来与世无争，当初在朝中基本就是个摆设，而且此时已是七十三岁高龄。德宗病急乱投医，居然把董晋抓到那个火山口上，这不是要他的老命吗？

邓惟恭听说朝廷派了一个行将入土的人来当节度使，差点笑出声来。这老家伙还能经得起折腾吗？就算他敢来，也不过是来当个摆设，宣武还是老子说了算！

邓惟恭自鸣得意地想。

这一年七月，董晋到达汴州。果然不出邓惟恭所料，这个慈眉善目的老头就任之后，马上把军政大权拱手交给了他，而且始终对他客客气气，然后躲进了节度使府，大门不出二门不迈，活脱脱就是一个来此养老的寓公。

邓惟恭笑了。

既然董晋是个毫无作用的摆设，那老子何不把他拿掉，弄一个名正言顺的节度使来做做呢？

邓惟恭随即制订了一个秘密计划，准备召集两百多个亲信，发动兵变诛杀董晋，再迫使朝廷正式任命他为节度使。然而，自作聪明的邓惟恭万万没有料到，董晋虽老，却还没老到昏聩无知、任人宰割的地步。

自从就任节度使以来，董晋虽然足不出户，表面上好像两耳不闻窗外事，实际上早就在邓惟恭身边安插了眼线，随时监视着他的一举一动。所以邓惟恭刚一密谋，董晋立刻得到了消息。

这一年十一月，董晋赶在邓惟恭行动之前，将他和两百多个手下悉数逮捕，旋即将其党羽全部斩首，最后将邓惟恭执送京师。

姜还是老的辣。没人想到看似懦弱无为的董晋居然能深藏不露、后发制人，连德宗都有些喜出望外。

可是，好景不长。贞元十五年（公元799年）春，七十六岁的董晋病逝，宣武节度使的人选又一次让德宗感到了头疼。

经过一番权衡，德宗最后还是"就地取材"，任命了宣武行军司马陆长源为节度使。

德宗这次没有看错人，陆长源的确是个很有才干的人。然而德宗忽略了一点，有才的人分成两类，一类是越有才却谦虚，一类是越有才越骄傲。

很不幸，陆长源就属于后者。

陆长源恃才傲物、刻薄寡恩，所以很不得人心。董晋去世后，陆长源刚刚接手军政，还没被正式任命，就公开宣称："军中纲纪败坏，为时已久，应该用严刑峻法进行整顿！"

宣武将士一听，顿时人心惶惶。

应该说，陆长源的想法是对的，但他如此口无遮拦却只能把事情搞糟。不久，有人建议陆长源应该按照各地藩镇的惯例，在继任节度使之前，先拿出一些钱物犒赏将士们。不料陆长源却勃然大怒，厉声道："我岂能跟河北的那些割据军阀一样，要用钱去收买人心，以换取节度使旌节？"

随后，陆长源又授意手下将领孟叔度变相降低士兵待遇。

如此种种，终于把这些骄兵悍将彻底激怒了。

这一年二月，宣武士卒再次发动暴乱，砍杀了陆长源和孟叔度，并且将他们的尸体剁成肉块吞食一尽。监军宦官俱文珍慌忙向宋州（今河南商丘市）刺史刘逸淮求援。刘逸淮立刻率兵进驻汴州，很快就平定了暴乱。

二月中旬，懒得再思考的德宗顺水推舟，任命刘逸淮为宣武节度使，并赐名全谅。

同年九月初，刘全谅卒，宣武将士拥立都知兵马使韩弘为留后。德宗连想都没想，几天后就颁布了任命状，以韩弘为节度使。

短短七年之间，宣武镇连续爆发了五次兵变。换了六七任节度使，这不能不让新任节度使韩弘充满临深履薄之感。

他意识到，要想坐稳节度使的宝座，就必须严明军纪；而要想严明军纪，就必须杀一杀这些骄兵悍将身上的暴戾之气。

可是，当初的陆长源不就是因此才掉脑袋的吗？自己现在还这么干，岂不是重蹈陆长源之覆辙？

韩弘的回答是，这事是动手干的，不是动嘴说的，敲锣打鼓的不要，打草惊蛇的不要。

贞元十六年（公元800年）春，经过一番暗中调查，韩弘锁定了一个名叫刘锷的郎将。据说此人一贯凶暴，历次兵变都冲在最前头，是个典型的叛乱积极分子。此人不除，无以严军纪，无以镇人心。随后，韩弘在营门布置重兵，把刘锷及其党羽三百多人召集到一起，用八个字总结了他们的罪状："数预于乱，自以为功。"随即不由分说地把他们全部砍杀。

行刑那天，据说军营门口的地面被鲜血染得一片赤红。

其实，对于韩弘来说，是否有确凿证据表明刘锷及其手下确为"叛乱积极分子"并不重要。重要的是，韩弘需要这几百条性命来杀鸡儆猴、杀戮立威。

事实证明，韩弘的目的达到了。

从此以后，在韩弘担任宣武节度使的整整二十余年间，他的管辖区域内再也没有发生过一次兵变，甚至没有一个人敢在军营中大呼小叫。

多年来一直桀骜不驯、麻烦不断的宣武镇总算在韩弘的手中消停了，德宗如释重负。

然而，差不多与此同时，另一个藩镇却突然掀起了一场更大的波澜，让德宗陷入了更深的不安和忧虑之中。

藩镇：疯狂奔驰的烈马（下）

彰义镇（治所蔡州，今河南汝南县）原本是李希烈的淮宁镇，又称淮西镇，于贞元十四年（公元798年）正月更名彰义。这块地方在当年的诸藩之乱中本来就是个重灾区，不但是叛乱诸藩中最后一个平定的，而且平定得极为勉强，其节度使吴少诚就是在多次内讧和兵变中上台的，朝廷只不过是承认了他，从而弭兵消祸、息事宁人而已。

贞元十四年九月，吴少诚悍然出兵劫掠了淮南镇的寿州（今安徽寿县）、霍山（今安徽霍山县）两地，斩杀守将谢洋，并将其方圆五十余里地据为己有。

还没等朝廷作出反应，贞元十五年三月，吴少诚又发兵攻击隶属于山南东道的唐州（今河南沁阳县），斩杀监军宦官邵国朝、守将张嘉瑜，掳掠百姓千余人而去。

同年八月，陈许（治所许州，今河南许昌市）节度使曲环卒，吴少诚又趁机纵兵大掠陈许镇的临颍（今河南临颍县）、陈州（今河南淮阳县），令中原士民惶惶不可终日……

前些年，宣武镇虽然麻烦不断，但都只是内乱，并未波及相邻藩镇的辖区。而眼下，吴少诚摆明了就是想通过武力扩张地盘，鲸吞相邻藩镇的辖区，其勃勃野心丝毫不亚于当年的李希烈，其行为也已经构成了赤裸裸的叛乱。

德宗意识到事态严重，连忙任命陈州刺史上官涚为陈许留后，命他不惜一切代价遏住吴少诚的兵锋。上官涚随即派将领王令忠率三千人阻击吴少诚，不料反而中了埋伏，三千将士全部被俘。

九月，吴少诚乘胜进围许州。

上官涚大为惶恐，准备弃城而逃。部将刘昌裔极力劝阻，说："城中的兵力足以对付吴少诚，只要我们紧闭城门，不与之交战，过不了几天，其气势必然衰竭。而我们则以逸待劳，到时候伺机出兵，一定可以破敌。"

上官涚闻言，总算稳住了心神，打消了逃跑的念头，但却始终鼓不起御敌的勇气，只好把守城之责全盘交给了刘昌裔。

从上官涚的表现，我们不难看出德宗识人用人的水平。如果许州城里没有这个叫刘昌裔的普通将领，吴少诚就可以兵不血刃地拿下许州，然后吞并陈许，进而威胁东都。倘若如此，后果将不堪设想。

所幸许州城还有一个有勇有谋的将领刘昌裔。

吴少诚围着许州日夜猛攻，可守城将士在刘昌裔的指挥下，却顽强地击退了彰义军的一次次进攻。就在双方激战正酣的时候，许州城里却出了个内鬼。

此人是陈许都知兵马使安国宁，因为向来和上官涚不睦，就想趁这个机会投降吴少诚。不料，刘昌裔早就对他多留了一个心眼。还没等安国宁发动，刘昌裔就设计擒获了他，旋即将其斩首。随后，刘昌裔知道安国宁的麾下部众必定不服，于是把他们召集起来，每人发给两匹绢，让他们马上复员回老家。

这些人大眼瞪小眼，一个个都在心里问候刘昌裔的祖宗，却又不敢发作，只好乖乖地脱下军装，放下武器，背上两匹绢出城去了。

城外就是吴少诚的军营，这帮心怀怨恨的家伙会不会……

会的，刘昌裔早猜到了。就在刚才发遣散费之前，刘昌裔就已经派兵埋伏在了城外。他对伏兵们说："只要看见背上有两匹绢的，就给我砍了。"

原来，这两匹绢并不是遣散费，而是催命符。

后来发生的事情毫无悬念——这些人刚刚出城，就被路边的伏兵相继砍杀，一个也没逃脱。

刘昌裔这么做显然有点狠。可这年头，你不对别人狠就是对自己狠。所以，刘昌裔也是没得选。

解决了内鬼，刘昌裔就可以全力对付吴少诚了。

数日后，刘昌裔发现彰义军士气已衰，便招募了一千名敢死队员，于深夜出城发动突袭，终于大破彰义军。吴少诚攻不下许州，只好转攻西华（今河南西华县），却又被当地守将孟元阳击退。

得知吴少诚兵锋受挫的消息后，德宗连忙下诏削除了他的所有官爵，同时命附近各道共同出兵，合力围剿吴少诚。

各藩镇奉诏出兵后，一开始也打了几场胜仗。

然而，诸道联军有一个致命的弱点，那就是各有各的小算盘，谁也不听谁的。每个藩镇都想尽量多捞地盘，可又都想保存实力，所以结果就是各自为战，进退无据。

十二月下旬，吴少诚抓住对手的弱点，在小溵水（今河南郾城县北）一带大破诸道联军。各军的武器、辎重、物资、粮草全部丢弃，悉数落进吴少诚的手中。

败报传回长安，德宗大惊失色，赶紧和大臣们商议，准备物色一个招讨使作为诸道联军的统帅，协同攻防，统一指挥，以免因各自为战让吴少诚捡了便宜。

贞元十六年（公元800年）正月，恒冀、易定、陈许、河阳四镇再度联兵进攻吴少诚，却全部被其击败，只好一一退回本镇。

不马上任命一个统帅，这仗是没法打下去了。

二月，德宗在诸藩中选来选去，最后终于选择了夏绥（治所夏州，陕西靖边县北）节度使韩全义。此人出自神策军，是当权宦官、神策中尉窦文场的亲信。窦文场向德宗力荐，说只要韩全义出马，必可将吴少诚手到擒来。德宗大喜，随即任命韩全义为招讨使，命河南、河北的十七道兵马，全部受其一体节制。

韩全义真的像窦文场吹的那么厉害吗？

当初霍仙鸣推荐的那个神勇之将刘沐，碰上士兵作乱就哎哟一声身子一倒被人抬了出去，从此销声匿迹。这回，窦文场能推荐什么好货色吗？很遗憾，韩全义同样是草包一个。

这家伙本来就没什么军事才干，既无勇也无谋，其节度使职位全靠巴结和贿赂窦文场而得。他抵达前线后，天天开会，可每次开会都是和几十个监军宦官在营帐里高谈阔论、口沫四溅，看上去气氛相当热烈，可战略决策从来不曾得出半个。

当时已进入夏季，官军的驻地潮湿燠热，军中瘟疫流行，可身为统帅的韩全义却根本不懂得抚恤士卒，于是人心离散，士气极度低落。

德宗李适瞪着一双火眼金睛找了两个月，最后居然挑上这样的笨蛋，其结果自然是可想而知了。

这一年五月，韩全义率领诸道联军，与吴少诚的部将吴秀、吴少阳在溵水（今河南项城县西北）南面平原展开会战。联军将士斗志全无，未及接战便四散溃逃，吴秀等人趁势掩杀，韩全义慌忙率部退保五楼（今河南上蔡县东北）。

七月，叛军乘胜追击，在五楼再败朝廷联军，韩全义趁着夜色遁逃，退守溵水城（今河南商水县）。九月，吴少诚亲自率部进抵溵水城下，韩全义怯战，又率各军退至陈州（今河南淮阳县）。

韩全义数战皆败，各藩镇将帅对他彻底丧失了信心。

随后，宣武军和河阳军不辞而别，各自率部撤回本镇，其他各镇部队也萌生去意。韩全义恼羞成怒，以议事为由把昭义将领夏侯仲宣、义成将领时昂、河阳将领权文度、河中将领郭湘四人召到大帐，然后全部斩首，以此震慑人心。

就在前线节节败退、朝廷束手无策之际，西川节度使韦皋非常及时地向德宗呈上了一道奏疏，给朝廷提出了应对目前局面的上、中、下三策："臣建议，任命老将浑瑊、宰相贾耽为元帅，统领前线各军，战事必有转机（上策）。若陛下不愿劳动元勋老臣，臣愿率本道精锐一万人，下巴峡，出荆襄，立誓讨灭叛贼（中策）。若陛下不愿再战，应让吴少诚主动请罪，然后顺势赦免（下策）。若不赦免，一旦吴少诚内部生变，被麾下所杀，陛下只能把节度使旌节再度授予凶手，这是除掉一个吴少诚，又来一个吴少诚，必将后患无穷！"

宰相贾耽一听说韦皋推荐他上前线，心里老大不乐意，赶紧对德宗说："逆贼吴少诚肯定也希望得到宽恕，恐怕给他一条生路才是上策。"

此时的德宗当然也不想再打了。十七道兵马被人家打得丢盔弃甲、节节败退，朝廷还有什么脸面和理由再打下去？

德宗现在也巴不得马上罢兵休战。可是，如果吴少诚不主动请罪，德宗朝廷就没有台阶可下——总不能因为打不过人家才宣布赦免吧？

所以，这场战争能不能停止，关键就取决于吴少诚的态度了。

还好，此刻的吴少诚也悄然打起了退堂鼓。

韦皋的奏疏刚刚递到朝廷，吴少诚在朝中的眼线就立刻把消息透露给了他。在吴少诚看来，如果德宗采纳了韦皋的上策或中策，那自己的胜算就小了。因为浑瑊和韦皋都是能征善战的猛将，远不是那个草包韩全义所能比拟于万一的。尤其是韦皋，这些年来在西南边陲独当一面，屡屡击败吐蕃人，可谓战功赫赫、威名远播。所以说，真要和浑瑊或韦皋交手，吴少诚还是颇有些胆怯和疑虑的。

经过再三权衡，吴少诚最后还是决定放弃战争，与朝廷握手言和。

随后，吴少诚通过个人渠道，将一封求和信和一批财宝送给了一个监军宦官，请他向朝廷转达罢兵之意。德宗见信，大喜过望，就在这年十二月底，下诏赦免了吴少诚及其彰义将士的罪行，恢复了他们的所有官职和爵位。

这场来势凶猛的叛乱就这么戛然而止了。和建中年间的诸藩之乱一样，与其说吴少诚的叛乱是被平定了，还不如说这是德宗再次放弃原则，并采取了一贯的和稀泥政策而不了了之的。

当然，严格来讲，德宗这么做已经不叫"放弃原则"了。因为很久以来，德宗皇帝和他所代表的帝国政府在藩镇事务上已经没有什么原则可以放弃了。

也就是说，任何原则第一次被放弃的时候可以称之为放弃，可当它被放弃了多次之后，一切也就变得习以为常、麻木不仁了。

用老百姓的话说，这是不是可以叫破罐子破摔？或者叫虱子多了不咬、债多了不愁？

而德宗本人又是如何理解自己这种行为的呢？是坦然承认这是一种不思进取的政治上的无能，还是自欺欺人地当它是一种面对现实的政治上的成熟？

对此我们难以断言，但答案更有可能是后者。

从事后德宗对待韩全义的态度来看，我们有理由作出这样的判断。

贞元十七年（公元801年）正月，草包韩全义灰溜溜地回到长安，权宦窦文场赶紧在德宗面前极力回护，帮韩全义找了一大堆战事失利的借口。韩全义怕受责罚不敢上朝，就谎称患了足疾，让他的副将崔放代他入朝。

崔放硬着头皮入宫去见德宗，忙不迭地替韩全义引咎自责、惶恐谢罪，没想到德宗非但毫无责备之意，反而笑容可掬地说："韩全义身为招讨使，能招抚吴少诚，这是大功一件，何必一定要杀人才算立功呢？"随后，德宗对韩全义依然无比信任，"礼遇甚厚"。

打了败仗还算立功，还能得到皇帝的厚待和礼遇，让韩全义受宠若惊，相信自己家的祖坟一定是冒了青烟。

　　是的，在德宗李适这样的领导手底下打工，每个草包家里的祖坟都会冒青烟，无一例外地冒青烟。

　　贞元后期，大唐帝国的马车还在咯吱咯吱地往前走，虽然走得歪歪扭扭、跌跌撞撞，但看上去也并没有倾覆的危险。

　　这样的发现让德宗李适很有些自鸣得意。

　　得意之余，李适忽然生出了某种冲动——自己当宰相的冲动。

　　随后，德宗就有了一项政治上的创举——亲自选用整个帝国自县令以上的所有官员，以致宰相和中书省只负责颁布文书，形同虚设。

　　大权独揽让德宗李适在帝王生涯的最后几年中充满了无与伦比的成就感。这时候，如果你担心他因日理万机而过度操劳的话，那你就太小看李适了。

　　他选官只有一个非常简单的标准，所以亲自遴选再多的官员也不会觉得累。

　　这个标准就是——看这个人有没有贿赂他。

　　换句话说，只要你出得起钱，皇帝就可以本着公平交换、互惠互利的原则，给你个官做。

　　关于德宗变相卖官的事情，这里就有一个例子：

　　贞元十六年底，河东节度使李说病卒，德宗命行军司马郑儋继任节度使。然后行军司马一职就出缺了，德宗想来想去，最后选中了一个叫严绶的刑部员外郎。之所以选上这个人，是因为德宗清晰地记得，某年某月某日，这个严绶当时还在某个藩镇手下当小幕僚，就曾经很懂事地献给他一笔"进奉"，那时候德宗就特意记下了他的名字。如今河东行军司马一职出缺，德宗当然要用官位回报他了。

　　对于此事，柏杨先生极为愤慨："李适身为圣明天子，对于向自己行贿的官员，竟如此欣赏，不次擢升，使人瞠目结舌！中国五千年来始终无法建立一个廉洁的政府，我们终于找出缘故：原来，国家的最高领袖，他自己就是贪污大王！"

当然，德宗李适并非中国历史上唯一一个卖官的皇帝，但他在这方面的光辉履历，肯定是唐朝三百年历史上独一无二的。除了卖官之外，德宗李适还专心致志地进行着"税外聚敛"的活动。

当年流亡奉天的穷日子实在是太让人铭心刻骨了，所以自从回京之后，这位大唐天子就对敛财产生了浓厚的兴趣，无奈刚开始总被李泌、陆贽这样的宰相阻挠。现在好了，李泌和陆贽都不在了，现任宰相充其量只能算是天子的秘书，一贯对他俯首帖耳、唯命是从，所以，在整个贞元的后期，天下诸道及各州县进奉的"税外方圆"和"用度羡余"便络绎不绝地涌进了宫中的小金库，让德宗李适的小日子过得无比滋润……

时间一晃就到了贞元二十年（公元804年）。老大帝国的马车在貌似平静中缓缓驶进了第九世纪的黎明。

九月的一天，一个令人不安的突发事件让德宗猛然从他那无比滋润的小日子中惊醒了过来——太子李诵中风了。

太子不但半身不遂，而且一下子丧失了语言能力。

这一年，德宗李适六十三岁，显然已经时日无多。

皇帝老了，储君残了。这样的局面顿时让满朝文武忧心忡忡——下一步，帝国的政局将会如何演变？谁来驾驭这辆千疮百孔的帝国马车？

| 第二章 |

从顺宗到宪宗

一场来势汹涌的改革

贞元二十一年（公元805年）正月初一，李唐宗室的亲王们和所有皇亲国戚纷纷入宫向德宗皇帝拜贺新年，整座大明宫都洋溢着节日的喜庆气氛。

李适一直对着亲人们点头微笑。可他焦急的目光却始终在这些熟悉的身影中来回逡巡。

他在寻找一个人。

结果当然是令他失望的——那个人没来。

虽然老皇帝早就预料到卧床不起的太子已经不可能来看他了，可当拜年的人们依次退出之后，李适的脸上还是不由自主地淌下两行清亮的老泪。

当天李适就病倒了。而且在此后的二十多天里病势日渐沉重。以俱文珍为首的宦官隔绝了宫内外的消息，准备另立储君。

山雨欲来风满楼。

在德宗皇帝病重的二十多天里，满朝文武没有一个人知道皇帝和太子的安危。直到正月二十三日这天，处在弥留之际的德宗才命人传唤翰林学士郑𬘡和卫次公入宫草拟遗诏。等到郑𬘡和卫次公进入皇帝寝殿，德宗李适已经驾崩。近侍宦官说："禁中还在讨论，要立谁当皇帝还没有最终敲定。"

众人闻言，面面相觑。明知这是大逆不道之言，可就是没人敢吭声。只有卫次公忍不住站了出来，说："太子虽有疾，可他是嫡长子，朝野归心。如果情况实在不允许，也要立广陵王（太子长子李淳），否则必将大乱！"郑絪等人连忙随声附和。

宦官们对视一眼，不好再说什么，可心里却在冷笑——就太子那身子骨还能当皇帝？恐怕连站起来走上金銮殿都是个大问题吧？

没错。对太子李诵来讲，如何站起来，并且走向那张人人觊觎的天子御座，的确是个大问题。

可出乎所有人意料的是，已经瘫痪了整整一个冬天的太子突然奇迹般地站了起来，并且还被人搀扶着登上车驾，来到九仙门接见众禁军将领。看到这一幕，那些心怀叵测的宦官们瞠目结舌，而一直忐忑不安的文武百官则是庆幸不已。

也许，这就是意志的力量。

太子李诵比谁都清楚，此刻的大唐帝国没有任何一件事情比他下地行走更重要、更紧迫。

这样的信念催醒了他的意志，而这样的意志又撑起了他的身躯。

正月二十四日，也就是德宗驾崩次日，太子李诵身着丧服在宣政殿召见文武百官，同时宣布遗诏。

二十六日，李诵在太极殿登基，是为唐顺宗。

那天在登基大典上，好多禁军士兵半信半疑，踮着脚尖张望，不相信金銮殿上的那个新皇帝真是中风数月的太子。后来士兵们看清了，金銮殿上的那个人的的确确是李诵，据说有人当场激动得掉下眼泪。

也怪不得他们激动。万一太子真的站不起来，大明宫必将因争夺皇位而爆发政治动乱，而一旦有流血事件，首当其冲就是这些禁军士兵。

顽强的意志虽然支撑着李诵坐上皇帝的宝座，但却无法使他开口说话，自然也就无法让他在朝会上决断政务。于是新君只能坐在宫中，面前垂下一道帘帷，由宦官李忠言和昭容牛氏在身边伺候，百官在帘帷外奏事，天子批复皆自帷中出。

这样一种局面决定了新天子必然要在很大程度上依赖于他身后的谋臣集团。所以，历史也就注定会在这一刻，把几个原本默默无闻的人物迅速推到帝国政治舞台的中心。

这个集团的核心人物在历史上被称为"二王"。

他们就是王叔文和王伾。

说起来，这两个人都是真正的草根。他们都来自帝国的东南边陲，出身寒门，资历浅薄，既无世族背景，也无政治根基。尤其让满朝文武鄙夷不屑的是，这两人都不是进士出身。当年他们之所以能进入朝中，并且留在太子李诵身边，皆因二人均有一技之长。王叔文"善弈"，是围棋高手；王伾"善书"，是书法高手；二人均以"翰林待诏"的身份进入东宫侍奉太子，王叔文以棋待诏，王伾以书待诏。

也许正因为来自民间，所以他们身上少了长安官场的虚伪与骄奢之气，多出了一种草根阶层特有的质朴和率真，因此深得太子李诵的赏识。尤其是王叔文，对于德宗一朝的政治乱象和民生疾苦有着深切的感受和认识，并拥有很强的使命感和政治抱负，所以这些年来对李诵影响至深，甚至在某种程度上已经成为太子的老师。

除了二王，这个政治集团的主要人物还有韦执谊、刘禹锡、柳宗元等。相形之下，韦执谊的资历显然要比二王深厚。他出身于关陇世族，自幼饱读诗书，二十出头即成为翰林学士，时任吏部郎中，属于颇有前途的政坛新秀；而刘禹锡与柳宗元也都是饱学之士，二人不但是同榜进士，而且都是名重一时的文章圣手，其时皆官拜监察御史。

很显然，由这样一些人组成的政治集团可能缺乏经验和谋略，但绝不缺乏朝气、锐气和勇气。所以顺宗一上台，王叔文等人就迫不及待地开始了改革。

为了这一天，王叔文已经等待了很多年。

此刻的王叔文踌躇满志，看见新朝的政局和帝国的未来就像一个等待他落子的棋盘。

王叔文信心十足地开始了布局。

贞元二十一年二月十一日，顺宗李诵在王叔文的筹划下，任命吏部郎中韦执谊为尚书左丞、同平章事，以闪电速度把这位新秀一举推上了宰相的高位；二十二日，任命殿中丞王伾为左散骑常侍，仍兼翰林待诏，而王叔文本人则升任起居舍人、翰林学士。

王叔文之所以做出这样的人事安排，是考虑到在他们几个人中，只有韦执谊具有相对较高的资历和人望，所以必须把他推到前台，而他本人和王伾仅是侍臣，人微言轻，难孚众望，所以只能位居幕后。但是谁都清楚——王叔文才是这个集团的领袖和灵魂人物。

布局之后，他们又迅速做出分工。凡有奏议皆先入翰林院，由王叔文作出决策，再由王伾出入宫禁，通过内侍宦官李忠言和顺宗宠妃牛昭容传达给天子，领取旨意后交付中书省，由韦执谊颁布施行。此外，刘禹锡、柳宗元、韩泰等人则在宫外搜集情报，反馈信息，相互呼应。

一场来势汹涌的改革就这样匆匆拉开了大幕。

二王集团的所有成员全都摩拳擦掌、热情高涨。可他们绝对不会料到，仅仅半年之后，这场轰轰烈烈的改革就将在致命的打击下中途夭折，最终以人亡政息而草草收场。

而这位精通黑白之道的堂堂国手王叔文，也将在这盘政治棋局中遭遇他一生中最可怕的一次失败。

不，是溃败，是尚未与对手在中盘展开厮杀就全军覆没的溃败。

这次溃败不仅彻底埋葬了王叔文的政治理想，而且让他付出了生命的代价。

就像历史上曾经有过也必将再有的其他改革一样，王叔文的改革之刀一挥起来，就直接刺进了既得利益者的心脏。

被王叔文锁定的第一个目标是时任京兆尹的道王李实。

之所以选择他，首先是因为此人一贯横征暴敛，被长安百姓恨之入骨，搞掉他就能赢得民心；其次，他是宗室亲王、唐高祖李渊的五世孙，且是德宗朝的宠臣，从他身上开刀，就等于是向天下人表明：以王叔文为首的改革集团绝不会畏惧强权，而且针对的恰恰是权贵阶层；最后，给形形色色的政敌一个下马威——王叔文连恃宠擅权的宗室亲王都敢动，天下还有谁他不敢动？

二月二十一日，王叔文以皇帝名义下诏，列举了京兆尹李实的一干罪状，将他贬为通州（今四川达川市）长史。诏令一下，长安百姓无不欢呼雀跃，并且纷纷在袖子里藏着瓦片和小石头，守候在李实前往贬所的必经之路上，准备砸他个头破血流。李实事先得到消息，偷偷改走小路，才算侥幸逃过一劫。

王叔文紧接着采取的第二步举措是革除弊政、与民休息。

二月二十四日，在他的策划下，顺宗李诵登上丹凤门，宣布大赦天下，把民众积欠朝廷的各种捐税全部取消，同时罢停正常赋税外的各种进奉。此外，将贞元后期以来的诸多弊政如"宫市""五坊小儿"等全部废除。

所谓"宫市"，是一种由宦官负责的宫廷采购制度。自贞元后期实施以来，宦官们都是打着采购之名，行巧取豪夺之实。刚开始，宦官们还拿着一纸公文以低价向长安商户强行收购各种货物，发展到后来，几乎就是直接从商家和百姓手中抢夺了。此外还强行索取所谓的"进宫钱"和"车马费"，亦即只要宦官开口说是宫市所需之物，商家和百姓不但要免费奉上，而且还要承担运送货物入宫的费用，这已经是明目张胆的抢劫了。长安百姓对此怨声载道，朝臣也屡屡进谏，可当年的德宗却置若罔闻。

而所谓的"五坊小儿"，指的是"皇家五坊"：雕坊、鹘坊、鹰坊、鹞坊、狗坊中的差役。这些差役跟宫市宦官一样穷凶极恶，天天打着皇家招牌在长安坊间肆意敲诈勒索，百姓也往往是敢怒不敢言。

这些弊政为患多年，而今一朝罢废，长安百姓自然是一片欢腾。

王叔文此举虽然维护了百姓利益，但却严重触犯了宦官集团的利益。从这个时候起，以俱文珍为首的宦官集团就开始着手准备反击了。

三月十七日，王叔文以皇帝名义任命宰相杜佑兼任度支、盐铁转运使；两天后，王叔文被任命为杜佑的副手。但明眼人一看便知，王叔文才是真正的掌权者，杜佑只是被他推到台前充充门面而已。

改革派继行政权之后又如此迅速地掌握了财政大权，这不能不引起反对派的极大恐慌。手中握有禁军的宦官首领俱文珍等人一再向顺宗李诵施压，要求他速将广陵王李淳立为储君。顺宗无奈，只好于三月二十四日下诏，立李淳（同日改名李纯）为太子。

四月初六，在宣政殿的太子册立大典上，满朝文武看见太子李纯风华正茂、仪表堂堂，不禁大感欣慰、相互庆贺。唯独王叔文始终闷闷不乐。因为对于改革派来说，宦官集团与东宫集团的强势结合，无论如何都不是一个好兆头。

那天，王叔文一句话也没说。典礼临近结束的时候，有人听见他仰天长叹，嘴里吟诵着杜甫祭悼诸葛亮的那句诗——出师未捷身先死，长使英雄泪满襟。

此时的王叔文当然不知道，这句话最终竟然会一语成谶。

王叔文：举世浑浊我独清

王叔文意识到，如果不能夺取宦官手中的兵权，那么刚刚燃起的改革之火便随时有可能被扑灭。五月初三，王叔文以皇帝名义任命原右金吾大将军范希朝为左、右神策京西诸城镇行营节度使，任命度支郎中韩泰为行军司马。

此时驻扎在长安西面的左、右神策军是中央禁军的最精锐部队，自从德宗回銮之后便一直让宦官执掌。王叔文的此项任命显然又在故伎重施。他希望把老将范希朝推到台前，取代宦官，再让心腹韩泰架空范希朝，掌握实权。

可王叔文这回的如意算盘是完全打错了。

军队不同于文官机构，仅凭天子的一纸任命状绝对不可能在一夜之间就获得军队的效忠。其中一个很重要的原因是，各级禁军将领和俱文珍等宦官首领之间早已建立了根深蒂固的利益关系。所以不要说韩泰这种年轻的文官根本无戏可唱，就算范希朝这种资历深厚的老将出马，那些禁军将领也不见得会买他的账。

很快，王叔文就会无奈地明白这一点。

五月二十三日，俱文珍等人再次胁迫顺宗，以明升暗降的手段给王叔文加了一个户部侍郎衔，却免除了他的翰林学士一职。按理说，有了户部侍郎衔，这个翰林学士的职务就显得不重要了，但是问题在于，一直以来，王叔文都是利用这个职务坐镇翰林院，从而领导这场改革的，现在免去他的翰林学士身份，就等于把他逐出了改革派的大本营。

这一招很损，王叔文等人当然不能接受。王伾立即出面，上疏顺宗，请求保留王叔文的翰林学士衔。然而，结果还是令王叔文等人大失所望。宦官集团很快以皇帝的名义答复，允许王叔文每隔三五天进一趟翰林院，但复职请求就免谈了。

王叔文痛苦而愤怒地意识到——此刻的天子李诵基本上已经被俱文珍等人控制了。

宦官势力的强大真的让他始料未及。

接下来的日子，更让王叔文痛苦和愤怒的事情就接踵而至了。

那并不是来自反对派的打击，而是来自改革阵营的内部分裂——宰相韦执谊已经从他的战友变成了敌人。

导致王叔文和韦执谊反目成仇的原因，首先是二人的性格和处世方法差别太大。王叔文操切忌刻，难以容人，树敌太众，而且对改革的期望值太高，打击政敌的手段太狠；而韦执谊性情则相对比较柔和，处事方式比较委婉，更讲究策略，但也少了一点正直，多了一些心计。

六月初，一个偶然事件使二人的这种潜在差异突然间转变成了公开矛盾。

事情源于一个叫羊士谔的地方官。

此人对王叔文的改革不满，于是就趁着进京办差的机会，在各种场合公然抨击王叔文的政策。王叔文勃然大怒，决定杀一儆百，准备以皇帝名义下诏，将羊士谔斩首。可韦执谊坚决反对。王叔文无奈，退了一步，要求将其乱棍打死。韦执谊还是不从，只把羊士谔贬为偏远山区的县尉。王叔文怒不可遏，就在人前人后痛骂韦执谊。二人就此闹僵。改革派的所有成员都为此深感不安，却又无计可施。

差不多在此前后，有一个类似事件进一步激化了二人的矛盾。

那是在五月底的时候，西川节度使韦皋派他的心腹刘辟来到长安，秘密会见王叔文，准备跟他缔结一个利益共同体。说起来，这个韦皋也算得上是个声威远播的牛人了。这些年来，自从有了他坐镇西川，穷凶极恶的吐蕃人就再也不能越过边境一步，在他手里吃了很多苦头。正因如此，所以韦皋一直有些居功自恃。他这次派刘辟来的目的，一来是跟王叔文这个朝中新贵套套近乎，二来是想跟他做笔交易。

什么交易？

韦皋觉得西川的地盘太小，想利用王叔文在朝中的影响力，帮他谋取东川（治所梓州，今四川三台县）和山南西道（治所兴元，今陕西汉中市），把三川之地全部收入囊中。作为交换，他愿意充当王叔文的外援，为他的改革行动摇旗呐喊，必要情况下也可以用武力相助。

如果王叔文世故一点、务实一点、灵活一点的话，他是不应该拒绝这个交易的。

因为，以韦皋的实力和威望而论，若他能成为改革派的盟友，对王叔文肯定会有极大的帮助。但令人遗憾的是，王叔文从来不是一个世故、务实、灵活的人，所以他也不可能接受这个交易。

当刘辟来见王叔文时，王叔文一照面就没给他好脸色看。刘辟心里当然不爽，所以说话的口气也就比较狂。他说："太尉（韦皋的中央官职）让我向您表达诚意，如果您能将西川、东川、山南西道统统划归太尉管辖，那他必将以死相报；倘若不给，他也一定会用别的方式相报！"

王叔文一听，顿时勃然大怒。

像韦皋这种武夫，他本来就不想结交，虽说此人有些军功，可说到底也是个军阀，这种人找上门来做交易，简直让王叔文觉得是对他的侮辱。此时此刻，这个看上去牛皮烘烘、其实屁也不是的说客居然还说什么"以别的方式相报"，这是在商量事情吗？这简直就是赤裸裸的威胁恐吓啊！

王叔文气得七窍生烟，当即把刘辟轰了出去，然后对韦执谊下达了收拾刘辟的命令。

这命令还是一个字：斩！

可韦执谊照旧还给他一个字：不！

刘辟没完成领导交代的任务，就暂时留在京城没走，打算寻找其他的突破口。可几天后他就听说，羊士谔因为得罪王叔文差点被宰了，这才意识到大事不妙，赶紧一溜烟逃回了成都。

王叔文一听刘辟跑了，就把所有的气都撒到韦执谊身上。韦执谊就跟他打太极，派人去跟他道歉说："我绝不会背弃我们当初的盟约，现在我所做的一切，都是在曲线助成仁兄的事业啊！"

王叔文破口大骂，说他是在狡辩。

韦执谊也懒得再解释。

从此，两人的关系彻底破裂，势同水火。

要说韦执谊这番道歉是在狡辩也并没有冤枉他，因为韦执谊确实有自己的小九九。

所谓观点的斗争都是假的，只有利益的斗争才是真的。

从前，同样作为年轻士子的时候，韦执谊当然也跟王叔文一样，满脑子都是经世济民的理想，可随着他在官场上待的时间越久，昔日的理想就显得越发苍白。尤其是当上宰相后，韦执谊更是觉得世界上再没有什么东西比他头上的乌纱更重要。所以，当王叔文仍然像过去那样对他指手画脚、甚至是颐指气使时，韦执谊的抵触和反感就是可想而知的。

说白了，他觉得以自己目前的宰相之尊，已经完全没必要再受王叔文的控制了。如果说这种行为是过河拆桥，那韦执谊宁可拆桥，也绝不甘心再当王叔文的傀儡和花瓶。

对于韦执谊的这种心态，王叔文自然是看得一清二楚。

所以，王叔文对韦执谊的痛恨就不仅仅是他对友情的背叛，而是他对改革事业的背叛。

在王叔文眼中，改革是理想，是信仰，是他生命的全部意义所在。

可在韦执谊眼中，改革是什么呢？只不过是工具，是跳板，是他换取高官厚禄的投机手段。

想到这一切，王叔文除了满腔愤怒之外，只剩下一种心情。

那就是孤独。

一种充塞天地的巨大而无形的孤独。

一种举世浑浊我独清、举世蒙昧我独醒的孤独……

西川节度使韦皋在王叔文那里碰了一鼻子灰，不禁恼羞成怒，于是处心积虑地呈上了两道奏疏。

第一道是给皇帝李诵的："陛下积劳成疾，而又日理万机，所以御体迟迟不能康复。请暂令太子监国，恭候陛下圣躬痊愈，再令太子回到东宫。臣位兼将相，而今所言，乃职责所在。"

第二道是给太子李纯的："圣上把政事委托给臣子，然而所托非人。王叔文、王伾、李忠言之流，虽身负重任，却任意赏罚，败坏朝纲，而且植党营私，内外勾结。臣深恐其祸起萧墙，倾太宗之盛业，毁殿下之家邦。愿殿下即日启奏皇上，斥逐群小，使政出人主，则四方获安。"

这个韦皋显然不是一盏省油的灯。

这两道奏疏表明他拥有高度敏锐的政治嗅觉。他知道，王叔文的唯一靠山就是皇帝，除了皇帝，几乎所有人都是王叔文的敌人。所以，只要他韦皋跟太子李纯站在一起，而且想办法把李纯推上去，把顺宗搞下来，那么天下要收拾王叔文的人多了去了，根本用不着他韦皋本人动手。换句话说，哪一天把"太子监国"这事搞成了，哪一天王叔文就会死无葬身之地。

紧随着韦皋上疏之后，荆南节度使裴均、河东节度使严绶等人也先后上疏顺宗，说的事跟韦皋一模一样。

反对王叔文的统一战线就这样在无形中建立起来了。

太子、宦官、藩镇，这三种势力绞在一起，唯一的结果只有一个——顺宗完了，改革完了，而王叔文也绝对是死定了。

飘风骤雨的"永贞革新"

此时此刻，王叔文手中剩下的最后一张牌，就只有他派去接管禁军的韩泰了。

如果韩泰能够顺利接管神策军，那么大势或许还能挽回，因为必要情况下可以用武力解决问题。

然而，实际情况是，老将范希朝进入奉天的神策军指挥部坐等多日，各级禁军将领却一个也没有露面。

范希朝和韩泰就这么坐在奉天城里面面相觑。皇帝的任命状还揣在他们怀里，可已经变成了一张废纸。

王叔文并不知道，早在范希朝和韩泰从长安出发的时候，禁军将领们就给俱文珍发了一封密函，说他们的军队即将服从朝廷的命令，隶属于范希朝。其用意当然是希望俱文珍能表明态度。俱文珍赶紧回函说：绝对不能把军队交给别人。

有了宦官这句话，禁军将领们就有底气了，于是就把老将范希朝晾在一边，理都不理，更别提那个手无缚鸡之力的韩泰了。

韩泰最后只好单骑返回长安。

除了一双赤手空拳和一张表情沮丧的脸，他没有给王叔文带回来任何东西。

那一刻，王叔文陷入了绝望。

正所谓屋漏偏逢连夜雨，船破又遇顶头风。王叔文现在就是这种感觉。因为就在他事业最艰难的时候，家中又传来噩耗——他母亲病重，将不久于人世。

这是贞元二十一年的六月中旬，距离改革大幕正式拉开仅仅四个月，但是一切已经面目全非。

老母病重的消息对于此刻的王叔文来讲，已经不仅仅是一种感情上的打击，而是敲响了他事业的丧钟。

因为只要他母亲一咽气，王叔文就必须回家守丧。这无异于是帮了王叔文的对手们一个大忙——根本不用他们花任何力气，王叔文自己就得乖乖地卷铺盖走人。

六月十九日，王叔文知道自己在朝廷的日子已经进入了倒计时，就在翰林院摆了一桌丰盛的酒席，邀请了几位翰林学士，还有宦官李忠言等人。

而王叔文邀请的最后一位客人则出乎所有人的意料。

他就是宦官俱文珍。

没有人知道王叔文邀请俱文珍的目的是什么，只知道这场宴席是在尴尬的气氛中开场的，并且很快就不欢而散。

开席时，王叔文端起酒杯对大家说："叔文母亲患病，但因身负国家重任，未能亲自侍奉汤药，现在决定请假回家侍候母亲。叔文近来竭尽心力，不避危难，所作所为都只为了报答皇上隆恩。一旦离职，各种诽谤必将纷至沓来，不知哪位肯体察叔文苦心，为叔文说一句公道话？"

王叔文的这番真诚告白是什么用意呢？

是为了唤起人们的恻隐之心，还是希望与对手俱文珍达成一定程度上的相互谅解？

在俱文珍看来，这两者都不是。他认为，王叔文这一招叫作缓兵之计。他打这张悲情牌的目的，就是想麻痹对手，以便等待时机卷土重来。因为作出了这样的判断，所以那天俱文珍始终板着一张脸，王叔文说一句他就驳一句，一点面子也不给，搞得在座的人都相当尴尬。

王叔文无话可说，只好一边干笑一边劝大家喝酒干杯。可此刻的酒除了苦味和酸味，再也喝不出其他味道了。众人勉强干了几杯便纷纷告辞而去。

王叔文看着那一桌几乎没有动过筷子的美味佳肴，心里面空空荡荡的。他忽然有一种感觉，觉得自己的生命从来没有像现在这么轻，轻得像是要飘起来，也从来没有像现在这么重，重得他无力支撑。

第二天，也就是六月二十日，一则消息就传遍了长安城的大街小巷，此后又陆续传遍天下诸道及各州县。

消息说王叔文因母丧去职，离开了朝廷。

至于说他还能不能回来，多数人并不表示乐观。

王叔文一走，韦执谊顿感浑身清爽，开始独立行使宰相职权，政令皆出己意，从此与王叔文了不相干。王叔文恨得牙痒痒，虽然不在朝中，可天天与一帮故旧筹划着要重执朝柄，并且扬言：一旦复职首先就要干掉韦执谊，然后把所有背叛改革和反对改革的人通通杀掉。

但是，这已经不可能了。

说好听点这叫一厢情愿，说难听点就叫意淫。

王叔文夜以继日反复意淫的结果除了让所有对手发出冷笑之外，只能让那些坚持留在改革阵营中的人发出苦笑。

改革的主心骨没了，王伾感到了一种唇亡齿寒的悲凉。

他到处奔走呼号，每天去见宦官和宰相杜佑，请求征召王叔文为相，并让他统领禁军。

如果说王叔文渴望重掌权力是一种意淫，那么此刻王伾的这种请求就近乎愚蠢了。

不过话说回来，当改革落到这步田地，除非像韦执谊那样自求富贵，否则无论是谁想替王叔文和改革做点什么，看上去都会显得既可怜又愚蠢。

可想而知，王伾的种种请求都遭到了拒绝。王伾在惶惶不安中一连向顺宗呈上了三道奏疏，结果当然是石沉大海。

于是初秋的某一天深夜，翰林院的值班人员就突然听见王伾在他的办公室里发出一声惨叫。

第二天王伾就被人用担架抬回了家。

从此他再未踏进翰林院一步。

事后人们听说，翰林院的值班人员听见的那一声惨叫是：

"我中风了！"

王伾到底是不是真的中风了？

没人知道，也没人有兴趣去了解真相。

贞元二十一年七月二十八日，顺宗李诵发布了命太子监国的诏书。当天，太子李纯在含元殿东朝堂接受文武百官的拜贺。

八月初四，顺宗发布了命太子登基的诏书，同时自行退位为太上皇；初五，顺宗迁居皇城外的兴庆宫，宣布改元"永贞"；初六，迫于来自各方面的压力，顺宗颁布了最后一道诏书：贬王伾为开州（今重庆开县）司马，贬王叔文为渝州（今重庆市）司户。

不久，王伾病死于贬所。五个月后，顺宗驾崩，宪宗李纯随即下诏将王叔文赐死。

紧随二王被贬之后，改革派的其他主要成员也无一幸免。

韩泰先是贬为抚州（今江西临川市）刺史，再贬虔州（今江西赣州市）司马；柳宗元先贬为邵州（今湖南邵阳市）刺史，再贬永州（今湖南永州市）司马；刘禹锡先贬为连州（今广东连州市）刺史，再贬朗州（今湖南常德市）司马；韩晔贬为饶州（今江西波阳县）司马；陈谏贬为台州（今浙江临海市）司马；凌准贬为连州（今广东连州市）司马；程异贬为郴州（今湖南郴州市）司马。一贯自求多福的宰相韦执谊也没有逃过这一劫，最后被贬为崖州（今海南琼山市）司马。

这个出师未捷身先死的改革集团，在历史上被称为"二王八司马"，这场失败的改革被称为"永贞革新"。从贞元二十一年二月掀开改革大幕，到这一年七月遭遇失败，永贞革新历时不过半年。

飘风不终朝，骤雨不终日。

这场飘风骤雨般的改革来得有多么迅猛，败得就有多么惨烈。

王叔文为什么败得这么惨？

原因很简单——刚强者易折，皎皎者易污。王叔文为人处世的原则性太强，手段太硬，执行力太猛，所以必然招致反对派的强烈反弹和极力打压。此外，王叔文的理想和价值观与现实存在太多抵牾，可他偏偏又宁折不弯，所以必然在坚硬的现实面前撞得头破血流。

当然，从人格理想的层面看，王叔文等人的精神是坦荡无私、苍天可鉴的，不应该遭到世人的诟病。

然而，毋庸讳言的是——他们做人做事都太缺乏弹性。要知道，无论在什么时代，富有弹性的柔弱，都远比一意孤行的刚强更适合在官场上立足，也更适合在这个险恶的世界上生存。

据说，孔子他老人家有一次曾经去拜访老子。老子在家睡大觉，孔子进去后躬身向老子求教。老子看了他一眼，张开嘴："看看我的牙。"孔子一看，老子的牙全掉光了，点点头。然后老子又道："看看我的舌头。"孔子又看了看，老子的舌头很完整，也很灵活。然后老子就闭上眼睛继续睡觉。孔子想了想，躬了躬身就走了。

老子要告诉孔子的是，做人不能像刚强易折的牙齿那样，而应该学习舌头——柔软、有弹性、善于权变。

当然，永贞革新的失败，不完全是主观原因使然，也有其不得不败的客观因素。毕竟此时的大唐帝国，各种政治乱象由来已久，各种社会积弊也已积重难返，并不是靠几个人就足以拨乱反正、振衰起敝的。

都说世事如棋，都说政治就像一场博弈。不知道临终前的王叔文会不会发现，在世事的棋局中，在政治的博弈场上，他这位堂堂国手到头来也只是一名业余选手。不知道他会不会发现，其实与他对弈的那个对手，从一开始就是不可能被战胜的。

因为，那不是一个或一群具体的人。

那是一个帝国的沉疴。

永贞元年（公元805年）八月初九，二十八岁的李纯在宣政殿即位，是为唐宪宗。仿佛就在电光石火的一瞬间，大唐帝国的历史就掀开了全新的一页。

一切为什么发生得如此仓促？

答案很简单——在手握兵权的宦官和藩镇面前，在咄咄逼人的太子李纯面前，中风瘫痪的皇帝李诵实在是无力承担任何东西，也无力抗拒任何东西。

他既无力承担一个帝国压在他肩上的重任和使命，也无力抗拒宦官、藩镇和太子的联手逼宫。所以最终，他无力抗拒改革的失败，也无力抗拒下台的命运。

宪宗李纯登基的时间，与德宗驾崩、顺宗登基的时间相距还不到八个月。也就是说，在短短的一年内，大唐帝国就换了三任皇帝。

　　在唐朝将近二百年的历史上，还从未发生过这样的事情。

　　这到底意味着什么？

　　在这个风云变幻而又稍纵即逝的永贞元年过去之后，帝国的明天又将何去何从？

宪宗：不要挑战我的底线

　　新年的正月初一，宪宗李纯率领文武百官来到兴庆宫，向太上皇李诵拜贺新年，同时进献尊号——应乾圣寿。

　　年轻的皇帝看上去一脸仁孝，整个拜年活动的气氛也显得喜庆祥和。尤其是"应乾圣寿"这个尊号，看上去显得特别吉利，因为它包含着祝愿太上皇"寿与天齐"的意思。

　　然而，令人意想不到的是——年仅四十五岁的李诵非但没有寿与天齐，反而在短短十几天后就猝然离世了。

　　有迹象表明顺宗之死存在着颇多疑点，后世对此也有诸多猜测。可疑点毕竟只是疑点，猜测也只能是猜测。尽管宪宗李纯翻开历史新页的动作显得过于迅猛而急切，但是这个动作背后是否隐藏着什么，今天的我们已经不得而知。

　　正月初二，宪宗大赦天下，改元"元和"。

　　站在大明宫巍峨的城楼上，站在元和元年（公元806年）的开端，二十九岁的宪宗李纯若有所思地凝望着这个历尽沧桑、饱经磨难的帝国。春天的阳光在他年轻的额头上欢快地跳跃。李纯的思绪不由自主地回到了二十多年前。

　　那也是一个春天，当时的李纯年方六岁，被德宗皇帝抱在膝上。德宗逗着他说："你是谁的孩子呀，为什么坐在我的怀里？"

李纯一本正经地望着德宗，用响亮的声音回答："我是第三个天子呀。"

德宗愣了一下，随即朗声大笑。作为皇长孙，李纯确实可以称之为"第三个天子"。至今，李纯犹然记得祖父德宗那又惊又喜的表情和充满期望的目光。

李纯知道，祖父德宗的目光是在告诉他——既然是第三个天子，那么当你有朝一日坐上天子宝座，就有责任和义务把过去的天子没做完的事情做完。

过去的天子没做完的事情是什么？

两个字：削藩。

自从安史之乱开启了藩镇割据的动荡局面后，大唐帝国就无可挽回地进入了一个大裂变的时代。此后代、德二宗虽然都曾有过中兴之志，却苦无回天之力，而顺宗在位时间不过半年，更谈不上有何作为。于是，当晃晃悠悠的帝国马车好不容易驶出混沌无光的贞元长夜，终于迎来公元九世纪初的第一抹阳光时，中兴社稷的历史使命就责无旁贷地落在了刚刚登基的宪宗李纯身上。

此时的宪宗年未而立，正是风华正茂、血气方刚之年，对于帝国几十年来的政治乱象，李纯心里一直极端不满，尤其是对于四方藩镇的跋扈行为，李纯更是深恶痛绝。换言之，宪宗此刻的志向和抱负就跟当年德宗刚刚即位时一模一样——心想把藩镇的权力收归朝廷，重塑中央政府的权威。

然而，当年的德宗不就是怀抱着这样的理想，结果却在现实面前碰得头破血流的吗？如今的宪宗会不会重蹈这样的历史覆辙呢？

满朝文武无不对此心怀忐忑。很多人不相信这个年纪轻轻的天子真能摆平那些不可一世的藩镇。说白了，前面几任天子倾尽全力都做不到的事情，你李纯凭什么能做到呢？

似乎是为了考验宪宗的能力和决心，他刚刚于永贞元年八月登基，西川节度使韦皋便于同月病逝，其心腹刘辟不经朝廷同意就自立为留后。这一幕就跟当年成德的李惟岳如出一辙，明摆着是在蔑视中央的权威。宪宗考虑到自己刚即位，万事都无头绪，只好暂时采取安抚手段，任命刘辟为节度副使，代行节度使职权。

刘辟立刻抖了起来。他认为，这个年纪轻轻的皇帝在藩镇事务上绝对不可能比当年的德宗更有能耐，遂得寸进尺，于元和元年正月上疏，公然要求兼领三川（四川、东川、山南西道）之地。这已经不止是蔑视中央的权威，而是在赤裸裸地挑战朝廷的底线了。

宪宗很快就给出了答复——不。

刘辟冷笑。他觉得李纯这么做无异于是在重蹈德宗年轻时的覆辙，所以根本不把朝廷放在眼里。元和元年正月，刘辟悍然出兵进攻东川，把东川节度使李康团团围困在梓州（今四川三台县）。

宪宗愤怒了。

难道绵延玄、肃、代三朝的安史之乱，泛滥整个德宗一朝的诸藩之乱，又将从刘辟这里开始重演吗？难道大唐的天子永远只能在飞扬跋扈的藩镇面前忍气吞声、束手无策吗？

年轻的宪宗情不自禁地发出了和当年的德宗一模一样的怒吼——"不！"这样的藩镇不收拾，李唐朝廷就永远是软弱无能的代名词。

可是，李纯太清楚德宗说不的后果了。

今天如果对刘辟用兵，会不会招致相同的恶果？

李纯心里实在没底。

而满朝文武更没底。他们列举了一大堆理由，说什么蜀地山川险阻，关塞坚固，易守难攻等等，总之一句话：这仗不能打。

李纯陷入了矛盾之中。

关键的时刻，宰相杜黄裳站了出来，说：这仗不但可以打，而且必须打。

杜黄裳的理由是："德宗经历当年的忧患之后，对藩镇姑息迁就、委曲求全。节度使都变成了终身制，他们活着的时候，中央从不敢派人接替。有人死了，才派宦官去征求将领们的意见，得到拥戴的，朝廷才敢任命。可是，许多宦官便因此而接受大将贿赂，回朝后就极力替其说话，朝廷就授出节度使的旄节，所有的任命几乎从来不是出于天子之意。陛下如欲重整朝纲，就该用国法制裁藩镇，否则天下就无法治理。"

杜黄裳最后说："刘辟只不过是一个愚蠢狂妄的书生，制伏他就像弯腰拾草那么容易。只要派遣一个有勇有谋的大将，必能活捉刘辟。"

为此，杜黄裳向宪宗推荐了一个叫高崇文的神策军将领。

同时，杜黄裳还提出了一条至关重要的建议——不要在出征的军队中设置监军宦官。

唐朝历史上，由宦官统率军队或者监督军队所导致的血的教训已经够深刻了，但是却往往会被皇帝们一再忽视。

所幸，宪宗这次没有忽视，而是全盘采纳了杜黄裳的建议。

元和元年正月二十三日，宪宗命神策军大将高崇文、李元奕，会同山南西道节度使严砺即刻出兵讨伐刘辟。

削除跋扈藩镇的战役就此打响。

朝廷军刚刚从长安出发，前线就传来了令人不安的消息——刘辟已经攻陷梓州，活捉了东川节度使李康。

这个消息无疑加强了宪宗朝廷削藩的决心。

正月底，高崇文部穿过斜谷（今陕西太白县境），李元奕部穿过骆谷（今陕西周至县西南），兵锋直指梓州。二月初，严砺率部攻克了剑州（今四川剑阁县），斩杀了刘辟任命的刺史文德昭。

三月初，高崇文率部进抵梓州。刘辟任命的守将怯战，弃城而逃。高崇文遂不战而克复梓州。刘辟开始感到恐惧，随即把李康送到了高崇文的军营中，希望朝廷能赦免他的罪行。然而，高崇文当场就以"败军失守"

的罪名把李康砍了,意思是让刘辟死了这条心。

数日后,宪宗也下诏剥夺了刘辟的所有官爵。

宪宗是在用行动告诉刘辟——胆敢蔑视中央权威、挑战朝廷底线者,朕绝不姑息!

就在高崇文等人讨伐刘辟的战役刚刚打响不久,另一个藩镇也出了问题。

这个藩镇所辖的就是夏绥(治所夏州,今陕西靖边县北),其节度使就是当初讨伐吴少诚时屡遭败绩的草包韩全义。

虽然德宗当时放过了这个草包,但这并不等于韩全义从此就高枕无忧了。

因为不是每个皇帝都像德宗那么好说话。

宪宗即位不久,就把韩全义召入朝中,撤掉了他的节度使职务,给了他太子少保的闲职。明眼人都看得出来,这是准备收拾韩全义的一个信号。

韩全义当然也知道,所以入朝之前便把夏绥的兵权交给了外甥杨惠琳,命他为代理留后,打算遥控夏绥,以便利用这个筹码跟朝廷讨价还价。然而,宪宗根本无视他手中的筹码。没多久,宪宗就断然下诏,勒令韩全义致仕,并委派右骁卫将军李演前往夏绥继任节度使。杨惠琳一下子慌了手脚。

元和元年三月,杨惠琳在韩全义的授意下,一边整军备战,拒绝李演赴任,一边上疏朝廷,声称夏绥将士强行拥立他当节度使。

很显然,这是继刘辟之后摆在宪宗面前的又一个考验。

如果要打,朝廷就要在南北两条战线上同时作战,这就很可能把帝国再次拖入全面战争的泥潭;如果不打,好不容易在对付刘辟时培养起来的自信就会土崩瓦解。

怎么办?

李纯经过短暂的权衡,最后一咬牙:打!

非常幸运的是，朝廷讨伐杨惠琳的前锋军队刚刚开拔，夏绥兵马使张承金就刺杀了杨惠琳，于三月十七日将其首级传送京师。

杨惠琳一死，韩全义也就彻底没戏了，只好乖乖卷铺盖回家。

一场叛乱就这样被扼杀在了萌芽状态。

朝廷平定夏绥的同时，高崇文部也正在向西川的纵深稳步推进。

刘辟命军队在鹿头关、万胜堆一带（今四川德阳市北）修筑了八座营寨，派重兵布防，企图阻遏官军兵锋。六月初，高崇文部开始对万胜堆发起猛烈进攻，很快就取得八战八胜的骄人战绩，顺利攻克万胜堆，继而将鹿头关团团包围。

至此，征讨刘辟的战役进入了最后阶段。从这一年六月到九月，高崇文和严砺又在德阳、汉州（今四川广汉市）、绵州（今四川绵阳市）、玄武（今四川中江县）、神泉（今四川安县南）屡屡击败西川军队。原本一直负隅顽抗的鹿头关守军眼见大势已去，只好打开城堡向高崇文投降。

随后，高崇文长驱直入，于九月二十一日攻克成都。刘辟向西逃窜，准备投奔吐蕃，却在羊灌田（今四川彭州市西北）被追兵追上，自杀未遂，旋即被捕。

十月七日，宪宗任命高崇文为西川节度使，两天后任命严砺为东川节度使。

十月二十九日，刘辟被押解到长安，宪宗下令将刘辟与所有族人、党羽全部斩首。

西川叛乱宣告平定。

毫无疑问，这是一场意义深远的胜利。自安史之乱以后，在李唐中央与四方藩镇旷日持久的较量中，朝廷似乎还是第一次赢得这么漂亮，而且又是宪宗李纯登基后的第一次出手，其意义更是非同小可。

通过夏绥和西川的两场胜利，宪宗李纯俨然以一副强势天子的姿态，向天下诸藩发出了一个异常强硬的信息——你们可以拥有一定的自由度，但请不要得陇望蜀，更不要试图挑战我的底线。

诸藩震恐，纷纷主动上表请求入朝（实际上就是入朝当人质），以示绝无反叛之意。元和二年（公元807年）九月，镇海（治所润州，今江苏镇江市）节度使李琦也不得不跟着做做姿态，命手下判官王澹为留后，同时上表请求入朝。宪宗立即批准，并派遣宦官前往镇海宣慰，实际上是督促李琦进京。

李琦本来只是做做样子，没想到朝廷居然当真了，于是迟迟不肯动身，一再拖延行期。王澹和朝廷来的宦官再三催促，李琦老大不爽，干脆上疏说自己病了，等到年底把身体养好再入朝。宪宗就此事征求宰相们的意见，时任宰相的武元衡说："陛下刚即位，李琦说入朝就入朝，说不入朝就不入朝，决定权都在他手上，陛下将如何号令天下？"

宪宗觉得武元衡的想法正与自己不谋而合，遂下诏征召李琦入朝。

李琦慌了。此刻入朝无异于去送死，可不入朝就是抗旨，怎么办？

李琦横下一条心——反了！

九月末的一天，李琦的帐下亲兵突然哗变，大声叫嚣说："王澹是什么东西，胆敢擅自主管军务！"随即把已经接管军府事务的留后王澹杀了，并剁成肉块吃掉。大将赵琦出面阻拦，也被乱兵杀掉吃了。乱兵随后把刀架在钦差宦官的脖子上，一边叫骂一边作势要杀。就在这节骨眼上，李琦带着一副惊诧的表情及时出现，制止了乱兵，救了宦官一命。这个宦官当然知道，这一切都是李琦导演的，而且就是演给他和朝廷看的。

十月初，宪宗向李琦进一步施压，命他入朝担任左仆射，同时命御史大夫李元素接任镇海节度使。李琦立即上疏，说："军队叛变，杀死了留后和一员大将。"其潜台词是，此刻的镇海形势混乱，除了我李琦，没人能镇得住。

宪宗不吃他这一套，随即下诏剥夺了他的所有官爵，同时命淮南（今属江苏）、鄂岳（今属湖北）、宣歙（今属安徽）、江西（今属江西）、浙东（今属浙江）五道兵马会攻李琦。

无独有偶，就跟上次征讨杨惠琳一样，战斗还没有打响，李琦的后院就起火了。他的外甥裴行立联合镇海兵马使张子良等人，共同背叛了李琦。

十一月，李琦父子被押解到长安，一同腰斩。

年纪轻轻的宪宗李纯一上台就以雷霆手段收拾了三个叛乱的藩镇，这着实让忠于李唐的臣民们感到扬眉吐气，也着实让一部分飞扬跋扈的藩镇感到惶惶不安。

然而，首战告捷的宪宗并没有过分乐观。

因为他知道，真正的对手还没有上场。

当初把代宗、德宗两代天子搞得焦头烂额的那帮强硬角色，还没有上场。

削藩不是件容易的事

平定夏绥、西川、镇海之后，宪宗李纯就把沉重的目光投向了帝国的东北边陲，那里就是河北三镇——卢龙（初称幽州）、成德、魏博。

自安史之乱以来，河北三镇就与河南的淮西（后称彰义）、平卢（又称淄青）两镇共同构成了李唐中央的心腹之患。它们不但实力强大，割据时间长，而且互为奥援，一有风吹草动便结成联盟对抗中央。这么多年来，它们赋税自享，职位世袭，一切自专，基本上处于半独立状态。

这样的藩镇不收拾，朝廷有何威信可言？帝国有何安宁可言？

然而，要收拾这种老牌的跋扈藩镇，也绝不是件容易的事。

宪宗只能耐心地等待机会。

元和四年（公元809年）二月，成德节度使王士真（王武俊之子）卒，他的儿子王承宗自立为留后。宪宗的第一反应就是：拒绝承认，由中央另行委派节度使；如果王承宗不服从，就趁此机会兴兵讨伐。

其实早在三年前，当平卢节度使李师古（李纳之子）病卒、其弟李师道自立为副使的时候，宪宗就很想把李师道端了，借此打破"父死子继、兄终弟及"的藩镇世袭制，可由于当时朝廷正对刘辟用兵，无力兼顾，只好违心地任命李师道为留后。

虽然迫于形势承认了李师道，但宪宗还是把平卢镇的征税权和官吏任免权收了上来。而且，当时宪宗就已经打定主意，平定刘辟之后，无论哪个藩镇胆敢再搞世袭制，朝廷绝不姑息。

所以，当王承宗自立为留后的消息传来时，宪宗马上就向宰相提出了自己的想法，打算借此机会削藩。

可是，时任宰相的裴垍却表示反对。

裴垍认为，德宗一朝，平卢节度使李纳（李师道的祖父）是最为"跋扈不恭"的藩镇之一，而成德节度使王武俊（王承宗的祖父）则或多或少"有功于国"，可既然朝廷在几年前承认了李师道，现在又有什么理由拒绝王承宗呢？如果坚持要剥夺他的继承权，恐怕不光是王承宗不服，天下诸藩都会认为朝廷处事不公。

宪宗也觉得裴垍说得有道理，只好把事情暂时搁置了。但是宪宗想来想去，还是不愿就此放弃，随即便又召见了他最信任的几个翰林学士，希望听听他们的意见，最好是得到他们的支持。

然而，宪宗再次感到了失望。

因为翰林学士李绛等人也都提出了异议。

李绛说："河北诸镇久不服从中央，此事固然令人愤恨，可要想一朝革除其世袭之弊，恐怕也办不到。成德自李宝臣、王武俊以来，父子相承已四十余年，无论民心还是军心都已习惯，不认为自立自代是违背纲纪。何况王承宗现在事实上已经接管了军政大权，必定不会服从朝廷的安排。再者，卢龙、魏博、平卢等镇也一向是传位给子弟，与成德利益一致，如果看到朝廷另行委派节度使，必定暗中结盟。此外，眼下江淮一带水灾严重，国家财政和民生都很困难，恐怕不宜轻启战端。"

宪宗无语了。

反对削藩的理由这么充分，他还有什么好说的呢？就算心里非常不爽，他也只能无可奈何地面对现实。

就在宪宗一筹莫展之际，有个人忽然站了出来，极力支持他的削藩意图，并且自告奋勇，要求率兵讨伐王承宗。

这个人名叫吐突承璀，是个宦官，时任左神策中尉。

可想而知，能当上禁军一把手的人，绝对不是一般的阿猫阿狗。此人虽然年纪不大，但从小就净身入了宫，一直在东宫侍奉太子李纯，也算是资深宦官了，而且这小子脑瓜子活络，办事精明，所以深受李纯宠信。李纯即位后，立即擢升他为宦官总管兼左监门将军，不久又提拔为左神策中尉。

吐突承璀能在这个关键时刻站出来力挺削藩，着实让宪宗颇感欣慰，也让他对削藩之事平添了几分信心。但是问题在于，宰相裴垍和翰林学士李绛等人历来都看宦官不顺眼，假如真的让吐突承璀统兵出征，这帮文臣会不会闹翻天呢？

宪宗觉得可能性很大。

所以，即便吐突承璀其志可嘉，宪宗还是有些举棋不定。

为了摆脱这种两难局面，宪宗决定找一个机会，就任命吐突承璀为统帅的问题试探一下大臣们的态度。

有趣的是，宪宗刚起了这个念头，有个叫李拭的朝臣就递上了一道奏疏，说："王承宗不可不讨伐！吐突承璀是陛下的亲信近臣，完全可以把兵权交给他，让他统帅各军出征，看谁敢不服！"

很显然，李拭在这个时候上这道奏疏绝非巧合。

他是摸透了宪宗的心思，才想通过这道奏疏，把权宦吐突承璀和天子李纯的马屁一块拍了。

宪宗看着奏疏，脸上悄然掠过一丝诡谲的笑意。

当天，他就把奏疏拿给宰相和翰林学士们看，说："瞧瞧这个奸臣，他已经知道朕打算把兵权交给吐突承璀，才赶紧呈上此奏。诸位贤卿切记，从今往后，绝不能擢升和任用此人。"

李拭万万没料到，他这个自作聪明的马屁一拍下去，居然把一辈子的富贵和前程都给拍没了。

苍天啊，大地啊，我到底错在哪里啊？

很简单，你的错误就是太"聪明"了，聪明到宪宗一眼就看穿了你的投机嘴脸，所以对你的为人相当不齿。

不过，这还不是主要原因。

主要原因是——宪宗必须拿你李拭来说事儿，才能顺带着把授予吐突承璀兵权的事情提出来，从而不着痕迹地试探大臣们的反应。

这就是宪宗高明的地方。如果他不这么做，而是直统统地拿着奏疏去征求大臣们的意见，那他就太弱智了。

总之，宪宗的目的无非是想进行一次火力侦察，才顺手把李拭拿来当枪使了。所以，要怪只能怪李拭聪明反被聪明误，不能怪宪宗做人不厚道。

让宪宗颇感意外的是，裴垍、李绛等人对他的"火力侦察"几乎没有做出任何反应。

不反应只能有两种解释：一是默许，二是佯装没有察觉，以不变应万变。

在宪宗看来，后者的可能性更大。

尽管意识到大臣们迟早会跳出来反对，可宪宗却不愿坐等。眼下，他还是要抓紧时间进行削藩的准备工作。

于是几天之后，宪宗就起用了一个叫卢从史的人。

此人原本担任昭义（今属山西）节度使，几年前因遭父丧，丁忧去职，随后长时间赋闲在家，一直没机会复出。这回，卢从史听说宪宗一心想削藩，随时可能跟河北开战，赶紧跑回长安，花重金打通吐突承璀的关系，极力表示愿率本镇（昭义）军队出征，充当吐突承璀的前锋，为朝廷赴汤蹈火，誓死讨伐王承宗。

吐突承璀随即向宪宗作了推荐。宪宗不假思索，立刻任命卢从史为左金吾大将军，并把他过去的职务也一并恢复。

很明显，宪宗是决心拿成德的王承宗开刀了。

然而，削藩之事非同小可，必须从政治、军事、财政多方面综合考量，不是脑门一拍或胸脯一拍就能决定的。所以，宪宗思来想去，最后还是决定作两手准备——在采取战争手段之前，尽量先用政治手段解决问题，就算政治手段到头来不顶用，也能为朝廷赢得出兵的理由，增加正义的筹码。

简言之就是四个字：先礼后兵。

这一年七月，宪宗召见李绛等人，说："关于成德的问题，朕想了一个折中的办法。要任命王承宗为留后也行，可必须把他辖下的德州（今山东陵县）、棣州（今山东惠民县）分割出来，另设一镇，削弱他的势力，并且命他跟平卢的李师道一样，从此必须向朝廷缴纳两税，各级官吏也一律由朝廷任命。你们以为如何？"

李绛反对宪宗分割德、棣两州的做法，他认为这么做势必激起河北诸镇的反抗情绪，但是关于征税和任命官吏的事，李绛却提出了一个更稳妥的建议。他说："可以派遣使臣去给王士真吊唁，然后让使臣以个人名义向王承宗提出来，不让他知道这是陛下的意思。如果他同意，那当然最好，万一不同意，也不会折了朝廷的脸面。"

八月初，宪宗派遣京兆少尹裴武前往成德宣慰。

宪宗部分采纳了李绛的建议，也就是让使臣以个人名义跟王承宗谈判，但是宪宗特别叮嘱裴武，谈判内容不仅要包括征税权和官吏任免权，还必须让王承宗割让德、棣二州。

仿佛是为了考验宪宗的定力和耐心，这一年八九月间，卢龙节度使刘济（刘怦之子）、魏博节度使田季安（田绪之子）、淮西节度使吴少诚居然不约而同地病倒了。

事情明摆着——这些人一死，其子弟必然自立，强藩世袭的大戏必将再度上演。

宪宗随即迫不及待地对李绛等人说："刘济这帮人就快死了，难道朝廷只能照旧听任他们的儿子继位吗？要是这样，天下何时能够太平？现在朝野议论纷纷，都说应该趁此机会把权力收归中央，要是他们抗命，就派大军讨伐！时机不能再错过了，你们看怎么样？"

李绛等人知道，宪宗削藩的决心看来是九牛莫挽了，而如今的藩镇形势也确实令人不安。在此情况下，朝廷与河南、河北的这些强藩迟早必有一战。

所以，现在的问题已经不是这仗该不该打了，而是该怎么打？先跟谁打，后跟谁打？

针对这个问题，李绛和其他几个翰林学士经过审慎思考，很快就提出了一个先易后难、先南后北的战略。

他们认为，河北诸藩的形势与当初的西川、镇海截然不同，不能被当时的胜利冲昏了头脑。因为，西川、镇海都不是长期割据的地方，而且周边各道都在朝廷的控制范围内，刘辟和李琦丧心病狂，擅自发动叛乱，大多数部众其实并不服从，所以朝廷军队一到，他们立刻土崩瓦解。可是，河北诸镇的情况却与此大不相同，他们的内部势力根深蒂固，外部势力则像藤蔓一样相互交错，辖下的将士和百姓都只知有镇帅而不知有朝廷。用好言相劝，他们不听；用武力威胁，他们不服。朝廷如果对他们采取强制措施，结果很难预料。别看河北诸镇平日里钩心斗角，一旦朝廷要打破他们的世袭制，他们立马会抱成一团，拼死维护相同的子孙利益。

所以，李绛等人极力主张，朝廷应该暂时承认王承宗，对河北诸镇采取安抚政策，然后把主要精力拿来对付淮西的吴少诚。

之所以这么做，他们的理由是，淮西的情况与河北不同，却与西川和镇海相似，周边地区都是效忠朝廷的州县。因此，吴少诚一死，朝廷马上可以另行委任节度使，如果不从，立刻发兵讨伐。先把淮西平定，等到河北的刘济、田季安一死，有机可乘了，朝廷再动手也不迟。

应该说，李绛等人提出的这个战略构想是深思熟虑、也是切实可行的。假如不出现什么意外的话，宪宗朝廷完全有可能按照这个战略一步一步削平两河强藩。

然而，世事总有意外。

这个意外就出在成德的王承宗身上。

王承宗宣布自立之后，一直未获朝廷任命，于是在惴惴不安中屡次上表解释。直到这一年八月中旬，朝廷使臣裴武才姗姗来迟地给他带来了天子诏命。当然，裴武同时也带来了一些对双方都有利的"个人建议"。

王承宗大喜过望，当即表示："我是被军队逼迫的，所以没来得及等到朝廷的旨意就自立了，现在请让我奉上德、棣二州，以表区区诚意。"

双方交易就此达成。九月，宪宗正式任命王承宗为成德节度使，同时任命德州刺史薛昌朝为保信军节度使，兼德、棣二州观察使。

这样的结果基本上是朝廷和王承宗都满意的，看上去似乎皆大欢喜。可是，有一个人却很不欢喜。

他就是魏博节度使田季安。

宪宗刚刚发布了薛昌朝的任命状，田季安就通过朝中的眼线及时得到了消息。他觉得，朝廷这么做显然是在变相削藩——既然今天可以在成德割一两个州，明天为什么就不能在魏博割两三个州？照这么割下去，到时候河北诸镇拿什么来跟中央抗衡？

不行。田季安想，绝不能让朝廷开这个头，也绝不能让王承宗这个乳臭未干的小辈坏了几十年的老规矩。

他立刻派人私下告诉王承宗："你知道这个薛昌朝是谁吗？你以为他是

你的下属就一定是你的人吗？错了，大错特错了！我告诉你——这个薛昌朝早就和朝廷有一腿了，要不然他凭什么当上这个节度使兼观察使？"

王承宗一听，越想越有道理，越想越不是滋味，马上派人逮捕了薛昌朝，并把他押到真定（成德治所，恒州所在县）关了起来。

当钦差宦官带着薛昌朝的任命状和节度使旌节经过魏州时，田季安故意盛情款待，把使者留了下来，一连欢宴数日。结果，等到钦差宦官抵达德州时，薛昌朝早已成了王承宗的阶下囚。

宪宗勃然大怒。没想到自己退了一步，王承宗反而得寸进尺，于是立刻传令，命王承宗释放薛昌朝。

王承宗拒不从命。

事情就这么僵掉了。双方努力营造的皆大欢喜的假象就在这一瞬间彻底破碎。

宪宗忍无可忍。

既然政治手段不能解决问题，那就只能诉诸武力了。

一场大战就在天子的愤怒中爆发……

一个心向李唐的人

元和四年十月十一日，宪宗下诏剥夺了王承宗的官爵，任命左神策中尉吐突承璀为左右神策、河中、河阳、浙西、宣歙等道行营兵马使，兼招讨处置使，率领中央神策军，会同成德周边藩镇讨伐王承宗。

宪宗果然任命宦官为统帅了。

任命书一下，朝中舆论大哗。

就像宪宗所预料的一样，文臣们此前的沉默并不代表默许，而只是佯装不知。他们的策略是暂时按兵不动，先暗中攒着劲儿，只等宪宗正式发布任命，再一拥而上，一起发飙。

第一个上疏力谏的人是时任翰林学士的白居易。

他说："国家征伐，应该派遣真正的将帅，自古到今，从未见过征调天下之兵，却交给一个宦官统领的。臣恐四方闻之，必轻朝廷；四夷闻之，必笑中国。陛下忍心让后人代代相传，说命令宦官当军队统帅是从陛下开始的吗？臣担心卢龙的刘济、义武的张茂昭、河东的范希朝、昭义的卢从史，乃至各道将领都会以接受宦官的指挥为耻。军心不齐，大功从何建立？陛下此举，简直是帮了王承宗一个大忙。陛下若是认为吐突承璀勤勉，可授予官爵；若认为他忠诚，可赏赐财帛。至于军国大权，事关社稷安危；朝廷制度，出自祖宗所定。陛下难道宁愿宠信宦官而破坏法制、自损圣明吗？"

在奏疏的最后，白居易说了一句分量很重的话："请陛下慎思于一时，以免贻笑于万代。"

宪宗大为不悦。

紧接着，朝中的谏官御史们也纷纷上疏，反对授予吐突承璀如此重大的兵权。

然而，宪宗却置若罔闻，对所有谏言一概不理。

十月十六日，在延英殿上，宪宗的这项任命又遭到了度支使、盐铁使、京兆尹、御史中丞等一干朝廷重臣的一致反对。

宪宗头疼了。

讨伐藩镇的战争是一项牵一发而动全身的"系统工程"，需要满朝文武群策群力，尤其需要财政官员全力支持。倘若坚持任命吐突承璀而惹恼了多数朝臣，对于即将进行的这场战争肯定会产生极大的不利影响。无奈之下，宪宗只好作出让步，解除了吐突承璀的四道兵马使之职，同时改"处置使"为"宣慰使"。

表面上看，宪宗似乎妥协了，可熟悉唐朝历史的都知道，所谓的"宣慰使"其实是换汤不换药，吐突承璀仍然是讨伐军的最高统帅。

宪宗在跟满朝文武玩障眼法，李绛不得不继续进谏，极力强调重用宦官之弊。他对宪宗说，宦官做事情缺乏原则，最容易恃宠生娇，谗毁忠良，到头来往往会败坏朝政。可宪宗却不以为然："他们怎么敢对朕进谗言？就算进谗言，朕也不会听。"

李绛苦笑："宦官日夜在天子左右，天长日久，陛下势必会觉得他们有时候说的话也有道理。自古以来宦官败坏国家的事实，桩桩件件都记载在史册中，陛下岂能不防微杜渐呢？"

然而，宪宗最后还是没有接受百官的劝谏。

其实，宪宗何尝不知道历代宦官为患之烈？可他之所以还是力排众议，一意孤行，并不是因为他不懂历史，而恰恰是因为他太懂历史了。历朝历代，军队将帅拥兵自重、尾大不掉之患，难道就不烈吗？历代文臣擅权揽政、结党营私之患，难道就不烈吗？远的不说，就以唐朝为例，自从安史之乱以来，帝国在这两方面产生的祸患，恐怕丝毫不亚于宦官乱政的危害吧？

所以，宪宗李纯不得不重用宦官。在他看来，只有把宦官培植成第三种力量——一种与武将和文臣相互制衡的力量，天子才能利用这种微妙的平衡，从容不迫地掌控全局，既安全又高效地治理天下。

当然，李纯也知道，重用任何力量都是要付出代价的。可他坚信，自己能够把这个代价控制在最小的范围内。

不过，令人遗憾的是，李纯终究是过于自信了。

当我们从这一刻起纵观李纯的一生，我们发现他事实上并没有控制得很好。因为很快，他就将因重用宦官而在战场上付出惨重的代价，并且到了十一年后，他还将为此付出更为惨重的代价——不明不白地死在宦官手上。

当然，这些都是后话了，此时的宪宗李纯不可能意识到这一切。

元和五年十月末，春风得意的吐突承璀带着宪宗的殷切期望，率领神策军浩浩荡荡地向东开拔了。宪宗即日下诏，命成德四面所有藩镇出兵讨伐王承宗。

与此同时，久病不愈的淮西节度使吴少诚终于翘了辫子，大将吴少阳杀了吴少诚的儿子，于十一月底自立为留后。

宪宗最不愿看到的一幕又出现了。

可是，朝廷刚刚对成德开战，不可能再腾出手来对付淮西，所以宪宗只能装聋作哑，将淮西事务暂时搁置，一切等讨平成德以后再说。

得知朝廷出兵的消息后，魏博田季安立刻召开军事会议，对众将说："中央军已经二十五年没有渡过黄河了，如今一旦越过魏博，消灭成德（魏博在成德的南面），魏博的命运也就堪忧了，诸位认为该怎么办？"

大将中马上有人挺身而出，说："只要给我五千骑兵，定能消除大帅的忧虑。"

田季安大喜，高声对众将道："壮哉！大军即刻出发，胆敢阻挠者，斩！"

魏博出兵，当然是帮着成德打朝廷的。很多年来，河北的这几个难兄难弟就是这样，平常没事的时候，他们也时常拿着刀枪互相比画，可一旦朝廷有什么动作，他们立马就会团结起来，掉转枪口一致对外。

不过，河北三镇的人也不全都是反贼，还是有少数人依旧是忠于李唐的。

比如眼下，一个叫谭忠的卢龙将领就是心向李唐的人。

田季安准备出兵阻击中央军时，谭忠正巧奉卢龙节度使刘济之命出使魏博。他意识到，如果不想办法阻止田季安，中央军必然会受到很大的牵制，获胜的希望也将大大降低。于是，谭忠马上去见田季安，说："大帅，您若出兵攻击中央军，势必把四面八方的军队都引到魏博来，实在不是什么好事。"

田季安斜乜了他一眼："怎么说？"

"如今，中央军准备越过魏博攻击成德，却不派老臣宿将，而是派一个宦官，不出动天下之兵而以神策军为主力，您知道这是谁的主意？"

"你说是谁？"

"这是天子自己的主意。"

田季安冷笑："能不能说点新鲜的？"

谭忠无视田季安讥嘲的目光，接着说："既然是天子自己的主意，目的当然是想夸耀他的天纵英明，以使朝野对他敬畏拜服。那么大帅试想，倘若中央军还没走到成德边界，就在魏博折戟沉沙，那无异于甩了天子一记耳光，他岂能忍受天下人的耻笑？一旦天子恼羞成怒，势必采用智士良策，派遣猛将精兵，再次渡河北上。到那时候，中央军汲取失败的教训，必然不会越过魏博攻击成德，而是集中全部兵力直取魏博。届时，大帅该怎么办？"

田季安不安地扭动了一下身子，死死盯着谭忠："那依你之见，眼下魏博该怎么办？"

谭忠嘴角掠过一丝不易察觉的笑意，说："中央军进入魏博后，大帅不但不能与之开战，反而应该重重犒劳，随后大张旗鼓，表面上扬言攻击成德，暗中派人告诉王承宗：'倘若魏博攻击你们，河北义士都会说魏博出卖朋友；可要是帮助你们，天下人又会说魏博背叛朝廷。不管是出卖朋友还是背叛朝廷，魏博都不愿意。所以，阁下如果能暗中解除防备，让魏博拿下成德一城，魏博便能以此奏报皇上，以示对朝廷的效忠。如此一来，成德只有小小的损失，魏博却能获万世之安，难道阁下不希望以此换取魏博的友谊吗？'这番话一说，成德肯定不会拒绝。到时候，大帅岂不是稳如泰山了？"

田季安笑了，笑得十分酣畅："好极了！先生来此，是上天眷顾魏博啊。"

随后，田季安全盘采纳了谭忠的计策，先是与成德暗通声气，继而装模作样地"攻克"了成德的堂阳县（今河北新河县），然后就按兵不动了。

谭忠成功说服田季安后，立刻动身返回幽州。

他知道，此刻节度使刘济肯定也在为同样的事情头疼。而谭忠想要做的，绝不止是让他像魏博那样保持中立，而是要努力说服刘济配合中央军，出兵攻打成德。

当然，要说服刘济出兵肯定是有难度的，搞不好连谭忠自己的小命都得赔上。但是，谭忠已经把自己的安危置之度外了，只要有一线希望，他就要全力争取。

谭忠回到幽州的当天，刘济正好召集众将开会，讨论当前对策。刘济对众将说："天子知道我们和成德有宿怨（当初王武俊与朱滔经常交兵），一定命我们出兵讨伐，成德也一定会对我们严加戒备，怎么做对我们更有利，大家说说看。"

刘济话音刚落，谭忠便抢先回答："天子一定不会命我们出兵，成德也一定不会对我们戒备。"

刘济闻言大怒："你干脆说我和王承宗串通谋反算了！"然后二话不说，命人把谭忠扔进了监狱。

随后，刘济派人去成德边界查探军情，结果令他大为意外——成德居然跟谭忠说的一样，丝毫没有加强戒备的迹象。又过了一天，朝廷果然给卢龙下了一道诏书，宪宗在诏书中对刘济说："你只要专心保护北部边境就好了，别让朕顾虑北方的胡人，以便一心一意对付王承宗。"

刘济慌了。

这两个情况对他来讲绝不是什么好消息。因为，成德对卢龙不加防备，就等于是向天下人表明卢龙与成德暗中勾结；而天子居然亲自下诏叫他不要出兵，摆明了就是怀疑他对朝廷不忠，并且相信他跟王承宗有一腿了。这不是天大的冤枉吗？一旦成德被朝廷灭了，天子接下来要收拾的人肯定就是他刘济了。

刘济越想越觉骇异，连忙把料事如神的谭忠放了出来，说："你的判断非常准确，可你是怎么知道的？"

谭忠在心里笑了。他知道，刘济现在已经对他刮目相看了，只要再戳一戳刘济的痛处，刘济必然对他言听计从。于是，谭忠不慌不忙地说："大帅怎么看昭义节度使卢从史这个人？"

刘济不明所以地看了看谭忠，说："卢从史和我关系不错，你提他干什么？"

"大帅有所不知。"谭忠摇头苦笑，"卢从史表面与卢龙亲善，实则包藏祸心；表面与成德决裂，实际上却暗中勾结。"

"何以见得？"

"在下据可靠的情报获悉，卢从史曾对王承宗说，'卢龙虽与成德有旧怨，但成德毕竟是卢龙的南面屏障，所以卢龙不会帮朝廷打成德，成德自然也就不必防备卢龙。'王承宗采纳了卢从史的计策，因此对我们无所戒备。接着，卢从史又密报朝廷，说：'天下人皆知卢龙与成德有仇，可成德却不加防备，足见卢龙也已背叛，暗中与成德联手了。'于是，天子自然会怀疑我们，因此才会下诏让大帅不必出兵。如此一来，成德就解除了北面的威胁，而我们则替成德背了黑锅。"

刘济悚然变色："那你说该怎么办？"

"卢龙与成德有仇，天下无人不知，而今朝廷讨伐成德，大帅您手握大军，却未派一兵一卒参战，这就足够让卢从史一口咬定卢龙勾结成德，背叛朝廷了。其结果就是——卢龙枉怀忠义之心，却要背负反叛骂名，既得不到成德的感激，又落得个恶名远播的下场。天下之事，还有比这更冤的吗？请大帅务必三思。"

刘济万万没想到，卢龙当前的处境居然会如此险恶，要不是谭忠提醒，自己岂不是被人卖了还帮人数钱？

当天，刘济就向三军发出号令："五日之内，全军出发讨伐成德，凡迁延不进者，一律剁成肉酱示众！"

就这样，谭忠以他的忠诚、机敏和雄辩滔滔的口才，成功地帮李唐朝廷做了两件大事：一、让魏博从反抗军变成了中立者；二、让卢龙从骑墙派变成了讨伐军。

通过谭忠一个人的努力，原本动不动就抱成一团的河北三镇被悄然分化了，这无疑为朝廷讨伐成德创造了极为有利的客观条件。换句话说，此时的王承宗已经变成了孤家寡人，四面合围的讨伐大军只要指挥得当，完全可以把王承宗轻松搞定。

然而，令人意想不到的是——即便谭忠替朝廷肃清了障碍，声势浩大的中央军最终还是搞不定王承宗。

问题出在哪呢？

出在宪宗任命的最高统帅吐突承璀身上。

因为他根本不会打仗。

革命尚未成功，李纯仍须努力

从元和五年（公元810年）正月开始，朝廷的各路兵马就从各个方向对成德发起了进攻，但是一直到三月，这场声势浩大的围剿战役却始终没有取得任何实质性的进展。

具有讽刺意味的是，在历时三个月的战斗中，唯一帮朝廷取得战果的既不是主帅吐突承璀，也不是朝廷派遣的其他各道兵马，而是被谭忠说服的卢龙节度使刘济。

这一年正月，当其他各路兵马还在途中时，刘济便亲率七万大军率先攻下了成德的饶阳（今河北饶阳县）和束鹿（今河北辛集市）。在接下来的两个月中，刘济继续南下，围攻乐寿（今河北献县），无奈却久攻不下。而在此期间，其他各路讨伐军则碌碌无功。昭义的卢从史进入成德境内后，始终迁延观望，逗留不进；河东的范希朝与义武的张茂昭倒是推进到了新市镇（今河北正定东北），却突破不了成德军的防线，一直无法前进半步；至于魏博的田季安和平卢的李师道就更不用说了，他们私下都和王承宗通了气，所以各自"打"下一个县城便按兵不动，谁也别指望他们还能有什么动作。

让人觉得最可笑的是，各路兵马中打得最窝囊的不是别人，恰恰是主帅吐突承璀率领的神策军。自从进入战场后，这支装备最精良、待遇最优厚的中央禁军就没打过一场胜仗，不但在交战中频频失利，而且早早就损失了一员骁将郦定进。

郦定进是左神策大将军，历来勇冠三军，当初征讨西川时还曾亲手活捉刘辟。这位骁将一阵亡，原本消沉的士气就更加涣散了。

有道是兵熊熊一个，将熊熊一窝。神策军之所以屡遭败绩，主要责任当然是在主帅吐突承璀身上。史载，"吐突承璀至行营，威令不振"，所以"与承宗战，屡败"（《资治通鉴》卷二三八）。

眼看河朔战事陷入胶着状态，淮西的吴少阳趁机屡屡上奏，要求朝廷给予正式任命。宪宗担心迟迟不承认吴少阳很可能会把他逼反，无奈之下，只好在这一年三月任命吴少阳为淮西留后。

吐突承璀指挥无方，各路兵马均无进展，这场仗再这么打下去，朝廷根本没有半点胜算，唯一的结果只能是丧师费财、劳而无功。朝中的大臣们都急眼了，赶紧让翰林学士白居易出面，上疏力劝皇帝罢兵。

白居易在奏疏中说："河北本不该用兵，如今既已出师，吐突承璀未尝苦战，先失一员大将，作为主力的神策军与昭义军都未能向前推进，这不仅是他们存心拖延，更是因为他们无力进攻。至于其他各路兵马，战况也大多不佳。陛下观察这样的形势，又有几分成功的指望？以臣愚见，应立刻罢兵，若迟疑不决，必生四大弊害。"

白居易所说的四大弊害是：

一、与藩镇开战，如果有成功的把握，无论开支多少都不必计较，可要是明知不能取胜，就不应虚费钱财粮秣。既然拖延一天就多一天的费用，何不及早罢兵？如果再拖下去，除了耗费政府钱帛和百姓脂膏之外，还徒然养肥了参与讨伐的河北诸藩。

二、如今朝廷已经承认了淮西的吴少阳，河北诸藩一定会以此为由，要求朝廷一视同仁，昭雪王承宗的反叛罪名，到时候朝廷没有理由拒绝，只能同意诸藩的要求。如此一来，则授予和罢黜的权柄都操于藩镇之手，恩威刑赏皆不由朝廷做主，中央权威岂不是要尽归河北？

三、眼下天气转热，前线将士身心俱疲，疾病瘟疫转眼就会流行军中。何况神策士卒多出城市居民，难以耐苦，万一出现逃兵，很可能会一呼百应。一支部队如果溃散，其他部队必定动摇。倘若走到这一步，朝廷悔之何及？

四、吐蕃与回鹘都在唐朝安插了大量间谍，无论大小事情都可以获得情报。如今朝廷集结天下之兵讨伐一个王承宗，居然从去年冬天打到今年夏天，始终未建寸功。因此，对于唐军战斗力的强弱、所耗军费的多少，吐蕃与回鹘都已经大概知道。万一他们乘虚入寇，以今日之情势，朝廷必然首尾难顾，到时候兵连祸结，什么事都有可能发生。倘若如此，社稷的安全必将受到严重威胁。

应该说，白居易这番苦口婆心的劝谏是很有道理的，因为它不仅是白居易一个人的想法，更是代表了大多数朝臣共同的不安和忧虑。

对此，宪宗到底作何感想呢？

此刻的宪宗当然比谁都郁闷。

整个局势的演变完全出乎他的意料，而且与李绛当初的那套战略构想也是南辕北辙——本来最难打的河北现在开打了，结果打得让人既揪心又窝火；而本来最容易打的、被列为首要打击目标的淮西，现在反而不能打，而且还要被迫承认它。

宪宗固然知道白居易的谏言不无道理，他也知道这场战争获胜的希望已经微乎其微，甚至也一度动了罢兵的念头，可他还是不甘心就此放弃。换言之，宪宗现在是骑虎难下了。当初，几乎所有人都反对他任用吐突承璆，可他却力排众议，一意孤行，如今吐突承璀打得这么烂，当然只能说明一个问题，那就是他李纯有眼无珠、所用非人。

宪宗实在丢不起这个脸。

所以，不管吐突承璀打得多烂，也不管河北战局多么让人郁闷和纠结，他也只能怀着一丝侥幸熬下去，看看能不能熬出奇迹。

不幸的是，到了这一年夏天，宪宗非但没有等来奇迹，反而等来了一个更让他心烦意乱的消息。

消息是昭义节度使卢从史派人送来的。他在给宪宗的奏疏中，拼命指控诸道军队与成德暗中勾结，劝朝廷不要再命令军队往前推进；同时，卢从史还在奏疏中频频暗示，要求宪宗把他的中央官职擢升为宰相。当时很多节度使都遥领中央官职，如"太尉""中书令""同平章事"等等，虽无实权，却足以抬高身份和地位。

接到卢从史的奏疏后，宪宗的头一下就大了。

他想来想去，觉得这个卢从史的表现实在是有些反常。当初要征讨成德时，他是满朝文武中第一个（吐突承璀除外）跳出来高举双手支持的，可战事一开，他却始终迁延观望，现在他又指控其他将帅和王承宗勾结……朝廷到底该不该相信他？

为了查明真相，宪宗就命宰相裴垍去跟入朝呈递奏疏的昭义部将王翊元接触，看能不能从他那儿捞出点什么。裴垍随即召见王翊元，对他做了一番深入细致的思想政治工作，动之以情，晓之以理，当然也在某种程度上进行施压，终于迫使他说出了真相。

真相是什么？

真相是卢从史贼喊捉贼。

原来，跟王承宗勾结的不是别人，正是卢从史自己。

自从开战以来，卢从史就一直与王承宗暗通款曲，并且命部众暗藏成德旗号，以便在战场上制造混乱；此外，他还抬高并虚报粮食和草料的价格，骗取中央财政的军费支出。种种迹象表明，卢从史是在养寇自重，并利用各方的矛盾坐收渔翁之利。

当王翊元把卢从史的这些猫腻全部抖落出来时，宪宗惊愕不已。

他万万没想到自己重用的竟然是这般货色。

裴垍对宪宗说："卢从史既阴险又骄横，迟早必定作乱。根据王翊元的交代，卢从史和吐突承璀的大营对望，而且卢从史把吐突承璀当成了三岁小孩，往来出入毫无防备，陛下应该利用这个机会制伏卢从史，解除他的兵权，以免他日后坐大，朝廷还要出动大军讨伐。"

临阵换将乃兵家之大忌。但是，像卢从史这种吃里爬外两面三刀的家伙，要是不拿掉肯定为患更大。宪宗考虑再三，最后还是同意了裴垍的建议。随后，裴垍命王翊元回到前线，暗中策反了卢从史的心腹大将乌重胤。

确定了行动的内应后，宪宗随即给吐突承璀发了一道密诏，命他设计逮捕卢从史。

四月初，吐突承璀接获天子密诏，立即着手制订行动计划。

吐突承璀打仗不行，但玩一玩"请君入瓮"的把戏，还不失为一把好手。

他知道卢从史性贪，于是就天天把自己收藏的奇珍异宝拿出来晒，然后邀请卢从史前来赏玩。当然每次都"忍痛割舍"了某件宝贝，从不让卢从史空手而回。

卢从史乐得屁颠屁颠的，从此把吐突承璀视为知己。

四月十五日这天，吐突承璀事先命兵马使李听在大帐后面埋伏了一队刀斧手，然后邀请卢从史过来赌一两手，顺便赏玩一些新近淘来的宝贝。卢从史一听有得玩又有得拿，欣然赴约。可他刚刚迈进吐突承璀的大帐，伏兵就突然冲出，把他捆了个严严实实，然后扔进早已准备好的囚车，飞快驶离大营。

等到卢从史带来的侍卫们惊觉，关押卢从史的囚车早已往长安方向疾驰而去。侍卫们企图追赶，却被吐突承璀的手下一连砍倒数十人，剩下的只好束手就擒。

卢从史被捕的消息传回他的军营后，部众们马上拿起武器，准备去找吐突承璀算账。可他们还没冲出军营大门，就被一个人挡住了去路。

这个人就是乌重胤。

乌重胤横刀立马，厉声呵斥："天子有诏，逮捕卢从史，服从者赏，违令者斩！"

士兵们面面相觑，没人敢动，最后只好放下武器，灰溜溜地回到各自的营房中。

顺利摆平卢从史后，吐突承璀当即替乌重胤请功，推荐他担任昭义留后。宪宗也认为乌重胤立了大功，未加细想就打算颁布任命状。可李绛却认为万万不可。他向宪宗郑重提出，应将乌重胤调离昭义，改任河阳节度使，再把原河阳节度使孟元阳调到昭义。

宪宗愕然。

既然同样是让乌重胤当节度使，为什么要调来调去这么麻烦呢？

在李绛看来，这不叫麻烦，而是必需的。

因为这里头的奥妙大了去了。

首先，昭义的战略位置至关重要，非其他藩镇可以比拟。昭义总部虽然设在潞州（今山西长治市），但它下辖的邢州（今河北邢台市）、洺州（今河北永年县东南）、磁州（今河北磁县）却位于太行山以东，深深楔入河北腹地，与成德、魏博犬牙交错，相互牵制，是李唐朝廷在这个叛乱重灾区中唯一可以有效控制的力量，其战略价值非同小可。所以，对昭义节度使的任命自然要慎之又慎。

其次，原昭义节度使卢从史早就是靠边站的过气人物，他能够重掌昭义兵权，无非是投靠了权宦吐突承璀，并不是直接获得宪宗的赏识，因此他对朝廷并不感激。他复任后之所以对朝廷阳奉阴违，很大一部分原因就在这里。如今，朝廷好不容易把他拿掉，却又让宦官吐突承璀再度推荐继任者，这显然又是让恩威刑赏的权柄落入吐突承璀个人手中。乌重胤继任后，自然只会记住吐突承璀的人情而不会感恩于朝廷，因而很可能重蹈卢从史之覆辙。要想避免这样的结果，就必须否决吐突承璀的提议，不给他树立私恩的机会，同时委派乌重胤到别镇赴任，这样才能让他领受朝廷的恩典，使他不对朝廷心生轻慢。

最后，乌重胤既然是昭义部将，那么在昭义镇内，与他平级甚至级高的军官肯定很多，如今乌重胤略施小计就爬到了他们头上，叫他们作何感想？会不会有人不服，以其人之道还治其人之身？倘若如此，昭义必将不得安宁。因此，唯一的解决办法，就是把乌重胤调往他镇。

当李绛向宪宗仔细分析了上述的得失利弊之后，宪宗终于恍然大悟，赶紧收回成命，于四月下旬改任乌重胤为河阳节度使，调任孟元阳为昭义节度使。

朝廷虽然解决了吃里爬外的卢从史，但河北战局还是不见起色。

到了元和五年六月，亦即开战整整半年之后，战事仍无大的进展。除了河东的范希朝与义武的张茂昭曾于四月份打了一场胜仗，以及卢龙的刘济在五月份攻克了一座安平县之外，其他各部均无斩获。

翰林学士白居易忍无可忍，再度上疏宪宗，说："臣屡屡奏请罢兵，结果却石沉大海，请看今日之局势，比当初更加糟糕，不知陛下还在等什么？"

这个白居易说话真是越来越过分了。

宪宗的心情本来就不好，偏偏这位大诗人又老是在他耳边嘤嘤嗡嗡，而且说话的口气总是那么冲。有一回宪宗与他当面议事，白居易说到激动处，竟脱口而出："陛下错了！"搞得宪宗脸上一阵红一阵白，最后愤愤然拂袖而去。

自从宪宗即位以来，每有军国大事必与翰林学士商议。从某种程度上说，此时翰林院的职能较之玄、肃年间已经发生了质的变化，其地位和作用更是获得了极大的提升。过去的翰林学士只不过是皇帝的文学或艺术侍从，很少有机会参与朝廷的重大决策，但是随着宪宗即位后对翰林学士的重用，如今的翰林院几乎已经具有了内阁的性质，翰林学士们基本上也都成了无冕宰相。尤其是后来升任翰林承旨（相当于翰林院院长、首席学士）的李绛，更是宪宗最为倚重的高级智囊，在很大程度上左右着朝廷决策和帝国的各项大政方针，甚至发挥了比宰相（比如裴垍）更大的作用和影响力。

然而，自打河北战事陷入泥潭后，宪宗就有意无意地冷落了这帮翰林学士，曾经有一个多月不跟他们见一次面。学士们当然意见很大，此时已升任翰林承旨的李绛更是直言不讳地对宪宗说："臣等饱食终日，一言不发，自然乐得清闲，可陛下怎么办呢？陛下往日开诚布公，虚怀纳谏，实在是天下之幸，又岂止是臣等之幸！"

宪宗一听，自觉理亏，赶紧宣布次日在麟德殿召见诸学士。

其实，宪宗不是不想见他们，而是不敢见他们。尤其是那个大诗人白居易，宪宗更是怕了他了，所以宪宗虽然答应跟学士们见面，却跟李绛提了一个条件："那个白居易，官不大，口气倒不小，每每出言不逊，朕打算让他离开翰林院。"

李绛一点也不同情宪宗，说："陛下有容纳直言的气度，群臣才敢竭尽忠诚，直言无隐，白居易说话固然欠考虑，但他也是一片赤心。陛下今日怪罪他，臣担心朝野上下人人钳口，陛下又如何能做到耳聪目明、圣德常保呢？"

宪宗想了想，旋即转怒为喜，从此对白居易一如往常，再也不提罢黜之事。尽管心里不太好受，但李绛的话他还是听进去了。

很显然，宪宗是一个有胸怀的皇帝。

要判断一个人是不是做大事的料，一个最简单的标准，就是看他对待批评的态度。被人说一句就蹦一下、骂两句就跳两脚的人，是属跳蚤的，注定难成大器；而那种对批评甘之如饴的人，其前程必定不可限量。因为他知道批评有利于他的成长，并且善于从批评中汲取建设性的东西。所以说，要判断一个皇帝能不能成就一番伟业，同样要看他是否具备虚怀纳谏的雅量。一个愿意接受臣下批评的皇帝，就算不能成为明君，至少已经远离了昏庸；而一个动不动就对谏言暴跳如雷的皇帝，其气度和为人已不堪问，要成就什么大业更是免谈。

虽然此时的宪宗正被胶着的河北战事困扰，不敢奢望什么帝王伟业，但是，仅凭他面对谏言的态度，我们就有理由认为——这个皇帝不一般，至少比他的祖父德宗靠谱。

同时，我们也有理由相信，当年德宗李适拼尽全力想做而做不到的事情，最终很可能要由这个宪宗李纯来完成。

当然，宪宗要想见到他生命中的彩虹，还得先熬过此刻的风雨。

革命尚未成功，李纯仍须努力。

元和五年七月，让人万分纠结的河北战事终于有了一个结果。王承宗派遣使节入朝为自己辩护，称所作所为都是被卢从史挑拨离间的结果，并表示愿意把征收赋税和任免官吏的权力还给中央，请求朝廷准许他改过自新。

王承宗的奏疏呈上后，一筹莫展的宪宗终于等到了一个就坡下驴的机会，于是忙不迭地下诏"昭雪"了王承宗，不仅恢复了他的所有官爵，还把德、棣二州还给了他。

值得注意的是，宪宗朝廷在这道诏书中用的词是"昭雪"，而不是一般常用的"赦免"。这两个词有什么不一样吗？

当然不一样。"赦免"是对犯罪的人用的，而"昭雪"则是对蒙冤的人用的，一词之差，意思截然相反。换句话说，朝廷用"昭雪"这个词，就等于主动承认了自己的错误，同时说明人家王承宗并没有任何罪过，从头到尾都是被冤枉的。

尽管这个结果令人很不愉快，但好歹总算是个了结。

一场轰轰烈烈的讨伐战争就这样偃旗息鼓了。李唐朝廷耗时半年多，发兵二十余万，所费七百多万缗，到头来除了换掉一个昭义节度使卢从史外，别无所获。

宪宗李纯觉得自己窝囊透了。

四年前平定三藩时建立起来的自信在这一刻灰飞烟灭，四年来李唐朝廷拼命维系的表面权威也在这一刻土崩瓦解。

元和五年的夏天，大明宫的上空暴雨如注。

三十三岁的宪宗李纯久久凝望着铅灰色的天空，目光黯淡，神情迷惘。都说彩虹总在风雨后，可毕竟没有人能够预知未来。所以，即便"元和中兴"的彩虹终将在十年后的帝国苍穹中熠熠生辉，此刻的宪宗李纯也只能在元和五年的风雨中默默咀嚼失败的况味……

| 第三章 |

元和中兴

宦官与文臣的博弈

在宪宗朝廷讨伐王承宗的这场战争中，最吃力不讨好的人，当属卢龙节度使刘济。他不惜撕破脸面跟成德大动干戈，而且辛辛苦苦帮朝廷打下了好几座城池，结果人家王承宗一转身就跟朝廷握手言和了，朝廷也欣然"昭雪"了王承宗，无疑把刘济置于无比尴尬的境地。

老子拼死拼活，到头来居然两面不是人，这叫什么事儿？

刘济的愤怒无从发泄，只能憋在心里，于是憋着憋着就憋坏了。就在朝廷罢兵当月，怒火攻心的刘济就病倒了。

刘济一倒，卢龙的内乱就爆发了。

刘济有两个儿子，长子刘绲，次子刘总。刘济率军讨伐王承宗的时候，以长子刘绲为节度副使，留守幽州；以次子刘总为行营都知兵马使，驻守饶阳（今河北饶阳县）；刘济自己则率部驻扎瀛洲（今河北河间市）。

战争刚一结束，刘济就突患重病，只好暂时留在瀛洲。有一天，突然有人自称是从长安来的，向刘济透露了一个消息："朝廷认为大帅逗留不进，未建尺寸之功，已经擢升副使刘绲为节度使，任命状和旌节马上就到了。"

刘济一听，气更是不打一处来。

还没等他把气喘匀了，第二天又有人来报，说颁授旌节的朝廷特使已经过了太原。

几天后，又有人飞奔来报，说特使已过代州（今山西代县）。

节度使人还没死，朝廷就搞这么多小动作，军营中顿时人心惶惶。

刘济在病榻上翻来覆去，思来想去，最后终于想明白了一个问题——这件事不可能是朝廷干的。

道理很简单，讨伐成德时，他刘济是所有藩镇中最卖力的，就算最后朝廷打了败仗，可他刘济没有功劳也有苦劳，断然不至于被朝廷罢黜。所以，这件事的幕后主使不可能是别人，百分百就是留守幽州的长子、时任节度副使的刘绲。

刘济怒不可遏。

老子人还没死，你小子就迫不及待地要抢班夺权了？

因为认定是刘绲搞的鬼，所以刘济愤而砍杀了帐下数十个平时与刘绲交好的大将，随后命人去幽州把刘绲带来见他。

得知父亲病重，次子刘总赶紧从饶阳赶来伺候。七月十七日，由于悲愤交加，急怒攻心，刘济病势转剧，整个上午水米未进。到了中午，刘济顿觉饥渴难当。此时，次子刘总亲手为父亲端上了一碗水。

喝下这碗水后，刘济突然七窍流血，当场暴毙。

同日，心急如焚的刘绲刚刚赶到涿州，就被一帮人拦住了去路。他们以刘济的名义宣布了刘绲的罪状，旋即把他乱棍打死。

刘济和刘绲死后，有个人无声地笑了。

这个人就是刘总。

没错，所有事情都是他一手策划的。从散布副使继任的谣言，到亲自在水中下毒，再到假传命令打死兄长，都在他的计划之内。

做完这一切，刘总顺理成章地接管了卢龙的军政大权。

可怜的是刘济，直到死前还在恨自己的长子刘绲。

更可怜的是刘绲，直到死也不知道自己是为什么死的。

对于卢龙的这场内乱，朝廷的态度是装聋作哑。刘总是否造他老爹的反，朝廷并不关心。只要刘总不造朝廷的反，此时的宪宗朝廷就可以当什么事都没发生过。

讨伐王承宗之战无果而终，不仅让李唐朝廷丢尽了脸面，也让朝中那些本来就反对开战的大臣们感到痛心疾首。更让朝臣们义愤填膺的是，九月初二，吃了败仗的吐突承璀返回京师后，却仍被宪宗任命为左卫上将军、代理左军中尉。

宰相裴垍当即进谏："承璀第一个倡议朝廷用兵，结果疲弊天下，却没取得半点功劳，陛下纵然念在旧情不加杀戮，岂能不将其贬黜以谢天下呢？"

言官们也纷纷提议，应该将吐突承璀斩首。

李绛亦奏："陛下今日不责罚吐突承璀，他日复有败军之将，陛下将如何处置？如果诛杀，则是同罪而异罚，被杀之人绝对不服；如果赦免，那么人人只顾保命，谁还愿意在战场上奋死拼杀？愿陛下舍不忍加罪之心，行不可改易之典，使天下将帅有所惩劝！"

宪宗无奈，只好在两天后把吐突承璀贬为军器使（兵器总监）。朝野上下人心大快。

然而，吐突承璀表面上的职务虽然降了，可宪宗对他的宠幸依旧，他在朝中的实际影响力也丝毫未减。自德宗以来，当权宦官往往能暗中左右藩镇节度使的人选，所以凡是军队将领企图当上封疆大吏的，通常都会向权宦行贿，最后也总能达到目的。

作为宪宗最为宠幸的宦官，吐突承璀自然也不例外。

李绛对这种宦官弄权的现象极为不满，所以经常在宪宗面前揭露吐突承璀的种种专横不法之举。宪宗有一次听烦了，忽然变色："你说得太过分了！"

李绛当即泣下，至为恳切地说："陛下视臣为心腹股肱，如果臣畏惧权贵，明哲保身，知而不言，是臣辜负陛下；但若是臣据实而言，陛下却不愿意听，那就是陛下辜负了臣！"

在宪宗不算太长的一生中，最大的缺点之一就是重用宦官，在这一点上他比德宗好不了多少。但是，宪宗和德宗最大的区别，也是他身上最难能可贵的优点之一，就是听得进逆耳忠言。

此刻，当宪宗意识到李绛的良苦用心后，马上压下了心头的怒火，也用一种诚恳的态度说："贤卿所言，都是别人不愿说、不敢说的，所以，朕才能听见原本听不到的。贤卿不愧为忠臣，以后有什么话尽管说，就像今天一样。"

李绛看吐突承璀不顺眼，吐突承璀当然也不会让李绛的日子好过。

元和六年（公元811年）正月，李绛忽然接到了一纸调令。准确地说，这是一纸升迁令——把他调离了翰林院，擢升为户部侍郎。

李绛苦笑。

他知道，这肯定是吐突承璀在背后对宪宗施加了影响。之所以把他调离翰林院，就是不让他整天跟皇帝待在一起；而之所以把他升为户部侍郎，则是有意把他放在火炉子上烤。

为什么说户部侍郎是火炉？

因为户部主管财政，而宪宗朝廷经过去年的战事之后元气大伤，亟须大量输血，尤其是宪宗本人，更是视财政增收为第一要务。所以，这个户部侍郎就必须生财有道，更要有替朝廷和宪宗大肆聚敛的本领。

李绛有这种本领吗？

没有，所以他惨了。

果然，李绛刚上任没多久，宪宗就找他谈话了，说："按照惯例，户部侍郎除了打理国库，更要想办法向宫中的内库进奉'羡余'（财政收入的盈余部分），可你上任以来从不进奉，这是为何？"

李绛回答得很坦率："陛下身为天子，不应该以聚敛钱财为务。"

宪宗大感冤枉："如今河南河北数十州，皆国家政令所不及；河、湟地区（今甘肃及青海东部）数千里，长期沦陷于吐蕃之手。朕日夜都想洗雪祖宗的耻辱，可财力不足，不得不尽力储蓄。倘若不是为了这个，朕宫中的用度极为节俭，存那么多钱干什么？"

宪宗说得没错，他确实不是一个铺张浪费的皇帝，他存钱的目的也是为了国家，不是为了个人享受。李绛想了想，觉得自己有点错怪天子了，连忙正色道："一般的地方官员，向百姓横征暴敛，以此换取朝廷的恩宠，尚且为天下人所不齿，何况臣掌管户部，更应该以身作则。户部所管理的，都是陛下的财物，无论收入还是支出，一律登记在册，怎么可能有盈余？如果只是把国库里的东西移到内库就算是盈余，那这跟挖东墙补西墙有什么差别？这种欺君之事，臣不敢做。"

宪宗闻言，对李绛的正直很是欣赏，从此对他更加器重。

吐突承璀处心积虑要李绛的好看，结果却弄巧成拙，反而给李绛提供了更多的表现机会，这实在是让吐突承璀懊恼不已。

当然，他不会就此罢休的。

随后的日子，吐突承璀一直在耐心地寻找机会，无论如何都要整垮李绛。然而，人算不如天算。元和六年十一月，吐突承璀还没来得及整垮李绛，自己就东窗事发了。

吐突承璀有一个手下叫刘希光，时任弓箭库使。此人暗中收受一个羽林大将军的贿款二万缗，企图为其谋求藩镇节度使的职位，不料被人告发，经有关部门查实后，宪宗立刻将刘希光赐死。

刘希光虽然死了，但这个案子没完，因为还有很大的疑点——一个小小的弓箭库使，有什么能耐替人谋求节度使的职位？

案情明摆着——刘希光背后肯定有人。

谁？

傻瓜也知道，躲在幕后大搞腐败的那只黑手就是吐突承璀。

有关部门经过调查，很快就挖出主犯吐突承璀，然后就把这起案件的完整卷宗送到了宪宗手上。

看着这份证据确凿的结案报告，宪宗无语了。几天后，宪宗断然下诏，把他最宠幸的宦官吐突承璀逐出了朝廷，贬为淮南监军。

宪宗为自己的"大义灭亲"很是自豪了一把，随即对李绛说："朕把吐突承璀赶走了，这件事办得怎么样？"

还用问吗？这事办得太漂亮了！李绛大有神清气爽之感，赶紧说："朝臣们都没想到陛下会如此果断！"

宪宗毫不掩饰他的自得之色，说："这小子不过是个家奴罢了，以前因为他当差的时间久，所以对他特别包容；但是一旦犯法，朕拿掉他，就跟拿掉一根羽毛一样！"

宦官吐突承璀与文臣李绛的这场博弈，最终以吐突承璀的出局而告一段落。

尽管这个吐突承璀并未就此落败，短短三年后就将重返帝国的政治舞台，但此刻的李绛毕竟少了一个实力强劲的对手。换句话说，没有了吐突承璀的掣肘和排挤，李绛的生存空间就显得敞亮多了，其仕途发展自然也要比过去顺畅。

元和六年十二月末，吐突承璀被贬一个月后，长期参与决策却无宰相之名的李绛终于被宪宗擢升为中书侍郎、同平章事，成了实至名归的帝国宰相。

在此之前，裴垍已因中风离开相位，目前与李绛同朝为相的人有两个，一个是原太常卿权德舆，去年九月以礼部尚书衔入相；另一个是原淮南节度使李吉甫，今年年初以中书侍郎衔入相。

权德舆是个老好人，凡事模棱两可，没什么鲜明的政治立场，更谈不上什么政治能量。相形之下，李吉甫就要比他强势得多。所以李绛拜相之前，朝堂政务基本上是李吉甫一个人说了算。但是，随着李绛的入相，李吉甫的日子就不好过了。

因为李绛不是权德舆。说白了，李绛本来就不是那种随时俯仰的人，他连皇帝都敢顶撞，又怎么可能去迎合李吉甫呢？

自从李绛拜相后，他和李吉甫就经常当着宪宗的面死磕。

每当二人同时上殿奏事，精明的李吉甫总是"逢迎上意"，顺着宪宗的口气说话，而耿直的李绛则是该反对的反对，该驳斥的驳斥，不止一次把李吉甫搞得面红耳赤、下不来台，"由是二人有隙"（《资治通鉴》卷二三八）。

元和六年的这个冬天，宦官与文臣的博弈刚刚落下帷幕，宰相之间的激烈比拼就开场了……

两个宰相的斗法

元和七年（公元812年）春，李吉甫和李绛的矛盾呈现出愈演愈烈之势。

李吉甫不久前刚刚提拔了一个叫元义方的人担任京兆尹，可新年还没过，李绛就把元义方贬出了京师，外放为鄜坊（今属陕西）观察使。

官场上的人都懂得，李绛这么做，当然是冲着李吉甫去的。不过，说李绛此举纯粹是为了打击政敌，倒也未必尽然。

因为，这个被贬的元义方确实不是什么好鸟。

此人很早就依附了宦官吐突承璀，深得吐突承璀的欢心，这些年凭着巴结谄媚的功夫在政坛上步步高升。李吉甫知道吐突承璀在宪宗心目中的分量，就把元义方擢升为京兆尹，借此向吐突承璀献媚示好。

李绛对这帮结党营私的政客深恶痛绝，所以去年十二月底刚刚拜相，今年正月十一就拿元义方开刀了。

元义方突然遭贬，当然是愤愤不平，于是就趁入宫向宪宗辞行的机会，狠狠地告了李绛一状，说："李绛以权谋私，把他的同年（同榜进士）许季同提拔为京兆少尹，却把臣驱逐到了鄜坊。由此可见，李绛此人专擅威福，臣深恐陛下被他蒙蔽。"

宪宗瞥了元义方一眼，淡淡地说："朕了解李绛，他不是这样的人。不过你既然如此怀疑，朕明日不妨问问他。"

元义方的指控当场被天子驳回，不免有些惭悚，只好灰溜溜地告辞出宫。不过，他还是心存一丝侥幸——既然天子说要问一问，那就证明天子对李绛的信任并不纯粹；既然不纯粹，那就证明自己还有机会。

次日，宪宗召见李绛，用一种若无其事的口吻问："人对同年都有情谊么？"

李绛一听就明白是怎么回事了，于是不慌不忙地答道："所谓'同年'，只不过是九州四海的人偶然同登科第，或者登第后才相识，哪里谈得上什么情谊！陛下不以臣愚昧，让臣备位宰相，而宰相的职责就在于量才录用，如果真有才干，就算是兄弟子侄也要大胆起用，何况'同年'！倘若为了避嫌而舍弃人才，那是明哲保身，不是出于公益。"

宪宗深以为然，说："很好，朕就知道你不是那样的人。"于是当天就催促元义方离京赴任。

元义方被贬是一个信号，表明在两个宰相的斗法中，李吉甫已经渐落下风了。

李吉甫充满了危机感，随后越发想要讨好宪宗，可遗憾的是这么做只能适得其反。

三月的一天，宪宗在延英殿与宰相讨论政事，李吉甫赶紧粉饰了一番太平，然后不失时机地说："如今天下已经太平，陛下应该及时享受帝王之乐。"

李绛当场发出几声冷笑，说："眼下，河南河北五十余州，都是国家政令推行不到的地方；吐蕃人的势力已经逼近泾（今甘肃泾川县）、陇（今陕西陇县）一线，烽火从未平息。还有，各地的水旱灾害不断发生，国家仓廪空虚。所有这一切无不表明，这正是陛下应该宵衣旰食的时候，岂能说天下太平，还敢说什么及时行乐？"

宪宗当即首肯："贤卿所言，正合朕意。"

李吉甫被呛得满脸通红，却又不能发作，只好闷头不语。

片刻后，宪宗又问他们，德宗贞元年间政事治理得不好的原因是什么。李吉甫自认对这个问题相当有把握，连忙抢着说："德宗自以为圣智，不信任宰相，导致奸臣有机可乘，因而作威作福，其政治之所以败坏，原因在此。"

李吉甫说完，用一种得意的目光挑衅似的扫了李绛一眼，觉得自己这回绝对可以扳回一分了。

没想到他话音刚落，宪宗马上摇头说："这也未必全是德宗的过错。朕年幼时曾在德宗左右，发现政治上有重大缺失时，当时的宰相也并未再三劝谏，都是恋栈禄位、苟且偷安，今天怎么能把过失都归于德宗？你们应以此为鉴，朕但凡有错，就应当坚持你们的意见，提出警告，不要担心触怒朕而不敢说话。"

李吉甫大感委屈，说："人臣不该勉强君王接受自己的意见，尽量做到君悦臣安不是更好吗？"

李绛立刻把他顶了回去："身为人臣，应该犯颜直谏，指出君王执政的得失。倘若闭口不言，使君王蒙受恶名，岂能算是忠臣！"

宪宗一听，再次频频点头："李绛的话对。"

一番君臣问对下来，李吉甫已经连丢两分，把他急得满头是汗。

为了扳回败局，李吉甫不等宪宗提问了，而是主动出击，转移话题，说："自古以来，赏与罚是天子手中的两大权柄，不可偏废。陛下即位以来，对臣民的恩德已经非常深厚，但是缺少严刑峻法，以致朝廷内外的官员松懈怠惰，希望陛下采取严厉的措施，使他们重新振作！"

宪宗闻言，未置可否，转而问李绛："你怎么看这个问题？"

李绛说："王者之政，崇尚的是道德教育，不是严刑峻法，为何不效法汉之文、景，而追随秦始皇父子呢？"

宪宗再次报以赞赏的眼色，就说了一个字："然。"

李吉甫顿时一阵眩晕，心里连连叫苦。

三个回合，李绛连得三分，而李吉甫却三场皆败，得了个鸭蛋。

那天退出延英殿，回到中书省后，李吉甫失魂落魄，瘫软在床，不停地长吁短叹，一副大难将至的模样。（《资治通鉴》卷二三八："吉甫至中书，卧不视事，长吁而已。"）

接下来的日子，宪宗日渐冷落李吉甫，越发信任李绛。要是李绛时隔多日没有进谏，宪宗就会神色紧张地问他："是朕不能容纳直言呢，还是最近无事可谏了？"

从宪宗对待李吉甫和李绛的不同态度，我们不难看出，单纯从虚心纳谏、择善而从这个角度来看，宪宗李纯可以说是个清醒而有自制力的皇帝。至少在中晚唐的十来个皇帝里面，他应该称得上是鹤立鸡群、出类拔萃的。

也许正因为此，宪宗李纯才能在元和五年那次短暂的挫折之后，迅速调整策略，不断地付出努力，从而在几年后成功平定两河诸藩，缔造出一个令人瞩目的"元和中兴"。也唯其如此，大唐帝国才会在经历了半个多世纪的黑暗后，终于在九世纪初绽放出一抹令人欣慰的亮色。

元和五年的短暂失败并未让宪宗变得一蹶不振，也没有把他变成第二个德宗。

在暂时沉寂的两年中，他其实一直在积蓄力量，等待新的机会。

元和七年七月，魏博节度使田季安精神失常，任意杀戮，导致军政废乱，其妻元氏召集诸将废掉了田季安，立年仅十一岁的儿子田怀谏为副使，接管军政；随后又任命深得人心的大将田兴为都知兵马使，辅佐田怀谏。

八月十二日，田季安病死的消息传到长安，宪宗意识到新的机会出现了，立刻命左龙武大将军薛平为郑滑（治所滑州，今河南滑县）节度使，准备借此控制魏博，同时召集宰相讨论魏博问题。

李吉甫料定宪宗意在用兵，遂力主兴兵讨伐。

李绛却认为魏博不必讨伐，会自动归顺朝廷。

李吉甫随即陈述了一大堆不能不用兵的理由。宪宗听完，终于很罕见地赞同李吉甫，说："朕的意思也是这样。"

李吉甫大为庆幸。可他没想到，就在这个时候，李绛提出了一个令人意想不到的方案。事后来看，就是因为宪宗实施了这个方案，才渐次拉开了"元和中兴"的历史大幕。

李绛说："臣观察两河藩镇，其驭将之策历来是分散兵权，使诸将势均力敌，相互制约。再加上一边有丰厚的赏赐，一边有严苛的刑罚，所以诸将互相猜忌，谁也不敢轻举妄动。然而，这个策略要想发挥作用，必须有一个执法严明、手腕强硬的主帅，局面方可控制，而如今，田怀谏只是一个乳臭未干的小儿，军府大权必定人人觊觎，诸将权力不均，必起内讧。其往日分兵之策，恰成今日祸乱之源。田氏若非遭人屠戮，亦必为人所囚，何须朝廷出兵？再者，部将弑主自代，最为诸藩所恶，自代之将若不依附朝廷以求存，必为相邻诸藩碾为齑粉。故臣以为不必用兵，可坐待魏博自归。陛下只须严令诸道秣马厉兵，同时以爵禄厚赏自代之将，两河藩镇闻之，定恐其麾下之将争相效法，因此唯有归顺朝廷一途。这才是不战而屈人之兵的上策。"

很显然，李绛是打算用离间计分化两河藩镇。

宪宗茅塞顿开，决定依计而行。

李吉甫又一次被李绛抢了风头，自然极度不甘，几天后又屡劝宪宗对魏博用兵，并声称开战所需的军费和粮草皆已齐备，就等皇帝一声令下了。

宪宗动心了，于是征求李绛的意见。李绛说："几年前朝廷大张旗鼓地讨伐成德，结果却丧师费财，劳而无功，成了天下人的笑柄。如今元气未复，人人厌战，若再度出兵，恐怕不仅不会成功，反而可能生出新的祸乱。更何况，不必对魏博用兵的道理，臣已经剖析得很明白了，希望陛下不要再起疑虑。"

宪宗闻言，终于一脸兴奋地拍案而起："朕决定了，不对魏博用兵！"

李绛说："陛下虽然这么说，可臣担心还有人会蛊惑圣听。"

宪宗厉声道："朕意已决，谁能蛊惑？"

李绛当即拜贺："若能如此，诚乃社稷之福。"

后来的事实证明，李绛的计策非常成功——魏博果然爆发了内讧，并很快就归顺了朝廷。

这诚然是社稷之福。只可惜，这并非李绛之福。

因为，随着魏博的归顺，李绛的宰相生涯也就到头了。

不出李绛所料，田怀谏终究是个十一岁的孩子，所以刚刚坐上节度使的位子，军政大权就落入了家奴蒋士则之手。蒋士则小人得志，全凭个人好恶，肆意任免将领，终于触犯了众怒。九月的一天，魏博数千将士忽然哗变，杀了蒋士则及数十个党羽，然后找到都知兵马使田兴，全部跪倒在他面前，一意要拥立他为留后。

田兴这个人，跟两河诸藩的骄兵悍将有很大的不同，史称他"有勇力，颇读书，性恭逊"（《资治通鉴》卷二三八）。也就是说，田兴不是那种头脑简单、四肢发达的武夫，而更像是个有勇有谋、智虑深远的儒将。

这样的人，当然有他自己的处世原则，也不会在从天而降的利禄面前一下子迷失本性。他知道，节度使这个位子不是那么好坐的。尤其是两河藩镇，这几十年来遵循的都是"父死子继、兄终弟及"的世袭制，如今他一个外人夺了这个宝座，就等于坏了这个老规矩，河南河北的其他藩镇会作何感想？

此外，虽然如今各个藩镇弑上夺权、拥兵自立的情况很普遍，但朝廷都是在万不得已的情况下才予以承认的。换言之，如果朝廷觉得有必要，或者条件允许的话，还是有可能会发兵讨伐。因此，如果他在将士的逼迫下上了这条"贼船"，就必须做好与朝廷刀兵相见的准备。而这一点并不符合田兴的个人意愿。也就是说，田兴内心对李唐朝廷依然怀有相当程度的忠诚，并不想在纯粹利益的驱动下走上这条"乱臣贼子"的不归之路。

所以，尽管将士们极力拥戴，可田兴却一直不肯点头。

达不到目的，将士们当然也不肯散去。

僵持许久之后，田兴知道自己要是再不答应，很可能马上会有杀身之祸，于是只好勉强同意。但与此同时，田兴也跟将士们约法三章：一、不能杀田怀谏；二、遵奉朝廷法令；三、向朝廷奉上魏博的典册图籍，请朝廷任命各级官吏。

将士们同声承诺。田兴这才命人把田怀谏迁出了节度使府，然后接管了军政大权。

十月初，魏博将士拥立田兴的消息传到朝廷，同时，魏博当地的监军宦官也把田兴的归顺之意向朝廷作了奏报。宪宗大喜过望，立刻召见宰相，对李绛说："魏博的情况跟你的预判丝毫不差！"

李吉甫在一旁醋意大起，赶紧抢着说："应立即派遣中使（宦官）前往宣慰，以观其变。"

"不可！"李绛斩钉截铁地说，"如今田兴向朝廷奉上了土地和军民，坐等朝廷任命，如果不乘这个机会推诚安抚，结以大恩，而是派人取回当地将士要求节度使旌节的奏表，然后朝廷才加以任命，这对于田兴来说，恩德就不是来自朝廷，而是来自将士，其感激之心必然不如现在直接任命来得大。所以臣建议，立刻授予田兴节度使旌节，机会一失，悔之无及！"

宪宗顿时犯了踌躇，一时举棋不定。

李吉甫为了阻挠李绛，马上去找平日刻意结交的枢密使（宦官）梁守谦，希望他出面劝劝皇帝。梁守谦随即对宪宗说："按照惯例，这种时候都要派中使前往宣慰，如果让魏博破了此例，恐怕不太妥当。"

宪宗也觉得有道理，立刻派宦官张忠顺前往魏博宣慰，准备等他回朝复命后再作定夺。数日后，李绛才得知中使已经出发的消息。眼看和平解决魏博问题的良机马上就要错失，李绛心急如焚，连忙入宫去见宪宗，说："朝廷恩威能否重建，就在这一次了，机会如此难得，为何要白白扔掉？此事的得失利弊十分明显，希望陛下不要再犹疑了。估计张忠顺现在可能刚过陕州，陛下立刻下诏任命田兴为节度使，应该还来得及。"

宪宗沉吟半晌，说："要不……先任他为留后，看看情况再说？"

李绛急了："田兴如此恭顺，自愿遵奉朝廷法令，主动献上土地军民，朝廷若不赐予他超乎寻常的莫大恩典，就不可能让他产生无与伦比的感激之情。陛下，当断不断，反受其乱，赶紧下诏吧！"

看着李绛一脸急切诚恳的表情，宪宗思虑再三，终于点头同意。

十月十九日，宪宗发布了一道让河北诸藩目瞪口呆的诏书——正式任命田兴为魏博节度使。

宣慰使张忠顺尚未回朝，诏书便已送抵魏博。连日来心中惴惴的田兴简直可以说是受宠若惊。历来发动兵变、自领军政的藩镇将帅运气最好的也不过是被朝廷任命为留后而已，可田兴万万没料到，朝廷此番出手竟如此阔绰，居然让他一步到位成了节度使！拜受诏命的那一刻，田兴千恩万谢，感激涕零，将士们则欢声雷动。

数日后，李绛进一步向宪宗提出："魏博五十余年不沾皇化，一旦举六州之地来归，形同剜河朔之腹心、倾叛乱之巢穴，如果不给予超乎所望的重赏，就无以安抚其士卒之心，更无以震慑其四邻藩镇。臣建议，发内库钱一百五十万缗赐予魏博。"

李绛这一招实在够狠，狠得让好一段时间丧失了发言权的宦官们忍不住跳了起来，纷纷对皇帝说："给得太多了！其他藩镇要是都学他们，还拿什么给？"

宪宗也心疼了。

朝廷辛辛苦苦攒这么一点钱，难道就这样撒给河朔的骄兵悍将？

天子思前想后，终究还是有些舍不得。

可是李绛却不依不饶："陛下为何爱惜小财而无视大计？这点钱买的是一镇的人心啊！钱用完了还会来，机会一失则永不复返。假如朝廷派十五万人去打魏博六州，就算一年收复，所花的钱又何止一百五十万缗！"

宪宗想想也对，最后一咬牙，说："朕省吃俭用攒这些钱干什么？还不是为了平定天下！该花的时候不花，白白堆在府库里也没用！"

于是，天子豁出去了。

在一百五十万缗之外，天子又无比豪迈地给魏博百姓免除了一年的赋税和徭役。

元和七年十一月初六，宪宗命朝臣裴度带着一百五十万缗和免除一年税役的诏令来到了魏博。魏博军民奔走相告，欢声如雷，仿佛迎来了一个盛大的节日。宣慰仪式上，有几个人站在欢腾喧闹的人群中，呆呆地看了半天，最后相顾失色，长叹一声道："倔强者果何益乎！"（《资治通鉴》卷二三九）

桀骜不驯、反抗朝廷者，到头来又有什么好处呢？

这几个人是相邻藩镇派来刺探虚实的。

魏博正式归顺了。

田兴不仅用最隆重的礼节接待钦差大臣裴度，而且陪着裴度到魏博各州县挨个视察了一遍，把中央的指示精神传达到了魏博的每一座军营和每一间农舍。紧接着，田兴又主动上表，请求朝廷委派节度副使，并奏报下属官职出缺九十人，请求朝廷予以任命。最后，田兴郑重其事地向全境军民重申——从此以后，魏博要坚决贯彻中央精神，严格执行朝廷法令，按时缴纳各项赋税，力争早日把魏博建设成为两河地区最和谐、最稳定的模范藩镇。

魏博和朝廷当着两河藩镇的面如此眉来眼去、卿卿我我，顿时把成德、平卢等镇的老牌军阀们急得如同热锅上的蚂蚁。

这不是在煽动两河藩镇的将士都起来造节度使的反吗？

李师道和王承宗等人忙不迭地派人去找田兴，使尽浑身解数，对他威逼利诱、软硬兼施，劝他一定要和朝廷决裂，重新回归两河藩镇的怀抱。

然而，田兴自始至终不为所动。

李师道恨不得把田兴碎尸万段，随即气急败坏地派人去跟宣武（今属河南）节度使韩弘说："我们和田氏约定了世世代代的攻守同盟，现在这小子居然把咱给卖了，你也痛恨吧？我正打算联合成德去讨伐他，不知你意下如何？"

韩弘回话说："我不管那么多，我只知道奉朝廷之命行事，你的军队要是一过黄河，我立马派兵拿下你的曹州（今山东定陶县）。"

李师道沉默了，此后一点动静也没有。

元和八年（公元813年）二月七日，宪宗为了进一步笼络魏博、刺激两河诸藩，又趁热打铁，给田兴赐名"弘正"。

浩荡皇恩一次次沐浴魏博，把田兴一次次感动得热泪盈眶，当然也把两河诸藩一次次搞得怒火中烧。可是，尽管李师道和王承宗等人恨得咬牙切齿，却始终不敢轻举妄动。

魏博的归顺无异于在两河诸藩的心上插了根钉子。

这是自安史之乱以来，李唐朝廷在河北取得的最大一次胜利。而且难能可贵的是，这次胜利并没有依靠战争手段，而是一次纯粹运用谋略的"和平演变"。

林肯说过："摧毁敌人最好的方法，就是把他变成朋友。"李绛显然就是这么做的。然而，随着魏博的归顺，李绛的麻烦也来了。

因为他太聪明、太能干了，让宪宗感到了莫大的压力。身为人臣，如果什么事都料事如神，把皇帝的风头抢光了，那么长此以往，皇帝威信何在，脸面何存？

事实上，就在魏博正式归顺的当月，宪宗就已经流露出对李绛的猜忌和不满了。那是在延英殿的一次廷对上，宪宗先是跟几个宰相说了些无关痛痒的事，接着忽然话锋一转，说："你们要替朕爱惜官爵，不要随便私授自己的亲戚朋友。"

李吉甫和权德舆对视一眼，连声说微臣不敢。

李绛很清楚，这话不是说给李吉甫和权德舆听的，而是冲着他来的。因为自从拜相以来，他一直坚持"举贤不避亲"的用人原则，当初贬谪元义方时，宪宗就对他起过一次疑心，这回又旧话重提，目的当然还是要敲打他。

李绛趋前一步，坦然自若地说："如果一个人跟臣非亲非故，臣又怎么知道他有没有才干？如果明知其人有才却不敢加以任用，那又怎么敢用丝毫不了解的人呢？朝廷用人，关键要看其才干是否与官职相称，如果为了避嫌而舍弃人才，那叫明哲保身，不叫大公无私。更何况，就算所用的人不称职，自有朝廷的典章律令来考核监督，谁能逃得过？"

宪宗知道自己说不过李绛，只好强作笑颜："对，贤卿说得有道理。"

话虽这么说，但宪宗和李绛彼此都很清楚——他们的君臣关系已经出现裂痕了，而且是难以弥补的裂痕。

随后的日子，李吉甫和李绛这两个八字不合的宰相在很多事情上还是拼命死磕，老好人权德舆则始终当骑墙派，一副事不关己高高挂起的样子。

宪宗对这个宰相班子越来越不满，遂于这一年二月罢免了权德舆，不久就征召西川节度使武元衡入朝为相。

武元衡其实早在元和初年就已经是宰相了。当时镇海节度使李琦反复无常，拒不入朝，就是武元衡力主讨伐的。此后，因西川节度使高崇文不善理政，宪宗就把高崇文召了回来，把武元衡派到了西川。武元衡在西川待了几年，颇有政绩，而且把当地蛮族也安抚得服服帖帖，显示出了极大的才干。所以，宪宗现在想为宰相班子输入新鲜血液，自然就想起了这个能文能武、出将入相的武元衡。

武元衡的回朝是个强烈的政治信号，预示着宪宗朝廷在今后的藩镇事务上，很可能会逐渐采取强硬立场。因为李吉甫一直是主战派，武元衡也是。

至此，朝廷三个宰相有两个是鹰派，只有李绛一个是鸽派，他的日子自然不会好过。

这年岁末的一天，宪宗李纯忽然用一种漫不经心的口吻对李绛说："最近有人说外面结党之风很盛，是怎么回事？"

从几个月前暗示李绛不要搞裙带关系，到现在直接指责李绛结党营私，这样的变化足以说明——宪宗如今对李绛的信任基本上已经是荡然无存了。

李绛当然知道天子这句话意味着什么，但他还是直言不讳地表明了自己的态度："自古人君最讨厌的事，莫过于人臣结党，所以小人要陷害君子，必定说他们结党。'结党'听起来令人厌恶，可追究起来却往往无凭无据。东汉末年，凡天下贤人君子，都被宦官称为'朋党'，从而遭到禁锢，被剥夺政治权利，最终导致了家国社稷的覆亡。这是小人打击君子的惯用武器，请陛下明察！再者说，君子本来就是要跟君子合作，难道一定要跟小人合作，才叫不结党吗？"

说出这番话的同时，李绛已经做好了辞职的思想准备。因为他知道，宪宗已经不想留他了。所以，与其灰溜溜地被人赶下台，还不如急流勇退，辞职走人。

此后，李绛以足疾为由数度上表请辞。宪宗正中下怀，于元和九年（公元814年）正月将他罢为礼部尚书。

具有讽刺意味的是，就在李绛下台的第二天，几年前被贬出朝廷的吐突承璀就堂而皇之地回到长安，复任左神策中尉，再度执掌了禁军的兵权。

李绛罢相，主要原因当然是他功高震主，引起了宪宗的猜忌，但其实还有另一个原因，就是宪宗始终不敢过于倚重文臣。换言之，在宪宗心目中，宦官一直是制衡文臣的一种重要力量，尽管吐突承璀几年前让朝廷吃了很大的苦头，可宪宗仍然固执地认为——吐突承璀虽然无力对付藩镇，但用来制约文臣还是绰绰有余的。

也许，文臣李绛和宦官吐突承璀的这种权力跷跷板，只是宪宗施展帝王术的必然结果，不能作为皇帝昏庸或朝政黑暗的证明，也不能阻挡即将到来的"元和中兴"。但是，毋庸讳言，在中国历史上，历代王朝的中枢政治如果表现得清明高效，那必定是足智多谋的文臣与善于纳谏的皇帝通力合作的结果；而中枢政治的糜烂，几乎很多情况下都是始于阉宦的恃宠弄权和皇帝的用人不当。在宪宗李纯十五年的帝王生涯中，他一方面很努力地实践了前者，因此得以收获"元和中兴"的果实；可同时也很"用心"地实践了后者，以致最终命丧宦官之手，使得这场来之不易的中兴转眼就烟消云散。

这不能不说是一个莫大的遗憾。

武元衡被刺案

在李吉甫和李绛的斗法中，始终处于下风的李吉甫最后居然胜出了，这实在是令他喜出望外，同时也让他充满了世事难料的感慨。

喜悦和感慨之余，李吉甫当然要竭尽全力报答天子隆恩了。

元和九年闰八月，淮西节度使吴少阳死了，他的儿子吴元济秘不发丧，接管了军政大权。李吉甫立即向宪宗进言："淮西不像河北，四周没有援兵，朝廷用以防备淮西的常驻部队有几十万人，国家的人、财、物力都无法再维持，此时不打，更待何时？"

宪宗也意识到收拾淮西的时机已经成熟，遂于元和十年（公元815年）正月下诏削去吴元济的官爵，并任命严绶为招抚使，会同宣武等十六道兵马讨伐吴元济。

吴元济一边出兵抵御，一边遣使向成德的王承宗和淄青的李师道求救。王承宗和李师道上书请求赦免吴元济，遭到宪宗的断然拒绝。

李师道很清楚唇亡齿寒的道理，当然不愿坐视朝廷平灭淮西，可同时又想保存实力，不想拿老本去帮吴元济拼命，一时颇为踌躇。他平日豢养的一帮死士见状，就向李师道献计："打仗最急需的，莫过于粮食和物资。眼下朝廷的江、淮赋税都储存在河阴仓（今河南郑州市西北桃花峪），我等愿秘密前往，将其付之一炬，并招募一批人潜入洛阳，在闹市中抢劫商家财物，并纵火焚烧东都宫殿，闹他个天翻地覆。如此一来，朝廷还没来得及平灭淮西，就要先解救自己的心腹之患，这也算是支援吴元济的一个策略。"

李师道闻言大喜，遂依计而行。

此后不久，东都洛阳陆续发生了一些骚乱事件，令当地士民人心惶惶。这一年四月十日深夜，河阴转运院又突遭一伙身份不明的歹徒攻击，守卫十余人被杀，院中储存的钱三十余万贯、帛三十多万匹、谷子三万多斛全部被焚毁。

消息传到长安，满朝震骇。大臣们纷纷上奏，请求皇帝罢兵，可宪宗坚决不同意。

讨伐淮西的战争继续进行。然而，战况却并不理想。

由于朝廷参战部队众多，号令不一，协调困难，因此一直没取得实质进展。五月，宪宗命御史中丞裴度到前线去慰劳军队，并视察战况。裴度回朝后向皇帝表示，局势仍然对朝廷有利，平定吴元济只是时间问题。宪宗遂坚定了讨伐的决心。

李吉甫在去年十月朝廷对淮西开战不久就病逝了，此后宪宗便把用兵事宜全部交给武元衡负责。王承宗遣使入朝替吴元济游说，武元衡将使者轰出了中书省。王承宗恼羞成怒，一再上书诋毁武元衡。

这一年六月三日，一个与平常并无不同的夏日清晨，天还没有亮透，武元衡就已经行色匆忙地走在上朝的路上。

前线战事正酣，事务异常繁忙，所以武元衡每天都是早出晚归。此刻，他脑中还在想着昨日未处理完的一批紧急公文。武元衡万万没想到，在这个宁静的早晨，一场杀身之祸已悄然向他袭来。

武元衡和几个侍从刚刚走出他所居的靖安坊的东门，前方的薄雾中突然射出几支利箭。侍从们大惊失色，当即逃散。还没等武元衡反应过来，几个身手矫健的刺客就已经冲到他的坐骑前。

一道刀光闪过，武元衡的头颅瞬间飞离了身躯。

刺客捡起首级，扬长而去。

就在武元衡遇刺的同时，另一位主战派大臣、御史中丞裴度也在通化坊遭到了行刺。

不过，裴度比武元衡幸运。刺客的刀虽然砍在了裴度头上，但裴度头戴的毡帽极厚，所以只是受伤，并没有死。被砍伤的裴度翻身落马，掉进路边的阴沟里。刺客正欲冲上去再补一刀，却被裴度的侍从王义从背后一把抱住。

王义死死抱住刺客，同时大声呼救。刺客惊恐，慌忙一刀砍断王义的手臂，夺路而逃。

这场突如其来的恐怖行动震惊了整座长安城。

居然有人敢在天子的眼皮底下砍了当朝宰相的脑袋，还砍伤了另一位大臣，这无疑是对朝廷的极大藐视和挑衅。

宪宗暴怒，严令金吾卫和长安府、县两级衙门捉拿凶手，并下令各坊大门加派岗哨，严密盘查过往行人，同时宣布自即日起，宰相出入皆由金吾卫骑兵保护，而且要求卫兵箭上弦、刀出鞘，随时保持高度警戒状态。

首善之区陷入了一片莫名的恐怖之中。此后数日，朝臣们天亮之前都不敢上朝，以致宪宗一连数日都要在金銮殿上枯坐，苦苦等候文武百官上朝。

平日里威风八面的当朝大员此刻都成了惊弓之鸟，令一直躲在暗处的刺客窃笑不已。

几天后，得意扬扬的刺客又做出了一个让人匪夷所思的举动。他们居然致信给负责抓捕的金吾卫和长安府、县两级衙门，说："谁先急着抓我，我就先把谁干掉！"

相关的各级官员接到刺客的恐吓信，一个个吓得面无人色。

随后，案件的调查陷入了停滞。各级衙门仿佛开始了一场缉拿凶手的比赛——不是比谁先抓到凶手，而是比比看谁的动作更慢。

因为大家都不想成为下一个武元衡。

就在满朝文武人人自危、噤若寒蝉的时候，终于有一个人忍无可忍地跳了起来。他叫许孟容，时任兵部侍郎。许孟容跑去见宪宗，悲愤难当地说："自古以来，从没有宰相横尸路旁而抓不到凶手的，这简直是朝廷的奇耻大辱！"随即奏请宪宗起用裴度为宰相，以此表明朝廷讨伐淮西的坚定态度，并请宪宗严令各级官府缉拿凶手，挖出幕后主使。

六月八日，宪宗下诏，命京师各级衙门全力搜捕，抓到凶手者赏钱一万贯，赐五品官；胆敢窝藏刺客的，满门抄斩！

诏书一下，京师的官员们才动了起来，在全城范围内展开了地毯式搜索，连公卿家里的夹墙、阁楼都没有放过。

然而，几天前还致信问候各级官员的那伙刺客仿佛人间蒸发了。整座长安城被翻了个底朝天，凶手却依然逍遥法外。

两天后，案情终于有了突破性进展。有人提供了一条重大线索，说成德进奏院（成德镇驻京办）的几名士兵这些日子一直鬼鬼祟祟的，形迹非常可疑。有关部门当即将张晏等八名成德士兵逮捕，宪宗即命京兆尹和监察御史会审。

疑点就这样集中到了成德的王承宗身上。宪宗想起不久前王承宗曾连续上疏，极力诋毁武元衡，便把那些奏疏全都公之于众。

在没有其他线索和嫌疑人的情况下，王承宗的这些奏疏不啻于是他谋杀武元衡的铁证。六月二十三日，亦即武元衡被刺的二十天后，审查部门终于得出结论——张晏等人就是刺杀武元衡的凶手，而幕后主使就是王承宗。

真相终于大白于天下。

五天以后，张晏及其党羽十四人被开刀问斩，长安士民们无不拍手称快。

可是，真相真的大白了吗？

此时此刻，淄青节度使李师道正在他的府上一边举办庆功宴，一边笑得合不拢嘴。

有几个人坐在他的身边。他们刚刚从长安秘密潜回淄青，并给李师道带回了一样东西——一颗血肉模糊、业已腐烂的人头。

那是武元衡的头。

李愬雪夜袭蔡州

在裴度养伤的二十多天里，宪宗派驻重兵在他的府第日夜守卫，并多次派宦官前去慰问。有人劝皇帝把裴度罢官，借此安抚王承宗和李师道。宪宗勃然大怒："如果免了裴度的官，等于使奸人的计策成功，将置朝廷尊严于何地？我起用一个裴度，足以打败两个敌人！"

六月二十五日，宪宗任命裴度为宰相，让他继续挑起平定淮西的重担。裴度对宪宗说："淮西是朝廷的心腹之疾，不能不除，而且朝廷既已出兵，两河藩镇都在密切关注事态的发展，以决定他们的下一步行动，所以朝廷绝不能半途而废！"

七月五日，宪宗下诏历数王承宗的罪行，不许他朝贡，并敦促他幡然悔过，自缚请罪，否则将择日讨伐。

就在朝野上下一致认定王承宗就是刺武案的幕后元凶时，从东都洛阳传来了一个消息，令宪宗和朝臣们大出所料。

消息是东都留守吕元膺送来的。他破获了一起由李师道幕后操纵的未遂暴动，从人犯的口供中获知——李师道才是谋杀武元衡的真凶。吕元膺上奏宪宗：李师道暗杀宰相，企图血洗洛阳，实属罪大恶极，不可不诛!

至此，宪宗才得知武元衡被刺的真相。但是，朝廷目前正对淮西用兵，并且又已跟王承宗翻脸，实在是无力讨伐李师道了。此刻，宪宗最关心的就是淮西的战况。只有尽快讨平淮西，朝廷才能腾出手来对付李师道和王承宗。

然而，淮西战况实在是令人无语。

从去年十月到这年九月，讨伐吴元济的战争已经打了整整一年，却始终没有任何进展。被宪宗任命为前线总指挥的这个严绥，就是当年上表弹劾王叔文的家伙。此人毫无军事才能，唯有一点非常突出，那就是花钱如流水。从到任的那天起，严绥拿了中央的巨额军费后只做了两件事情，一是毫无节制地犒赏士卒，收买人心；二是拼命贿赂宦官，构建人脉。

宰相裴度屡屡强调严绥无能，请皇帝更换主帅。九月底，宪宗终于下决心撤掉了严绥，改任宣武节度使韩弘为淮西前线总指挥。

然而，韩弘的到任却没有为战局带来转机。

因为韩弘与严绥半斤八两。他虽不像严绥那么会花钱，可他却想利用这场战争壮大自身的实力。他知道，对手活得越长久，他在朝廷心目中的分量就越重，与朝廷讨价还价的筹码就越多，所以淮西太早平定对他没什么好处。

说白了，韩弘就是想养寇自重。

一连两任主帅都不得其人，淮西战局逐渐陷入泥潭，而与此同时，河北的形势也一点不让人省心。

元和十年岁末，王承宗放纵军队四出劫掠，把相邻诸镇搞得寝食难安。于是卢龙（治所幽州）、横海（治所沧州）、义武（治所定州）等镇纷纷上疏请求讨伐王承宗。

宪宗早就想收拾成德了，河北诸镇的奏疏正中他的下怀。元和十一年（公元816年）正月，宪宗下诏削去王承宗官爵，命河东、卢龙等六道兵马出兵讨伐。

至此，李唐朝廷不得不在南北两线同时作战，这样的局面显然是危险的。不少朝臣想起了德宗当年的覆辙和教训，以宰相韦贯之为首的多位大臣力劝宪宗罢兵，等平定淮西再回头对付成德。

然而，对于大臣们的谏言，宪宗自始至终不为所动。

反战派对此忧心忡忡，却想不出有什么办法可以说服这个一意孤行的天子。最后，大臣们只好悻悻地闭上嘴，静观事态的演变。

这一年六月，从淮西前线突然传回一则战报，令沉寂数月的罢兵呼声再度响起，并且空前高涨。战报称，淮西前线的主将之一、时任唐邓节度使的高霞寓在铁城（今河南遂平县西南）一带与淮西军会战，结果全军覆没，仅以身免。

此前，前线的参战部队偶有小胜皆会向朝廷夸大战功，凡是打了败仗则一律隐瞒。可这一次实在是败得太惨，只好如实奏报。

消息传来，满朝骇愕，反战派抓住此事大造舆论，并入宫力谏。然而，让他们万万想不到的是，宪宗对此依旧不以为然。他若无其事地扫了大臣们一眼，说："慌什么？胜败乃兵家常事！现在应该讨论的是用兵的方略，当务之急是撤换不能胜任的将帅，及时为前线部队调配粮饷，岂能因为一个人打了败仗，就立刻罢兵？"

朝议的结果只有一个——接着打。

所有宰执大臣中，只有裴度一人坚持站在皇帝一边。

在反战派看来，宪宗这么做简直就是丧失理智。可在裴度眼中，天子这么做就叫义无反顾、百折不挠。

淮西战局的最终结果到底如何，目前还没有人敢断言，大家只知道皇帝是要一条道走到黑了。这些日子，反战派大臣一个接一个掉了乌纱。继去年年底宰相张弘靖、翰林学士钱徽等人被免职之后，本年七月，宰相韦贯之亦被罢免，九月，右拾遗独孤朗又遭贬谪……

宪宗似乎在用行动向朝野表明，他收拾跋扈藩镇的决心绝不动摇。

两场战争就这么旷日持久地同时进行着。

到了元和十二年（公元817年）五月，淮西已打了两年多，出兵九万余人，耗费粮饷无数，却未建尺寸之功。而成德打得更艰难，一年多来，朝廷出兵十多万，战线回环数千里，却因各部相距遥远，缺乏统一指挥，所以劳而无功；此外，因战线过长，每次从后方运送粮饷都要累死一大半牲口，导致后勤补给极为困难；最后，诸道军队都想保存实力也是朝廷无法取胜的原因之一。仅以卢龙为例，朝廷与成德开战后，卢龙节度使刘总仅仅打下一个县城，就停驻在边境五里处按兵不动。光他这支军队，每月耗费的开支就达十五万贯，令中央财政不堪重负……

很显然，这仗再这么打下去，朝廷已无力支撑。去年新任的宰相李逢吉力劝皇帝罢兵，一切等平定淮西再说。宪宗李纯陷入了前所未有的痛苦和矛盾之中。经过多日犹豫，宪宗不得不在五月十七日下令，撤销河北行营，让诸道军队各回本镇。

河北草草收兵，让宪宗觉得丢尽了面子。而在随后的日子里，尽管朝廷已经全力以赴对付吴元济，可淮西依旧固若金汤。

七月底，宪宗忧心忡忡地召集宰相们商议，李逢吉等人都认为中央已经师老财竭，再次建议皇帝全面停战。只有裴度默不作声。宪宗问他的意见，裴度说："臣愿亲往前线督战。"

宪宗又惊又喜："卿真能为朕走这一趟？"

裴度说："臣观吴元济上表，显然已是势穷力蹙，之所以仍在顽抗，只因我军诸将心志不一，不能合力围歼。臣亲赴前线后，诸将担心臣抢了他们的功劳，必争相出战。"

元和十二年八月初三，裴度从长安出发，宪宗亲临通化门为他送行。裴度说："臣此去若能灭贼，才有脸回来见陛下；若不能灭，臣永远不回朝廷。"

宪宗闻言，为之感怀泪下。

八月底，裴度抵达前线。很快，他就找到了淮西战局陷入困顿的主要原因之一。

那就是监军宦官在战场上所起的反作用。

众所周知，宪宗爱用宦官。在朝中，他用宦官制约文臣，是为了防止他们大权独揽，架空皇权；在战场上，他也爱用宦官，目的是防止大将拥兵自重，居功自恃。所以，自从与淮西开战以来，宪宗就为前线的每一支参战部队都派驻了监军宦官。

而问题就出在这些阉宦身上。这帮人既无军事才能，又无作战经验，却偏偏喜欢干涉主将的军事行动。每逢打了胜仗，宦官们就第一时间飞报朝廷，把功劳揽在自己身上；要是打了败仗，他们就把屎盆子扣在将领头上。有这样一帮成事不足、败事有余的人在战场上掣肘，这仗能打得赢吗？

找到了症结所在，裴度当即奏请宪宗，很快就把所有监军宦官悉数召回了长安。于是，将领们重新掌握了指挥权，战场上的形势顿时有了改观。

可是，罢废监军宦官固然极大地提升了部队的战斗力，但并不能保证在短时间内平定淮西。所以，裴度面对的仍然是一个困局。尤其是考虑到不堪重负的中央财政，裴度面临的难题就不仅是如何取得这场战争的胜利，而是如何在最短的时间内取得胜利。

对于一场胶着了将近三年的战争而言，什么才是最快的决胜之道？

唯一的答案就是，抛弃正面对决的打法，采用出奇制胜的战术。

这年十月，正当裴度在郾城的统帅部里苦思冥想的时候，前线的一位大将派人给他送来了一份密报。准确地说，这是一个作战计划，一个相当大胆的作战计划。

看完计划，裴度不禁拍案叫绝："兵非出奇不胜，常侍良图也！"

（《资治通鉴》卷二四〇）

裴度口中的这位常侍，就是李愬（其中央官职是散骑常侍）。

李愬向裴度呈上的计划是——由他亲率一支奇兵绕过敌军主力，穿越淮西腹地，出其不意直取蔡州，生擒吴元济。

李愬是德宗时代的名将李晟之子。正所谓虎父无犬子，李愬虽是官二代，"以父荫起家"，但本人"有筹略，善骑射"（《旧唐书列传八十三》），并不是全凭老子荫庇的纨绔子弟。李愬入仕后，历任卫尉少卿、晋州刺史、太子詹事等职。元和十一年，淮西前线主将高霞寓遭遇惨败，被贬为归州刺史，朝廷调派荆南节度使袁滋接任，没想到袁滋还是碌碌无功。李愬意识到自己建功立业的机会来了，当即上表自荐，要求上阵杀敌。宰相李逢吉认为他才堪大用，便向宪宗举荐。宪宗遂将袁滋贬谪，任命李愬为唐邓节度使。

元和十二年正月，李愬来到前线。令人意想不到的是，李愬到任后非但没有秣马厉兵、积极备战，反倒对士卒们放话说："天子知道我天性柔弱，善于委曲求全，所以命我前来抚恤你们，至于领兵作战，就不是我要考虑的事情了。"

由于淮西战事迁延日久，且败多胜少，士卒们早已厌战，因此听了李愬的话，人人笑逐颜开。李愬的亲信不知道他葫芦里卖的什么药，流露了不满之意。李愬告诉他："前任袁滋消极怯战，吴元济根本不把他放在眼里，听说我来了，肯定会严加戒备。我现在故意示弱，就是想让他放松警惕，然后我们才可出其不意，攻其不备。"

亲信恍然大悟。随后，淮西军发现朝廷新任的这位主帅和那个袁滋是一路货色，果然放松了戒备。

接下来的日子，李愬一边继续放烟幕弹迷惑对手，一边却暗中积极筹划，准备采取一个大胆的行动，突袭吴元济的老巢——蔡州（今河南汝南县）。

很显然，要实施这个突袭计划，就必须对淮西的兵力部署和各种战略情报了如指掌。而要获取对手的准确情报，最有效的手段当然就是招降敌军的将领了。

元和十二年二月，李愬手下的巡逻兵抓到了淮西的一员骁将丁士良。此人骁勇善战，曾屡败朝廷军，所以将士们都想把他剖腹挖心，以泄其愤。李愬命人把丁士良带到面前，见他面无惧色，视死如归，当即赞叹他是"真丈夫"，并为其松绑。

丁士良感恩戴德，誓愿为李愬效死。

当时，李愬面前的主要对手是淮西大将吴秀琳，此人是吴元济的左膀右臂，长期据守文城，令官军始终不能前进半步。丁士良主动请战，设计擒获了吴秀琳麾下勇将陈光洽，进而逼降了吴秀琳。

李愬不战而入据文城后，对吴秀琳及其降众极为优待，对每个人都进行了妥善安置，凡是家中有父母者，还发给钱帛，让他们回家尽孝。淮西降卒们无不感恩流涕。从此，各地的淮西士卒纷纷来降。李愬的麾下部众也一扫厌战情绪，重新焕发了斗志。

毫无疑问，李愬所做的这一切可以归结为两个字——攻心。

要成为一个合格的将领，必须善于攻城；而要成为一名优秀的将领，则不仅要善于攻城，更要善于攻心。

唯其如此，才能不战而屈人之兵。

李愬显然深谙此道。

随着淮西将士的相继归降，李愬对淮西的整个战略部署逐渐了然于胸。"愬每得降卒，必亲引问委曲，由是，贼中险易、远近、虚实尽知之"（《资治通鉴》卷二四〇）。

元和十二年五月，在吴秀琳的建议下，李愬又设计擒获了淮西的骑兵将领李祐。此人也是骁将，此前与朝廷军多次交锋，斩杀官兵甚众，所以李愬的手下都嚷嚷着要杀他。可李愬还是亲自为他松了绑，并待之如上宾。

随后，李愬安排李祐住进了自己的帅帐，每天晚上都与他促膝长谈。不久，李愬更是不顾左右的竭力反对，任命李祐为自己的警卫队长，将麾下的三千精锐交给了他。

李愬的礼贤下士和推诚待人令李祐感动不已。

最后，李愬终于得到了他最想要的东西——关于蔡州的情报。

李祐告诉他，吴元济的主力全都部署在前线和边境，守卫蔡州的都是一些老弱羸兵，完全可以乘虚直抵其城，等到淮西各地将领得到消息，吴元济早已束手就擒。

李愬闻言大喜，愈加坚定了奇袭蔡州的决心。随后，李愬暗中招募了一支三千人的敢死队，每天亲自带队操练，为袭取蔡州做了充分的准备……

接到李愬的报告后，裴度第一时间就批准了他的计划。

吴元济的末日到了。

元和十二年十月十五日，一个大雪纷飞的深夜，李愬亲率九千精锐，分成前、中、后三军，悄悄向蔡州进发。此行除了李愬本人和几个参与绝密计划的心腹将领之外，没人知道队伍要往哪里开拔。

李愬只对将士们下达了一个命令：什么都不要问，一直往东走。

部队经过急行军，迅速占领了六十里外的张柴村，稍事休整之后再度出发。将领们满腹狐疑地追问此行的目的地，李愬才对众人说："攻击蔡州，活捉吴元济！"

毫无心理准备的将领们闻言，顿时大惊失色。

此时，暴风雪越发猛烈，旌旗冻裂，士兵和马匹接二连三地冻毙倒地。天色如浓墨一般，咫尺不辨方向。自张柴村以东就是淮西腹地，唐军将士们艰难地跋涉在厚厚的积雪上，人人心中忐忑不安，不敢去想道路的前方会是一种怎样的命运在等待着他们。

然而，没有人知道，就是这条雪夜中的道路，将带领他们走向辉煌的胜利。

从张柴村出发后，又经过七十余里的急行军，李愬的部队终于在十月十六日凌晨抵达蔡州城下。望着蔡州城墙上漆黑的雉堞，李愬心中不禁感慨万千。

三十多年了！自德宗贞元二年（公元786年），吴少诚拥兵割据之后，唐朝的中央军已经三十多年没有站在这块土地上了。但是李愬知道，从这一刻开始，李唐中央的旗帜就将在蔡州的城头上高高飘扬。

按照事先制定的计划，李祐带着一支敢死队在城墙上凿孔，悄无声息地攀上城楼，暗杀了熟睡中的守门士兵，只留下更夫继续打更，然后打开城门，迎接大军进城。

鸡鸣雪停之际，李愬已经率兵突入了第二重城门。

此时此刻，吴元济依旧躺在温暖的被窝里呼呼大睡。他做梦也不会想到，李唐的中央军会在这样一个风雪交加、滴水成冰的夜晚"空降"到他的蔡州城里。

负责警戒的将领发现敌情后，慌慌张张地冲进节度使府，叫醒了吴元济，惊慌失措地报告——外面突然出现了一支军队，可能是官军杀进来了！

吴元济迷迷糊糊地睁开眼睛，笑骂道："官军？你不是疯了吧，哪来的官军？顶多就是一些俘虏和囚犯闹事而已，等天一亮，老子就把他们通通杀了！"

话音刚落，又有人冲进来报告："两重外城均已陷落，内城也已被包围了！"

吴元济这才隐约意识到事态的严重，但还是不愿相信城池已经陷落。他骂骂咧咧地披衣起床，说："都别慌！这一定是前线的士兵回来找我讨要冬装，没什么大不了的。"

吴元济刚刚走进庭院，就听见外面人马杂沓，并传来清晰的传令声："常侍有令……"紧接着就是一片雷鸣般的响应之声，听上去足有万人之众。吴元济顿时一脸惊愕："常侍？什么常侍？怎么到这里来了？"

意识到朝廷已经把刀架在了他的脖子上，吴元济才大梦初醒，慌忙组织士兵登上内城抵抗。

然而，一切都来不及了。

此时的吴元济已是瓮中之鳖。而这场历时三年的淮西之战，结局也已经毫无悬念。

十六日，李愬率部攻破了内城的第一道门，占领了武器库。次日凌晨，又对南面的第二道门发起进攻。这是吴元济的最后一道防线，他气急败坏地召集所有部众进行殊死抵抗。一时间，城头上箭如雨下。李愬担心强攻会付出太多伤亡，遂下令焚烧城门。蔡州城的百姓纷纷抱上柴草前来助阵。到了傍晚，城门终于倒塌。吴元济见大势已去，只好举手投降。

至此，割据三十多年的淮西宣告克复。李愬雪夜袭蔡州，从此成为中国古代战争史上长途奔袭的经典战例。

十月十八日，李愬命人将吴元济押送京师。当天，淮西各州的叛军余部两万多人相继归降。李愬采取了安抚之策，除了一个吴元济外，对淮西的所有将士、官吏等概不追究，让他们各任原职，因而很快就稳定了淮西的人心和局势。

元和十二年十一月，宪宗李纯登兴安门接受献俘，并斩杀吴元济，向宗庙社稷献祭。

当吴元济那颗桀骜不驯的头颅应声落地的一瞬间，宪宗李纯的目光正穿透长安上空厚厚的云翳，像一把寒光闪烁的利剑一样，遥遥地指向河北。

淮西已经重归帝国的怀抱，那个骄纵跋扈、长年割据的河北还能逍遥多久呢？

此时，宪宗李纯的心中已经有了答案。

是的，李纯坚信，这个饱经战乱、动荡失序的老大帝国，很快就将在自己的手中回归一统，并且再度崛起，重绽盛唐时代的熠熠光芒。

"忽惊元和十二载，重见天宝承平时。"（《平蔡州三首·之二》）

此刻，就连十几年前因"永贞革新"失败而被放逐的刘禹锡，也情不自禁地写下了这样的诗句。这个多年来一直忧国忧民却郁郁不得志的诗人，已经悲喜交集地预见到，一页承载着盛唐余晖的历史，正在被天子李纯缓慢而坚定地掀开。

这一页历史的名字，就叫"元和中兴"。

平藩的最后一战

吴元济败亡后，两河的跋扈藩镇不免生出了唇亡齿寒的忧惧。

最恐惧的莫过于淄青的李师道。

李师道本以为把鹰派宰相武元衡除掉，朝廷就会偃旗息鼓、鸣金收兵，没想到宪宗却力排众议，决意死战，还起用了同属鹰派的裴度为相。而裴度去淮西走了一趟，就轻而易举地摆平了顽抗多年的吴元济。不难想见，朝廷的下一个打击目标肯定就是他和王承宗。

形势的逆转令李师道彷徨无措。他手下一个叫李公度的官员历来倾向于朝廷，于是趁机劝他送上人质和土地，向朝廷谢罪，以免步吴元济之后尘。计无所出的李师道只好听从。

元和十三年（公元818年）正月，李师道遣使奉表，主动请求派长子入朝为质子，同时献出了沂、密、海三州之地，以表自己归顺朝廷的诚意。

宪宗接受了李师道的投诚，随即派遣左散骑常侍李逊前往郓州（淄青治所，今山东东平县），名为"宣慰"，实则是敦促李师道履行他的承诺。

李师道一服软，河北那几个尚在观望的藩镇更是慌了手脚，赶紧纷纷表态。

二月，横海（治所沧州）节度使程权遣使上表，愿带着全族人一起入朝，把横海镇拱手还给中央。

四月，成德的王承宗也把两个儿子送往朝廷为质，同时献出德、棣两州，并自愿将征税和官吏任免权归还朝廷。

同月，卢龙的刘总也在大将谭忠的劝说下向朝廷上表，宣誓效忠。

短短几个月内，跋扈多年的两河藩镇全都来了一百八十度的大转弯，对李唐中央的权威表现出了前所未有的敬畏和服从。朝野上下一片欢欣。没有人会怀疑，这个历尽劫难的帝国很快就将走出黑暗而漫长的历史隧道，实现渴盼已久的中兴。

然而，通向光明的道路从来不会是一条坦途。因为在这个世界上，有一种东西叫惯性。小到个人的生活习惯，大到历史的积习，都不可能在一夜之间改变。对于当惯了土皇帝、逍遥了半个多世纪的跋扈藩镇而言，情况更是如此。

所以，最先向朝廷低头的李师道，第一个反悔了。

——朝廷的宣慰使李逊来到淄青后，看到的不是李师道诚惶诚恐的笑容，而是一张阴晴不定的脸。

在两河藩镇中，淄青是拥兵最多、据地最广的一个镇，所以，要让它放弃享受已久的特权，自然也没那么容易。而且，人都是有侥幸心理的。有道是不见棺材不落泪，不撞南墙不回头。对于这个世界上的大多数人来说，"居安思危"的道理很容易懂，却很少有人愿意去做。

比如李师道的老婆魏氏。

一听说李师道要把宝贝儿子送到长安当人质，魏氏肺都气炸了。在她看来，淮西的吴元济打不过朝廷，那是他自己无能，凭什么我们就要不战而降？

魏氏咽不下这口气，便怂恿另外几个姬妾，一起向李师道猛吹枕边风："自从先司徒（李纳）据有淄青以来，我们就拥有十二个州的土地，为什么要平白无故割让给朝廷？更何况，我们现在的兵力不下数十万，不献三州，顶多跟朝廷打一仗，就算打不过，到时候再献也不晚啊。"

李师道原本就不太情愿投降，现在被枕边风一吹，立马改变主意。

宣慰使李逊到了郓州后，看出李师道心里有鬼，就问他打算什么时候让儿子入朝。李师道却跟他打哈哈，说："前些时候因为父子之情，舍不得让他走，而且将士们一再挽留，所以耽搁了一下，未及动身。现在有劳钦差亲自前来，我怎敢再三心二意？只不过，到长安路途遥远，还得让犬子再准备准备。”

李逊让他给个准信，以便自己回朝复命。李师道还是支吾其词，王顾左右而言他。李逊没再说什么，掉头就走，回朝后立刻向天子奏报：“李师道冥顽不灵，反复无常，恐怕不对他用兵是不行了。”

宪宗勃然大怒，决意出兵讨伐。

没有人喜欢流血，但是历史往往钟情于暴力。自古以来，历史老儿每掀开新的一页，似乎都要蘸上万千生灵的鲜血，否则那一页历史就无法书写。

这真是让人无可奈何的事。

元和十三年七月初，宪宗下诏历数李师道的罪行，命宣武、魏博、义武、武宁、横海五道兵马共同讨伐李师道。

削平强藩的最后一战就此打响。

从这一年秋天起，五路兵马开始对淄青发起全面进攻。挟着淮西新胜的余威，朝廷军在这一战中可谓势如破竹。

首先建功的还是李愬。

十二月，时任武宁节度使的李愬与淄青军连战十一场，每战皆捷，并于三十日攻克淄青的战略要地金乡（今山东金乡县）。

元和十四年（公元819年）正月初二，宣武节度使韩弘攻陷考城（今河南民权县）；十三日，李愬攻下鱼台（今山东鱼台县）；十七日，魏博节度使田弘正在东阿（今山东阳谷县东北阿城镇）大败淄青军，斩杀一万余人；二月初，李愬之兄李听接连攻克东海（今江苏连云港市东）、朐山（今江苏连云港市）、怀仁（今江苏赣榆县）；稍后，李愬又在沂州（今山东临沂市）再败淄青军，占据丞县（今山东枣庄市东南）。

开战不到半年，朝廷军便以所向披靡之势横扫淄青全境，各条战线捷报频传。

郓州城里军心浮动，人人都开始紧张地思考退路。

李师道平日里嚣张跋扈，不可一世，可实际上是个外强中干的货色。接到前线一连串的败报后，李师道惶惶不可终日，很快就病倒了。

眼看大军四合，李师道紧急动员郓州百姓修筑城墙，疏浚壕沟，准备做最后的顽抗。

可是，还没等官军杀到郓州，李师道的脑袋就被人剁了下来。

动手的人是淄青的都知兵马使刘悟。

早在各路官军挺进淄青的时候，刘悟就已经在准备退路了，所以数战皆败，屡屡后退。李师道的帐下幕僚警告他，说刘悟别有用心。李师道赶紧把刘悟召回，准备杀他。又有人劝李师道，说大敌当前，如果临阵斩将，必然动摇军心。李师道耳根子一向很软，想想也有道理，就采取安抚策略，送了很多金帛，把刘悟放了回去。

可没过几天，又有人警告李师道，说他这是在纵虎归山，必将后患无穷。李师道这才下定决心，暗中派了两个使者到刘悟军营，命行营兵马副使张暹把刘悟干掉。不料张暹一向与刘悟交好，就偷偷跟他报信。刘悟愤然而起，杀了那两个使者，于二月初八连夜率领大军杀回郓州城。守城士兵只做了轻微的抵抗便纷纷投降。李师道在绝望和恐惧中躲进了茅房，最后还是被刘悟搜了出来。

李师道瘫软在地，不停地磕头求饶。

刘悟面无表情地看着他，说："我奉天子密诏把你押送京城，可瞧瞧你现在这样子，有何脸面去见天子？"

话音刚落，刘悟便一刀砍下了李师道的脑袋。

元和十四年二月二十一日，李师道的首级被快马送至长安。

淄青宣告平定。

自代宗广德年间迄今，在将近六十年的时间里，横跨黄河南北，占据三十几州，赋税自享、官吏自任、一切自专的跋扈藩镇，至此全部回归李唐中央。分裂动荡了半个多世纪的大唐帝国，终于重新回到了大一统的轨道上。尽管表面的辉煌之下仍旧隐藏着诸多难以根除的隐患，可宪宗李纯已经完全有理由为这一刻感到自豪。

十三年了。

从登基到现在已经整整十三年了。

尽管这十三年的岁月充满了曲折和艰辛，但一切总算有了令人满意的报偿。

此时此刻，李纯完全有资格站在李唐王朝列祖列宗的灵位前，无比豪迈地宣称——我已经完成了自己的使命，缔造了伟大的中兴。

是的，没有人可以否认这一点。无论是李唐先皇的在天之灵，还是帝国的万千臣民，都应该为宪宗李纯感到骄傲，都应该为这一刻的到来额手相庆。

而一个缔造了中兴伟业的帝王，接下来该干些什么呢？

是再接再厉，巩固到手的胜利果实，百尺竿头更进一步？还是满足现状，躺在光芒四射的功劳簿上，开始随心所欲地享受人生？

宪宗毫不犹豫地选择了后者。

历史很快就证明，这是一个愚蠢的选择。

对于李纯个人来讲，这样的选择也许无可厚非，但它却一举终结了李纯刚刚开创的中兴伟业，同时开启了他个人的悲剧命运。而帝国命运的K线图，也随之在短暂的企稳反弹后，重新掉头向下，再度回到了自安史之乱以来就屡创新低的下降通道上……

当然，此时的李纯看不到这一切。

中兴：一朵刹那凋零的昙花

实际上，早在元和十二年平定淮西之后，宪宗李纯就开始变了。"淮西既平，上（宪宗）浸骄侈。"（《资治通鉴》卷二四〇）

宪宗的第一个重大变化是，一改从前克勤克俭的作风，开始大兴土木，专注于个人享受。元和十三年正月，宪宗命禁卫六军负责对麟德殿进行修缮。由于当时淄青、成德等镇都尚未平定，禁军大将张奉国、李文悦私下认为，此时朝廷仍是用兵之际，不宜"营缮太多"，可他们又不敢抗命，只好请宰相裴度代为劝谏。

裴度当然也不赞成宪宗的做法，就在一次奏事的间隙，委婉地表达了反对意见。宪宗一听，就知道是张、李二将把消息透露给了宰相，顿时火冒三丈，几天后就把张奉国和李文悦双双贬谪了。等禁军修完麟德殿，宪宗像是要跟裴度较劲似的，又命禁军疏浚了龙首池，另外又建了一座全新的承晖殿。

裴度知道自己怎么劝也是白搭，只好把嘴闭上。

从此，大明宫的土木工程就接二连三地上马了。于是，国库的钱就像开了闸的洪水一样哗哗往外流。

为了平衡收支，也为了获得更多享受，宪宗变得越来越喜欢敛财，就跟晚年的德宗如出一辙。当时，朝中的两个财政大臣敏锐地察觉出了发生在天子身上的微妙变化，赶紧投其所好，千方百计在财政收入的大蛋糕上划出了一块专供皇帝的小蛋糕，也就是所谓的"税外羡余"，每个月都准时送进天子的小金库。

这两个人，一个叫皇甫镈，时任户部侍郎兼判度支；另一个叫程异，时任工部侍郎兼盐铁转运使。

可想而知，这两个聪明人很快就博得了天子的宠幸。

元和十三年八月，宪宗没有跟裴度等宰执大臣商议，就忽然下了一道诏书，宣布任命皇甫镈和程异为宰相。

诏书一下，朝野哗然。

虽然唐朝历史上多有财政大臣入阁拜相的成例，但其人选通常要经过严格的考核评定，并且交由现任宰相审议。而现在的问题是，皇甫镈和程异的资历、品行、德望等等，都远远不符合宰相的标准。比如皇甫镈，据说就是靠贿赂宦官吐突承璀上位的，这种人要是当了宰相，整个朝廷岂不成了权钱交易的乐园？

所以，宪宗的诏令一出，不仅满朝文武骇愕，就连长安坊间的贩夫走卒也不免嗤之以鼻，将其引为笑谈。

宪宗如此独断专行，自然引起了裴度的极大不满。裴度当即和另一个宰相崔群当面向宪宗劝谏，极力反对这项任命，可宪宗却置若罔闻。

裴度愤然提交了辞呈。

宪宗压下辞呈，只回了两个字：不准。

裴度忍无可忍，再度上疏，说："皇甫镈和程异都只是'钱谷吏''佞巧小人'，当宰相只会让天下人耻笑。倘若陛下执意任命二人为相，那臣只好告老还乡。臣要是不辞职，天下人会说我不知廉耻；臣要是不劝谏，天下人会说我有负圣恩。如今陛下既不许我辞职，又不听我劝谏，臣仿佛烈焰焚身，又如同万箭穿心，实在是不堪忍受……"

宪宗看见这道奏疏时，气得脸都绿了。

裴度居然把他最宠信的两个大臣说成"佞巧小人"，这不明摆着骂他有眼无珠吗？

不过，让宪宗怒不可遏的还不仅仅是上面那些，而是裴度在奏疏最后说的这一句："陛下建升平之业，十已八九，何忍还自堕坏？使四方解体乎？"（《资治通鉴》卷二四〇）

这句话把宪宗彻底惹毛了。

朕无非就是任命两个宰相而已，你裴度有意见可以提出来，犯得着如此危言耸听、上纲上线吗？

在宪宗看来，裴度对这件事的反应之所以如此激烈，问题并不是出在皇甫镈和程异身上，而恰恰是出在他自己身上。表面看来，裴度坚决反对这项任命的理由似乎是冠冕堂皇的，可事实上，此举背后分明隐藏着一个不可告人的动机。

什么动机？

四个字：把持朝政。

身为首席宰相，而且是刚刚为帝国建立大功的宰相，此时的裴度在朝野的威望和影响力正如日中天。在此情况下，他当然不希望有人来到相位上分享他的权力，所以才会死活不让皇甫镈和程异入相。

说白了，裴度此举纯粹是为了打压异己，其目的就是要独揽朝政。意识到这一点的时候，宪宗更加确信自己提拔皇甫镈和程异的决定是正确的。即便不考虑他们的理财能力，也不考虑他们一年能进贡多少"羡余"，仅从权力制衡、防止裴度一人独大的角度来说，这项任命都是至关重要、刻不容缓的。

所以，看完裴度的奏疏后，宪宗随手就把它扔进了废纸篓。最后，皇甫镈和程异还是在朝野上下的一片反对声中进入了宰相班子。

从"宰相风波"后，宪宗对裴度的信任就荡然无存了。之所以还把裴度留在相位上，仅仅是因为当时的淄青尚未平定，朝廷在军事上还不得不倚重于他。

可尽管如此，宪宗还是没有忘记敲打裴度。

元和十三年岁末的那些日子，每逢召集宰相议事，宪宗总是当着裴度、皇甫镈、程异等人的面，说："身为人臣，应当尽力为朝廷分忧，岂能一心交结朋党？朕一向对这种事厌恶至极，希望诸卿好自为之！"

听到这种话，皇甫镈表面诺诺，心里却不住窃笑。

因为谁都听得出来，这话是说给裴度听的。

面对天子不点名的批评，裴度坦然自若地回答："物以类聚，人以群分。无论君子还是小人，都不免有各自的圈子。但是，君子是因志同道合才走到一起的，小人则向来以利益相交，因此才被称为'朋党'。"

宪宗冷笑："如何判断谁是君子，谁是小人？"

裴度不卑不亢地说："圣明之君，只要观察人臣的所作所为，就能分得清清楚楚。"

其实，类似的君臣对话在宪宗一朝已经多次重演，一点也不新鲜。比如几年前的宰相李绛，就曾多次被宪宗指责为"交结朋党"。说到底，所谓"朋党"云云，往往只是个幌子而已。李绛和裴度真正遇到的麻烦不是这个，而是因为功劳太大，无形中抢了皇帝的风头。所以，就算他们没有私欲、一心为公，到头来也逃脱不了鸟尽弓藏的命运。

这就叫功高震主。

元和十四年二月，淄青平定，裴度的最后一点利用价值也就消失殆尽了。短短两个月后，宪宗便迫不及待地下了一道诏书，将裴度外放为河东节度使。

战火熄灭，烽烟散去，帝国重归一统，天下终于太平。可是，就在这样一个普天同庆、朝野欢腾的时刻，"元和中兴"的第一功臣裴度，却只能黯然离开长安，满心凄惶地踏上贬谪之路。

没有人为他送行。

只有灞桥边上绿意盎然的两行垂柳，无言地目送他远去。

人是这个世界上最聪明、最高贵的动物，但没有人能否认，人同时也是最多欲、最贪婪的动物。穷困潦倒的时候，人人渴望丰衣足食，丰衣足食了就想要飞黄腾达，飞黄腾达了又渴望权倾天下，权倾天下了又想要流芳百世，真的建立了流芳百世的事功之后，人又会想要什么呢？

四个字：长生不老。

宪宗李纯虽然是真龙天子，不用像普通人那样白手起家，可他对金钱、权力、成功的渴望，却丝毫不亚于普通人。他当上皇帝的时候，国库里的钱不多，小金库的钱更少，而天下的藩镇又天天跟他叫板，所以他需要用钱来发动战争，然后通过战争摆平藩镇，最后成就流芳百世的中兴大业。

如今，李纯什么都有了——既不缺钱，也巩固了权力，又建立了不世之功。接下来，他自然要考虑长命百岁的问题了。

早在元和十三年十月，李纯就喜欢上了道教的长生术，开始频频征召天下方士。皇甫镈赶紧投其所好，向天子举荐了一个叫柳泌的方士。此人自称能炼出长生不死的丹药。宪宗大喜，立刻召柳泌入京，让他住进兴唐观，专门为自己炼药。

柳泌在兴唐观里埋头鼓捣了一段时间，没搞出什么名堂，怕自己脑袋不保，就忽悠宪宗说："天台山是神仙居住的地方，有很多灵草。如果派臣去当那里的地方官，保证能炼出长生之药。"

很显然，这个大忽悠是想找一条退路，离皇帝远一点，一旦事情败露，他就脚底抹油，一走了之。

可宪宗却对柳泌毫不怀疑，二话不说就任命他为代理台州（今浙江临海市）刺史，并赐三品金紫衣，命他即刻走马上任。

谏官们得知此事，大感荒谬，纷纷上疏反对："历代人君喜欢方士的很多，可还从来没有让他们当地方官的。"

李纯不以为然："如果竭尽一个州的力量，就能换来人君的长生不老，做臣子的又何必吝惜？"

群臣张口结舌，无言以对。

柳泌在台州逍遥了一年多，天天驱使官吏和百姓上山采药，可到头来还是一无所获。柳泌不敢再忽悠了，慌忙带着老婆孩子逃进了山里。他的顶头上司、浙东观察使得知柳泌弃官而逃，赶紧派人去追，最后总算把他抓住，派人押回了京师。

按理说，这个大忽悠这回是必死无疑了。

然而，结果出乎所有人的意料——他非但没死，反而活得比以前更为滋润。

因为当朝宰相皇甫镈罩着他。

一看柳泌露馅，皇甫镈唯恐承担连带责任，便千方百计替他求情。当时宪宗已经吃了一段时间的丹药，估计脑子也糊涂了，便又既往不咎地任命柳泌为翰林待诏，让他继续炼丹。

面对如此"钟情"于自己的天子，柳泌在心里哭笑不得，只好硬着头皮把忽悠进行到底。

随后的日子，兴唐观便日夜弥漫着浓酽而神秘的药香。没人知道柳泌每天都往青铜大釜里扔些什么东西，只知道每天都有许多丹药出炉，旋即被送进了宫里。

见到梦寐以求的长生丹，宪宗如获至宝，每天准时服用。

很快，满朝文武不约而同地发现，天子的气色越来越难看，而脾气也越来越暴躁了。

起居舍人裴潾忍不住上疏，说："从去年以来，各地推荐的方士越来越多，臣不免心生疑惑。纵使天下真有神仙，也必然是隐藏在深山老林中，怕被人知道，哪有拼命跻身于权贵之门的？究其实，这些说大话、炫奇技的人，都是哗众取宠、心术不正之辈，岂可轻信他们的话，乱吃他们的药？何况，金石之药酷烈有毒，不是人的五脏六腑所能承受的。陛下若不信，臣请陛下让献药者先吃一年，则真伪自辨。"

宪宗吃药正吃得上瘾，一见此疏，勃然大怒，当即把裴潾贬为江陵县令。

很显然，此时的李纯已经听不进任何有理智的声音了。而所有阿谀谄媚之辞，他则是来者不拒，多多益善。元和十四年底，以皇甫镈为首的一帮摇尾派商议着要给天子加尊号，准备在原有尊号"元和圣文神武法天应道皇帝"的基础上，再加上"孝德"二字。

这显然是很无聊的文字游戏，不过几千年来的中国官场就喜欢搞这套。因为这种事最讨巧。既不用花钱也不用花力气，轻轻松松就能讨领导欢心，大伙何乐而不为呢？

当然，李唐朝廷也不全是摇尾派。

比如宰相崔群就提出了不同意见。他说："有'圣'字，孝德就包含在里面了，没必要再加。"

皇甫镈一听，马上一状告到天子那里，说："崔群居然对陛下吝啬'孝德'二字，无人臣理！"

宪宗大怒，当即罢免了崔群的宰相之职，将他贬为湖南观察使。

种种迹象表明，自元和十三年平定淮西之后，那个励精图治、虚怀纳谏的李纯就已经死了。眼下的宪宗李纯，只是一个脸色青黑、目光散乱、行为乖张、性情暴戾的中年男，一个躺在功劳簿上专心致志地追求财货、贪慕虚荣、幻想长生的昏庸帝王。

曾经的艰难和忧患造就了他的奋发有为，可终于到来的巨大成功却把他彻底埋葬。而一度令世人瞩目的"元和中兴"，最终也只能变成一朵昙花——一朵刹那盛开又转瞬凋零的昙花。

其实，早在元和十四年夏天，也就是裴度被贬谪出朝的时候，已经有一个正直而清醒的朝臣，不无悲凉地向宪宗进了一番忠言。

进言者叫李翱，是个史官。他给宪宗上了一道奏疏，其中一句话是——"臣恐大功之后，逸欲易生！"（《资治通鉴》卷二四一）

当然，忠言都是逆耳的。李翱的奏疏旋即被宪宗抛诸脑后。

而后来的历史果然被李翱不幸言中。

宪宗之死

元和十五年（公元820年）正月，尽管时令已是初春，但料峭春寒依旧笼罩着长安城，令坊间闾巷的士民瑟缩不止，身心备感压抑。而对于大明宫中的宦官和宫人来说，这个萧瑟森冷的春天更是比往年的任何一场春寒都让他们感到痛苦难挨。因为此刻，侵袭他们的不仅是外在的寒气，还有另一种更为可怕的寒意。

这种寒意无处不在，如影随形。就像死神冰冷的呼吸，时刻在你的耳边和脸上吹拂，令你无从抵挡，无所逃遁。

是的，这是死亡的寒意。它来自大明宫的心脏、帝国最至高无上的地方——中和殿。

那是天子李纯住的地方。

从去年暮冬开始，在所有宦官和宫人眼中，这座雍容富丽的天子寝殿就成了一座阴森可怖的地狱——每天都有人活生生地走进去，然后变成僵硬的尸体被抬出来。

所有被杀的人都是无辜的，而那个残忍的凶手就是他们的天子——李纯。

李纯天天服食丹药，丹中所含的铅汞之毒日复一日地流进他的血管，渗透他的骨髓，最终在他体内燃起了一团暴戾而疯狂的火焰。服侍他的宦官和宫女稍有不慎，就会被这团烈焰无情地吞噬。世人都说伴君如伴虎，可此时的李纯显然已不是虎，而是一个疯狂的屠夫、一个嗜血的恶魔。

为此，中和殿的宦官和宫人们惶惶不可终日。

他们看见死亡的利剑就悬在自己头顶，却不知它什么时候会落下。

内侍宦官陈弘志跟其他人一样，日夜活在恐惧和绝望之中。每次轮到他值班的时候，一迈进中和殿的大门，陈弘志就会全身战栗，手脚冰凉。而每次值班结束，多活一天的庆幸刚刚从心里升起，下一轮恐惧便已重新把他攫住。

有人说，对死亡的恐怖比死亡本身恐怖得多。

陈弘志现在就是这种感觉。

这种比死还惨的日子，到底哪一天才是个头呢？除了无可奈何地成为下一个冤死鬼，自己难道就没有别的办法了吗？

绝不能就这么眼睁睁地等死。陈弘志想，肯定要想个摆脱绝境的办法。

可是，办法在哪呢？

作为天子李纯最宠幸的当权宦官，左神策中尉吐突承璀这些日子也活得很不安。

他担心的倒不是像那些内侍宦官一样无端被砍掉脑袋，而是担心天子一旦驾崩，自己的权力和富贵便会随之烟消云散。

吐突承璀之所以能在宪宗一朝备享荣宠，得益于他在宪宗的身边最久——早在李纯还在东宫当太子的时候，吐突承璀就是他最贴心的奴才。因此，李纯即位后，吐突承璀就成了最得势的宦官。即使是后来因战败和受贿而两次遭贬，他还是能屡仆屡起，圣眷不衰，自始至终都牢牢执掌着禁军大权。

从这个意义上说，吐突承璀能否在宪宗死后继续在朝廷混，而且混得好，就完全取决于他跟当今太子的关系。

可要命的问题就在这里。

吐突承璀跟当今太子李恒的关系不是不好，而是相当不好。

事情要从八年前的立储之争说起。

其实早在元和四年，宪宗就已把长子李宁册立为太子了。可没人料到，李宁福分太浅，才当了两年太子便一命归西了。继任储君的人选有两个，一个是次子澧王李宽（后改名李恽），还有一个就是三子遂王李宥（后改名李恒）。

按惯例，澧王李宽排行靠前，理应是储君的不二人选，可他虽是"长"，却非"嫡"（其母只是普通宫女），而排行靠后的遂王李宥才是真正的嫡子（其母郭贵妃是宪宗元配），所以，大臣们都认为应该册立遂王李宥。

就在这个时候，吐突承璀上场了，力劝宪宗立澧王李宽。

吐突承璀之所以力挺澧王，原因很简单：澧王是庶出，在这场储位之争中处于绝对弱势，大臣们都站在遂王一边，吐突承璀在这个关键时刻挺澧王，一旦他真的入主东宫，必定对吐突承璀感恩戴德。吐突承璀立下了定策之功，日后也就有享不完的荣华富贵。

然而，吐突承璀的如意算盘落空了。宪宗虽然宠幸他，可在立储的大事上，还是要采纳大臣们的意见，所以当即否决了吐突承璀的提议，决定册立遂王。

也许是为了让争议的双方面子上好看一点，并使得最后的结果看上去更有说服力，宪宗在立遂王之前，特意让时任中书舍人的崔群为澧王代拟一份让表，表示他自己主动让贤。没想到崔群却不以为然地说："把属于自己的东西让给别人才叫让，遂王是嫡子，太子之位本来就是他的，澧王凭什么让？"

宪宗一听，顿时哑口无言，只好作罢。

元和七年七月，遂王李宥被正式册立为太子，同时改名为李恒。

吐突承璀跟李恒的梁子就这么结下了。他极其失落，同时也对未来产生了深深的忧惧。

现在，宪宗的健康状况日益恶化，显然已经时日无多。吐突承璀很清楚，如果坐视太子李恒继位为帝，日后肯定没他的好果子吃。所以，吐突承璀决定孤注一掷，赶在宪宗驾崩之前，废掉太子李恒，改立澧王李恽。

吐突承璀紧锣密鼓地展开了废立行动，频频召集手下将领和其他要害部门的宦官，日夜密谋。

可是，世上没有不透风的墙。吐突承璀一动，太子李恒立刻就得到了消息。

李恒大为惶恐，赶紧派人去跟他的舅父、司农卿郭钊问计。没想到郭钊却给他回话说："殿下只要孝顺恭谨，以待天命，其他事无须忧虑。"

郭钊这话当然没错，可问题在于这是一句废话。在权宦吐突承璀蠢蠢欲动、图谋废立的当口，在东宫岌岌可危的情况下，郭钊叫李恒"孝顺恭谨，以待天命"，基本上就是叫他坐着等死。

李恒急得如同热锅上的蚂蚁，却苦无对策。

就在这个千钧一发的时刻，有一帮人站出来力挺他了。

他们是另一拨宦官，为首的是梁守谦和王守澄。

梁守谦时任右神策中尉，手里掌握了另一半禁军。虽然唐朝尚左，梁守谦的级别和地位低于吐突承璀，但在这样一个即将变天的非常时刻，级别和地位都已不再重要，重要的只有武力。从这个意义上说，梁守谦足以和吐突承璀打个平手。至于最后的胜负结果如何，就要看谁的出手更狠，动作更快了。

王守澄时任内常侍，跟陈弘志一样，是在宪宗身边侍奉的几个主要宦官之一。平日里，像王守澄、陈弘志这样的内侍宦官，肯定是不敢跟吐突承璀叫板的，可在目前这种特殊时刻，王守澄和陈弘志的优势显然要比吐突承璀大得多。因为天子病重，已经多日没有上朝，此时宫闱中的情况外臣几乎一无所知。不要说吐突承璀，就连宰相恐怕也很难获悉大内的消息。就此而言，像王守澄和陈弘志这种近水楼台先得月的角色，很容易就能掌控宫中的局势。某种程度上说，他们甚至可以左右整个帝国政局的发展方向。

而梁守谦、王守澄等人之所以在这个紧要关头站出来力挺太子，理由其实也跟吐突承璀一样——无非是想抢一个定策之功，以便保住现有的爵禄富贵，并且在新天子的朝廷里得享更多的权力和荣宠。

至此，博弈双方都已选好各自的阵营，押上各自的筹码。最终究竟鹿死谁手，就取决于天子李纯在最后一刻的态度了。

此刻，在吐突承璀看来，自己的胜算要比对手大得多，因为自己是天子最宠幸的人，当然最有可能影响天子的决定。虽然李恒已经做了八年的太子，可只要促使天子李纯下一道诏书，李恒就得乖乖地滚出东宫，把储君的宝座让给澧王。

一道诏书的事，难吗？

不难。

吐突承璀信心满满地想。

然而，吐突承璀过于低估内侍宦官的能量了。

正常情况下，要影响天子的决策，他当然比王守澄、陈弘志之流更有发言权，可有时候，后者能做的事情绝对是吐突承璀鞭长莫及，甚至是连想都不敢想的。

什么事情？

弑君。

是的，就这么简单。李纯如果是一个活人，要影响他确实很难，可要是把他变成一个死人，王守澄、陈弘志等人就可以代替他做出各种决定。换言之，只要李纯一死，内侍宦官们就能以大行皇帝的名义发布遗诏，从而神不知鬼不觉地攫取生杀予夺的天子大权。

这一点，是吐突承璀万万没想到的。

元和十五年正月二十七。深夜。大明宫中和殿。

三两盏金黄的蟠龙烛台在黑暗中擎起几簇微弱昏黄的光亮。飘忽的风从半掩的雕花长窗迤逦而入，幽幽地拂动龙床周匝的透明帷幔。床上那个脸色蜡黄、面目浮肿的中年男子迷迷糊糊地翻了一个身，喉咙里发出几声低沉浊重的闷响。他的半张脸在摇曳不定的烛光下闪闪烁烁，另外半张隐没在浓墨般的黑暗中。

一条黑影无声无息地向龙床迫近。忽然，殿外掠过一声夜枭的哀鸣。黑影顿了一顿，打了一个寒噤。四周重新陷入一片死寂的时候，鬼魅般的黑影已倏忽飘至龙床之前。

那个中年男人犹自沉睡，对近在咫尺的杀机浑然不觉。他的眼皮在轻微而急促地跳动，似乎在梦中遭遇了令他骇异恐怖的事物。他或许很想逃离那个身不由己的梦境，回到这个由他主宰一切的现实中来；他或许还习惯性地在梦中发号施令，可梦中的一切已无法以他的意志为转移。最后，这个曾经睥睨天下、指点江山的男人终究没有醒来。

当那个鬼魅般的黑影毫不犹豫地出手，李纯就只能永远留在自己的梦中了。

其实，李纯没有醒来不见得是件坏事。至少，他不用面对被家奴手刃的耻辱；至少，他无须感受死不瞑目的悲愤；至少，他不必在生命的最后一刻才蓦然发现——现实有时候远比噩梦更为恐怖。

这一夜，大明宫的上空大风骤起，恍如声声呜咽的鬼哭。中和殿的数扇长窗被凶猛袭来的夜风訇然吹开，龙床周匝所有蟠龙烛台的火光在同一瞬间遽然熄灭。

殿中的黑影摇晃着身子，步履凌乱地冲出了阴森幽暗的大殿。

一弯娥眉月凄清地挂在大明宫阙的一角飞檐上。

月光惨白，照见了一张脸。

那是陈弘志同样惨白的脸。

"庚子，（宪宗）暴崩于中和殿。时人皆言内常侍陈弘志弑逆。其党类讳之……但云药发，外人莫能明也。"（《资治通鉴》卷二四一）这就是唐宪宗李纯的最后结局，也是他遗留在史册上的最后一点印迹。

一代中兴之主，竟然以如此方式告别人世，告别他的帝国和臣民，着实令人错愕，更令人不胜唏嘘。

在有唐一朝将近三百年的历史上，宪宗李纯是第一个被宦官弑杀的皇帝。

在他身后，这一幕还将不断重演。

宪宗之死，历史上被称为"元和宫变"。后人普遍认为谋杀李纯的凶手就是内常侍陈弘志，而幕后主使就是梁守谦和王守澄等人。甚至有人怀疑，太子李恒和他的生母郭贵妃也间接参与了这场弑君的阴谋。

当然，谁也没有确凿证据把这对母子推上历史的被告席，人们只能从李恒事后的一系列行为和表现，猜测他很可能事先知道了宦官们的密谋。即便他没有参与其事，至少他采取了袖手旁观的姿态，对这帮宦官的弑逆罪行予以了默认，并在事后予以了充满讽刺意味的褒赏和嘉奖。

仅此一点，太子李恒就难辞其咎。

不过，历史都是由胜利者书写的。换言之，这个世界历来只看重结果，过程通常不必过问，只要目的达到，手段也往往可以忽略不计。

所以，只要除掉天子李纯，太子李恒和他的拥趸们，就可以堂而皇之地做他们想做的一切了。

宪宗被弑的当天夜里，以王守澄为首的内侍宦官就发布了天子驾崩的消息，还附带说明了天子的死因——药物中毒。

发布消息的同时，早已准备就绪的梁守谦带领全副武装的神策右军士兵冲进了吐突承璀的府邸，不由分说，将其砍杀，紧接着又冲进澧王府，杀死了李恽。

吐突承璀可能至死也没弄明白，自己到底输在什么地方，又为何会死得这么难看。

除掉所有对手后，李恒立刻以帝国储君的身份，大举犒赏拥立有功的梁守谦和王守澄等人，并赐予神策左、右军官兵每人五十缗钱。

元和十五年闰正月初三，亦即宪宗暴崩的短短几天后，二十六岁的太子李恒就在宦官的簇拥下登上了皇帝宝座，是为唐穆宗。

李恒登基次日，就把宰相皇甫镈逐出了京师，贬为崖州（今海南琼山市）司户；数日后，又命人将柳泌乱棍打死，将其他所有方士也全部流放岭南。

宪宗李纯和他的元和时代就这么成为历史了。

朝野上下当然都会为他的英年早逝而惋惜，可人们最多也就是把宪宗之死归咎于迷信方士和误食丹药而已，没有人会想到皇帝的真正死因。所以，对于新君李恒贬逐奸相、流放方士的举措，长安士民无不拍手称快。人们完全有理由认为——这是新天子英明睿智的表现。

既然朝廷公开发布的宪宗死因是药物中毒，那么罪魁祸首皇甫镈等人当然要受到应有的惩罚。

这是给宪宗的在天之灵一个交代，也是给天下人一个交代，有谁会怀疑李恒的动机呢？

其实，李恒的动机还真是值得怀疑。

诚然，恶名远播的皇甫镈和他推荐的那些招摇撞骗之徒早就该被清理了，如今的下场是他们应得的。可如果我们就此把新君李恒视为一个英明之主，那显然是把事情看得太过粗浅了。客观上，李恒固然是办了一件大快人心的好事，但主观上，他难道不是想让皇甫镈和那些方士为宪宗之死背黑锅吗？

说白了，只有把皇甫镈等人推到被告席上进行宣判，李恒才能躲在历史的幕后，不动声色地把弑父弑君的鲜血悄悄抹掉。

也许，这才是李恒的真实动机。

第四章

青春皇帝，玩乐天子

蠢蠢欲动的河北

我们说穆宗李恒绝非英明之主，这并不是在冤枉他。因为他上台后的种种表现实在令人不敢恭维，也让一度看好他的臣民们大跌眼镜。

元和十五年二月初，李恒刚刚脱掉为宪宗服丧的孝服，就急不可耐地投入到了倡优、杂戏、宴游、打猎等一系列娱乐活动当中。谏官们屡屡上疏劝他节制，可新天子却充耳不闻。

纵情于声色犬马的同时，李恒更是花钱如流水。只要他乐意，随时随地都会赏赐给那些倡优戏子一大堆金帛。谏议大夫郑覃、崔郾等人实在看不下去，就一起入阁劝谏，说："金银绸缎都是百姓的血汗，除非为国家立功，否则不应滥赏。宫库目前虽有存余，但请陛下爱惜，万一将来战事又起，方能不再向百姓征收重税。"

李恒盯着他们看了好一会儿，忽然吃惊地问宰相："这几个人是谁啊？"

宰相连忙回答："是谏官。"

这"君不识臣"的一幕，发生在李恒即位已经九个多月的时候。天子大部分时间都在关注娱乐事业，所以来不及认识自己的臣子。

为了表示对谏官们直言进谏的感谢，李恒随后便派人去慰问他们，说："朕会照你们的话去做。"宰相们听到都很高兴，觉得当今天子在这一点上和宪宗早年还是很相似的，那就是虚心纳谏，从善如流。

这是社稷之福、人臣之幸啊！所以他们纷纷向皇帝道贺。

可他们很快就发现自己错了。

因为天子李恒对待谏言的态度是——虚心接受，坚决不改。

从李恒即位一直到他驾崩，从未停止过娱乐活动，而滥赏的毛病也一点没改。

元和十五年十月，成德节度使王承宗病卒，诸将秘不发丧，拥立其弟王承元为留后，接管军政大权。

在宪宗手里老实了一阵子的河北诸藩又开始蠢蠢欲动了。

可年轻的穆宗皇帝既没有宪宗当年的雄心壮志，也没有半点忧患意识，更不具备宪宗的强硬手段，所以，此时的穆宗朝廷只能在有限的范围内对潜在的危险进行防范。

十月十六日，穆宗李恒在宰相们的策划下同时颁布了多道任命状，对各大藩镇实施了大面积的人事调动。调魏博田弘正为成德节度使，任成德王承元为义成节度使，调义成刘悟为昭义节度使，调武宁李愬为魏博节度使，任左金吾将军田布（田弘正之子）为河阳节度使。

穆宗朝廷之所以做出这项决策，其意图非常明显，就是斩断镇将与镇兵之间的利益联结和感情纽带，从而削弱各节度使对原辖区的绝对控制权，消除拥兵自重、违抗朝命、一切自专等各种隐患。

这一举措属于常规的政治手段。应该说，穆宗朝廷制定这个应对的策略是动过脑筋，也是无可厚非的。因为在一般情况下，这种手段的确是加强中央集权、防止地方坐大的有效方法。

可问题在于，自从安史之乱以来，帝国的藩镇事务就早已不是一般性的问题了，否则当年的代宗和德宗也不至于被这个问题搞得心力交瘁。所以，试图通过常规的政治手段解决非常规的政治问题，其结果很可能是旧的问题没有解决，新的矛盾又被激发，其代价很可能比保持现状、无所作为更加惨重。

然而，热衷于娱乐事业的穆宗李恒根本看不到这一点。

转眼又是一个新年。正月初四，穆宗宣布大赦天下，改元长庆。

从这个年号中，不难看出穆宗朝廷的乐观情绪。李恒和他的大臣们自认为元和时代足以为帝国打下一个长治久安的基础，可他们没有料到，那个桀骜不驯的河北是不可能轻易就范的——只要有一丝火星，燕赵大地就将会再度燃起熊熊战火。

事实上，从宪宗末年开始，"元和中兴"的阳光就已经逐渐消隐了。此刻，帝国的上空已然乌云四合。

事后来看，河北诸藩再度反叛的浪潮是由一个偶然事件促发的。

这一年春天，从幽州忽然传来一个出人意料的消息——卢龙节度使刘总要出家当和尚了。

事情来得太过突然，朝野上下都感到有些匪夷所思。

就那个弑父杀兄、篡位夺权的魔头，居然也想放下屠刀、立地成佛？这可能吗？

可此事千真万确，因为是刘总本人亲自上表的。

据说，刘总弑父杀兄之后，心中老是疑神疑鬼，不止一次出现可怕的幻觉，看见父兄血肉模糊的鬼魂找他索命。刘总寝食难安，就在府中供养了几百个和尚，日夜不停地做法事。而且每天从军府回来，刘总就挤在和尚堆里跟他们一块诵经念佛，这样才觉得安心。可一旦晚上一个人独处，他还是会心惊肉跳，不敢睡觉。久而久之，刘总就患上了严重的恐惧症和神经衰弱。最后刘总不得不横下一条心——要想保命，就得出家。

对这件事，穆宗朝廷抱着相当谨慎的态度。

穆宗君臣倒不是不想趁此机会把卢龙彻底收归中央，而是因为此事太过出人意料，不知道刘总葫芦里卖的什么药。所以，穆宗不敢马上同意刘总的请求，而是小心翼翼地下了一道诏书，任命刘总为天平（治所郓州，今山东东平县）节度使，以此试探刘总的反应。

不过，穆宗多虑了。因为刘总这回是王八吃秤砣——铁了心了。

他一再向穆宗上表，言辞真诚，态度恳切，表示非当和尚不可，而且自愿舍宅为寺。穆宗这才把一颗悬着的心放了下来，下诏赐刘总法名大觉，赐寺名报恩，并赐紫色僧衣一套。不过与此同时，穆宗还是命人把天平镇的旌节斧钺跟僧衣一块送了过去，意思是任他选择，假如反悔的话随时可以去天平镇走马上任。

朝廷的使者和诏书还没到，去意甚坚的刘总就已经把自己剃了光头。幽州的将士们强行挽留，不让他走。刘总一怒之下又杀了十几个人，随后把节度使的印信符节留给了新任的留后，连夜逃出幽州。直到次日天明，将士们才发现刘总已不知去向。

几天后，有人奏报在定州境内发现了一具和尚的尸体。

经确认，那就是刘总。

没人知道刘总是怎么死的，但有一点可以确定——刘总已将卢龙的后事悉数安排妥当，并没有把一个烂摊子扔给朝廷。

临死前，刘总给朝廷上了一道奏疏，提出了将卢龙一劈为三的方案，并推荐了三个出镇的人选。张弘靖，时任宣武节度使，曾任宪宗朝宰相，出镇河东时政风宽和，颇得民心；薛平，时任平卢节度使，对朝廷忠心耿耿，且熟悉河朔民情；卢士玫，时任代理京兆尹，此人虽是刘总妻子的族戚，但一直在朝中任职，也算是朝廷信得过的人。

除此之外，刘总还把麾下那些立有战功、骁勇难制的部将全都送到了长安，表面上向他们承诺，说朝廷会赐给他们禄位，事实上是把他们置于朝廷的掌控之中。

刘总临死前所做的这些安排，完全符合李唐中央的利益，应该说是给朝廷提供了一个可遇而不可求的机会。只要穆宗和他的谋臣们把握这个机会，那么李唐中央对河北藩镇的约束力和影响力必将大大增强，甚至完全有可能在"元和中兴"的基础上扩大战果，为彻底根除藩镇之乱铺平道路。

然而，对于以穆宗李恒为首的这一届李唐朝廷来说，这一切注定只能是空想。

因为，李恒对帝国的政治事务一点兴趣都没有，更别提什么远大的抱负和志向。

他更关心的是女人、倡优和美酒。

而时任宰相的崔植和杜元颖也好不到哪去。身为宰辅，他们既缺乏深谋远虑的韬略，也没有居安思危的见识，跟当年的裴度、武元衡等人相去不啻霄壤。

在对待卢龙的事情上，他们一连犯了两个致命的错误——

首先，他们并没有完整实施刘总提出的那个苦心孤诣的计划，而只是把卢龙划成两道，其中两个州交给卢士玫，然后把剩下的卢龙大部全都交给了张弘靖，原因据说是出于对前任宰相的尊重。可他们却没有意识到一个严重问题，张弘靖当年出镇河东时，虽然颇有政绩，但河东是李唐的龙兴之地，军民历来拥护朝廷，与动不动就拥兵割据的河北完全不可同日而语；而且，张弘靖对卢龙各方面的情况都缺乏了解，如果没有薛平这种熟悉河朔士风民情的人去协同治理，光靠他一个人，绝对镇不住幽州的那些骄兵悍将。

其次，崔植和杜元颖完全不把幽州来的那批将士放在眼里，压根就没有兑现当初刘总向这些人作出的承诺。这些远道而来的将士不但没得到任何赏赐和任命，而且每次到中书省去求官，都会遭到宰相们的拒绝和冷落。更有甚者，当张弘靖到卢龙就任之后，朝廷以为形势稳定了，居然对他们下了逐客令，命他们各回本军，听候差遣。

于是，这帮被朝廷视为弃儿的将士只好带着满腔愤怒回到了幽州。

穆宗和他的宰相们没有料到，他们这么做无异于放虎归山。

很快，他们就将为自己的愚蠢付出代价。

永不臣服的心

燕赵大地，自古民风剽悍。

早在东汉年间，人们就以"幽州突骑，冀州弓弩"来形容河北的兵力之精与战力之强。远的暂且不说，就以唐朝为例，大唐开国之初，窦建德就曾雄踞河北，建立夏朝，与长安分庭抗礼。后来，窦建德虽然在虎牢关下被天纵神武的李世民一战击溃，但"折戟沉沙铁未销"，其旧部刘黑闼旋即狂飙突起，横扫河北，一度恢复夏朝全境，用永不枯竭的豪情与热血，谱写了一曲愈挫愈奋、屡仆屡起的慷慨悲歌。

尽管历史的如椽巨笔很快就为血雨腥风的乱世画上句号，尽管盛唐治世的到来没有任何人可以阻挡，可桀骜不驯的河北从不曾真正低下倔强的头颅。当长安的九重宫阙久已不闻《秦王破阵乐》的铿锵之声，转而充斥缠绵悱恻的《霓裳羽衣曲》时，李唐的天潢贵胄和王公大臣们显然没有料到，河北枭雄窦建德、刘黑闼不死的精魂，已然穿越一百三十年的岁月烟尘，悄然附着在了安禄山、史思明身上，并迅速孕育出觊觎天下的勃勃野心。

刹那间，剽悍无匹的幽燕铁骑便以雷霆万钧、排山倒海之势滚滚南下，一举撕碎了玄宗君臣的太平迷梦，重重摇撼了大唐帝国的万里江山……

长安在恐惧中战栗。

因为，他再次看见了河北永不臣服的心。

当安史之乱的烽烟终于散尽，李隆基的子孙们睁开迷离的双眼，却再也看不见那个"九天阊阖开宫殿，万国衣冠拜冕旒"的大唐，也看不见那个"稻米流脂粟米白，公私仓廪俱丰实"的大唐，更不可能再享受那种

"云鬓花颜金步摇，芙蓉帐暖度春宵"的绮靡生活。呈现在他们眼前的，唯有一片"积尸草木腥，流血川原丹"的破碎山河。

而这一切灾难的源头，就是河北。

所以，年富力强的德宗李适一即位，就迫不及待地向河北宣战了。然而，德宗的志大才疏旋即招致了一系列更为严重的灾难——"泾师之变""四王之乱"接连爆发，河北的朱滔、田悦、王武俊、李纳同时称王，朱泚、李希烈之流相继称帝；帝京长安沦陷，德宗流亡奉天，战火燃遍四方，帝国几欲倾覆。

河北，再一次用刀剑向天下人展示了他的野性和能量。

长安的光芒更趋黯淡了。

是励精图治的宪宗君臣挽救了危机深重的帝国。在与河北、淮西等强藩的较量中，宪宗朝廷不屈不挠，屡败屡战，终于遏住了藩镇跋扈的气焰，重塑了李唐中央的权威。

河北暂时低下了他的身姿。

然而，一把带血的刀收回鞘中，就表示它不会再拔出来了吗？

不。

因为刀的本性就是嗜血。

因为河北，拥有一颗永远躁动不安的灵魂。

当宪宗李纯猝然离世，元和时代成为历史，所谓的"元和中兴"也就不可避免地暴露出了它脆弱的一面。耽于逸乐的穆宗李恒以为可以在乃父栽种的大树下乘凉，可他错了。暂时的和平，往往是为下一场战争进行铺垫。大明宫内日夜不息的弦乐笙歌，终究掩不住河北磨刀霍霍的金戈之声。

新的灾难降临了。

河北民风有一种与生俱来的狼性。

这种狼性可以被暂时压抑，却不可被彻底驯服。

可惜，新任卢龙节度使张弘靖不懂得这一点。他以为卢龙既然已经臣服于朝廷，就该无条件接受朝廷的管束，并且无条件地听命于他。

这种想法，导致张弘靖犯了一连串致命的错误。

据说，张弘靖是带着一脸傲慢的表情，坐着八抬大轿，带着长长的仪仗队进入幽州城的。这个前任宰相之所以如此摆谱，显然是打心眼里瞧不起河北的这些骄兵悍将和粗人莽夫。而且，他并不介意把心里的这种鄙夷和不屑表现出来。

坐镇幽州后，张弘靖为了显示官威，很少直接跟幽州将吏们打交道，总是十天半月才到节度使衙门露一次脸。处理公务的时候，张弘靖也是寡言少语，始终板着一张自命不凡的面孔。总而言之，在卢龙将士看来，这姓张的从踏进幽州的那一刻起，从头到脚就写着俩字：摆谱。

过去的幽州节度使，大多是军人出身，总能跟手下将士打成一片，即便做不到同甘共苦，至少也能跟士卒们称兄道弟。跟他们一比，张弘靖显然是个另类。

卢龙将士每次看见张弘靖那张臭脸，心里的无名火就直往上蹿。

除了张弘靖，还有他带过来的一个心腹将领也让大伙恨得牙痒。

这个人名叫韦雍。不知是出于张弘靖的授意，还是他自作主张，总之，这家伙经常无故克扣将士们的粮饷，而且执法异常严苛。碰到他心情不好，就对士卒们又打又骂，好不容易心情好了，也要拿他们开涮。

有一次，韦雍到校场上溜达，正碰上将士们军训。他站在旁边看了看，忽然冒出一句："如今天下太平，你们能拉两石重的弓，还不如认识一个'丁'字！"

将士们面面相觑，好多人额头上已是青筋暴起。

韦雍就这么肆无忌惮地表现着自己的优越感和幽默感。可他并不知道，这是在往一头狼的伤口上撒盐。

也许，从韦雍嘲笑大兵们目不识丁的这一刻起，他和张弘靖的下场就已经注定了。

长庆元年（公元821年）七月初，卢龙将士压抑已久的怨气，终因一件貌似偶然的小事而全面爆发。

事情还是跟韦雍有关。

七月十日这一天，韦雍带着卫队正大摇大摆地逛街，对面一个骑马的军官躲避不及，不小心冲撞了他的卫队前导。韦雍二话不说，立刻命人把军官拖下马来，准备当街杖打。此人宁死不屈，还对韦雍破口大骂。韦雍大怒，旋即奏报张弘靖，将这名军官扔进了监狱。

当天晚上，兵变就爆发了。

乱兵们呼啸着冲进张弘靖的府第，砍杀了韦雍和张弘靖手下的多名军官，然后将张弘靖囚禁，并疯狂哄抢张宅的财物和女人。

暴乱持续了整整一夜。

次日早上，发泄完愤怒的乱兵们才意识到事情闹大了，而且一时不知道该如何收场，便去找张弘靖谈判。没想到张弘靖还是端着一副臭架子，始终闭口不言。

乱兵们你看看我，我看看你，索性横下一条心——反了！

既然事情已经做下，那就没有收手的道理，干脆把它做大。

当天，卢龙将士便拥立兵马使朱克融为留后，正式揭起了反旗。

这个朱克融，就是建中年间"四王之乱"的魁首朱滔的孙子。

就像一头蛰伏的狼被重新唤醒，此刻的河北已然再度昂起头颅，正对着长安引颈长嚎。

穆宗和他的大臣们听见了吗？

可笑的是，就在卢龙兵变爆发的时候，朝廷的文武百官还在向热衷于娱乐事业的穆宗李恒进献尊号，称"文武孝德皇帝"。

年轻的天子当然是笑纳了，即日宣布大赦天下。

两天后，卢龙兵变的消息传到长安，穆宗和他的大臣们愕然良久，慌忙下诏罢免了张弘靖的节度使之职，把他贬为吉州（今江西吉安市）刺史，同时将昭义节度使刘悟调任卢龙节度使。

可是，刘悟不干。

眼下的卢龙是一座火山，刘悟才不会笨到把自己的屁股放在火山口上烤。他上表说："还是暂且先把节度使之职授予朱克融吧，然后慢慢再想办法。"穆宗无奈，只好收回成命，默认了此刻的现实。

数日之后，朝廷去年实施的那个诸藩大调动，也结出了意料之中的恶果。

七月二十八日夜，成德兵马使王庭凑发动兵变，杀死了从魏博调来的节度使田弘正，同时残忍地杀害了田弘正的幕僚、将吏和一家老小共三百多人，随即自任留后，并上表要求朝廷授予节度使的旌节斧钺。

消息传来，满朝震骇。

张弘靖倒了，朝廷还不会如此恐慌，可这个田弘正是李唐中央安抚河北的一面旗帜，怎么说倒就倒了呢？

其实说起来，田弘正已经够谨慎了，可还是没能逃脱灭顶之灾。

当初，从魏博前往成德赴任时，他就把帐下的两千名亲兵一同带了过去。可这两千人的编制并不在成德，要想养活他们，只能由朝廷另行划拨粮饷。田弘正向朝廷请求，不料却遭到度支的拒绝。度支的理由是，成德自有成德的军队，魏博的士兵就应该回到魏博，假如同意你田弘正的请求，破了这个例，那以后其他藩镇也这么干，朝廷如何应付？

应该说，度支的说法是有道理的。然而，就像当初宰相们把非一般性的藩镇问题当成一般问题来处理一样，此刻的这位度支大臣同样犯了这个毛病——他给出的仍然是一个常规理由，可他并没有顾及到田弘正此刻所面对的是一种非常局面。

田弘正四次上表，度支四次拒绝。

在如此缺乏远见的朝廷面前，田弘正只好认命，随后就把两千名亲兵悉数遣回了魏博。

于是，悲剧就无可避免地发生了。

听到田弘正被杀的消息，时任魏博节度使的李愬悲愤难当，立刻穿起丧服，命令军队出征。可就在大军即将开拔的时候，李愬突然病倒了，而且一病不起。

穆宗万般无奈，只好让田弘正之子田布（时任泾原节度使）继任魏博节度使，希望他为父报仇，举兵讨伐王庭凑。

河北的两个重镇相继发生兵变，主动要求出征的名将李愬又在这节骨眼上病倒了，这一切真让年轻的天子既意外又沮丧，沮丧得连看戏和打猎都没了心情。

正当李恒郁闷之际，一大堆坏消息又接踵而至。

八月十日，王庭凑派人刺杀了冀州刺史王进岌，随后出兵占领了冀州；十三日，瀛洲（今河北河间市）发生兵变，乱兵逮捕了观察使卢士玫，将其绑送幽州，致使刚刚划出来的瀛、莫二州重新被卢龙吞并；同日，王庭凑又出兵攻打富庶的深州；九月十九日，朱克融又纵兵在易州（今河北易县）一带烧杀掳掠……

河北危机全面爆发，李恒终于坐不住了。

藩镇们这么瞎闹，不但搅乱了他平静而快乐的生活，而且让他这个"文武孝德皇帝"显得很没面子。

穆宗随即发布诏书，命魏博、横海、昭义、河东、义武一同出兵，在成德境内集结待命，如果王庭凑执迷不悟，立刻进兵讨伐。同时，穆宗还起用了当初被宪宗贬出朝廷的前宰相裴度，任命他为卢龙、成德两镇招抚使。

十月十四日，裴度亲自率兵从承天军旧关（今山西平定县东北娘子关）出发，讨伐王庭凑和朱克融。

然而，战事刚刚拉开，才打了两个月，国库就开始捉襟见肘了。

一贯出手阔绰的李恒终于尝到了自己亲手种下的苦果。

李恒急忙召集宰相问计。宰相们说："王庭凑杀田弘正，而朱克融却留了张弘靖一命，罪有轻重，请赦免朱克融，集中全力讨伐王庭凑。"穆宗赶紧下诏，任命朱克融为卢龙节度使。

这是自"元和中兴"以来，李唐朝廷首度对藩镇作出的妥协。此举意味着宪宗君臣通过十五年奋斗取得的政治成果，就在一夜之间灰飞烟灭。

穆宗李恒即位刚刚一年，一切便都被打回了原形。

这是李恒的悲哀，更是一个帝国的悲哀。

而此时的李恒并不知道，更多的悲哀还在后面。因为既然有了第一次妥协，就很容易有第二次、第三次……

长庆二年（公元822年）正月，率领魏博军队攻打成德的田布陷入了一筹莫展的境地。

据当时担任中书舍人的白居易呈给穆宗的一道奏疏中说，田布率部离开魏博后，"数月以来，都不进讨"，始终未建尺寸之功。而光他这支部队，每月从朝廷支取的军费就高达二十八万缗。白居易认为，倘若魏博军继续迁延观望，朝廷财政必定不堪重负。

当然，白居易也知道，田布之所以徒劳无功，责任不在他，而在魏博的那些骄兵悍将。

众所周知，卢龙、成德、魏博这三个造反专业户历来是一条绳上的蚂蚱，尽管他们内部也存在种种矛盾，可一旦跟朝廷产生冲突，他们立马就会抱成一团，枪口一致对外。因为他们很清楚什么叫一荣俱荣、一损俱损，所以绝不可能为了维护朝廷纲纪而放弃共同利益，更不可能在朝廷的驱使下自相残杀。

带着这样一群心怀异志的部众出征，田布的痛苦和无奈可想而知。

有道是祸不单行。除了部众消极抗命、拒不出战之外，老天爷也不让田布的日子好过。

这年冬春之交，田布的驻地一连多日天降大雪，运送粮食和补给的道路被阻断，后方什么东西都运不过来。本来就牢骚满腹的魏博部众这下子更是怨声载道。田布没办法，只好紧急征调魏博辖下六个州的租赋来充当军费。

原本以为这么做可以堵住这些骄兵悍将的嘴，没想到却惹来了更多的指责和抱怨。

魏博将领们纷纷数落田布，说："按照惯例，奉命出征的军队一旦离开本镇，一切军需都要由朝廷供给。如今田大人却搜刮魏博六州的民脂民膏来养活军队，岂不是让老百姓心寒？田大人，您自己想要克己奉公、讨好朝廷，我们管不着，可六州的百姓何罪，要当这个冤大头？"

面对部众的冷嘲热讽，田布只能忍气吞声，权当没听见。

田布相信，自己不会永远都走背运的，事情迟早会向好的一面转化。可是，田布的乐观精神并没有给他带来好运。

因为此刻，有一个人正躲在魏博部众的背后，摇唇鼓舌，煽风点火，一心想把事情闹大，以便将田布整垮，然后取而代之。

这个人，就是被田布视为心腹的先锋兵马使——史宪诚。

史宪诚是奚族人，原本只是田弘正麾下一员不入流的牙将，因田布对他非常赏识，屡屡在父亲面前替他美言，田弘正便把史宪诚提拔为大将。不久，田弘正在成德兵变中被害，田布继任魏博节度使，更是对史宪诚"寄以腹心"，不但任他为先锋兵马使，而且"军中精锐，悉以委之"（《资治通鉴》卷二四二）。

按理说，史宪诚受到田布如此不遗余力的栽培和重用，应该对他感恩戴德、誓死效忠才对，可田布万万没想到，这个世界上有两种人，一种人懂得知恩图报，还有一种人只会恩将仇报。

史宪诚显然属于后者。

就在田布身陷困境、焦头烂额的时候，史宪诚非但没有为他分忧，反而"阴蓄异志"，在背后处心积虑地搞小动作，利用将士们的不满扩大矛盾，制造事端。

都说天无绝人之路，可这一回，老天爷似乎一心要把田布逼上绝路了。由于田布日久无功，穆宗屡屡派遣宦官前来督战，并严令田布即刻救援深州。田布虽明知军心不可用，但更清楚诏命不可违，最后只好硬着头皮率部出发，结果还没碰上成德军，部众就不战自溃，哗然四散了。逃跑的部众大部分投到了史宪诚麾下。

万般无奈的田布仅带着中军八千人黯然返回魏州（今河北大名县东北）。

数日后，田布召集众将，打算整编部队再次出征，众将当着他的面断然拒绝，说："大帅如果能按河朔的老规矩办事（割据），我们就算死，也会尽力效忠；可要是去打成德，我们绝不奉命。"

就在这一刻，田布彻底绝望了。

他自觉讨伐无功，又镇不住这些骄兵悍将，再也无颜面对朝廷，遂留下一封遗书，在父亲田弘正的灵位前挥刀自尽了。

史宪诚听到消息，不禁喜上眉梢，对将士说："一切遵照河北的老规矩行事！"随即自立为魏博留后。

正月十六日，田布自杀、史宪诚自立的消息传到了长安。

十七日，穆宗朝廷还没来得及弄清魏博到底发生了什么，便匆忙下了一道诏书，任命史宪诚为魏博节度使。

仅仅一天，穆宗和他的宰相们便又向叛乱藩镇作出了妥协。

眼见朝廷如此迫不及待地妥协，史宪诚在大喜过望、受宠若惊之余，恐怕就只有鄙夷和窃笑了。

到了二月，深州被围已经半年多，朝廷的裴度、李光颜、乌重胤等部共计十余万大军从三面救援，皆因粮草不继而无法前进，士卒每天分配到的粮食只有陈米一勺（百分之一升）。眼看深州沦陷在即，而中央财政已无力支撑，穆宗朝廷只能再次妥协。

二月初二，穆宗下诏任命王庭凑为成德节度使，希望他能主动退兵，解除深州之围。

至此，卢龙、魏博、成德悉数脱离中央，重新回到了割据状态。从这一年起，直至唐朝覆亡，河朔三镇再也没有被收复过。

在中晚唐历史渐行渐弱、一波更比一波低的K线图上，如果说"元和中兴"是下降趋势中的一次超跌反弹，那么穆宗的长庆二年，基本上可以视为新一轮暴跌的起点。

而此刻的河北，也就有了放量大涨的动能和屡创新高的空间。

是的，当养尊处优的长安在历史的宿命中日渐萎靡和堕落，就再也没人可以阻止河北的野蛮成长了。

元稹的仕途：官场就是一张网

平心而论，此次镇压河北叛乱，穆宗朝廷已经算是很尽力了。比如从兵力上来说，前后共计出兵十七八万，主帅又是能谋善断、久负盛名的前宰相裴度，麾下将领李光颜、乌重胤也都是当世名将，阵容不可谓不强大，可结果为什么还是丧师费财、劳而无功呢？

如果拿这个问题质问穆宗君臣，他们肯定会强调两个客观原因，其一，朝廷囊中羞涩，国库日渐空虚，难以支持旷日持久的战争；其二，老天爷太不给力，接连不断的恶劣天气阻断了补给线，导致前线粮草不继，仗自然没法再打下去。

不能不说，上述客观因素确实存在。但是，如果仅仅把失败的原因归咎于客观，那么所谓的经验教训也就无从谈起，后人研究历史也就没有任何意义了。

从主观上来说，穆宗朝廷至少犯了三个严重错误。

第一，穆宗君臣目光短浅，对未来形势作出了完全错误的预判，从而为日后的失败埋下了伏笔。

当时，穆宗刚一即位，宰相萧俛、段文昌就向他提出，既然天下已经太平，就没必要保留太多军队，所以应该按每年百分之八的比例实施裁军。穆宗李恒是个玩乐天子，对政治军事一窍不通，更没有兴趣深究，一听此言，当即予以实施。于是，被裁汰下来的那些大兵找不到出路，就啸聚成群，落草为寇。后来，河北叛乱爆发，这些人便纷纷投奔朱克融和王庭凑，而朝廷军队则面临严重缺员的局面，不得不临时招募一些无业游民仓促上阵。结果，叛军麾下都是训练有素的百战之兵，而朝廷这边则是一帮从没打过仗的乌合之众，双方优劣立判。在此情况下，不管裴度怎么运筹帷幄，也无论李光颜和乌重胤如何神勇过人，都挽回不了注定的失败。

第二，朝廷为了控制军队，向前线派出了一群成事不足、败事有余的监军宦官，导致将帅的军事行动受到了极大的干扰和牵制。

唐朝历史上，利用宦官制约武将的先例是从乾元元年创下的。当时正值安史之乱后期，唐肃宗李亨为了毕其功于一役，集结了数十万重兵，准备一举歼灭盘踞在邺城的安庆绪。出于对武将的不信任，肃宗就发明了一个"观军容宣慰处置使"的头衔，授予了宦官鱼朝恩，让他担任实质上的统帅。后来发生的事情众所周知——邺城之战遭遇惨败，六十万大军顷刻之间星流云散。尽管有此前车之鉴，可后来的大唐天子还是旧习未改，仍旧对宦官情有独钟。比如宪宗一朝，就屡屡因为宠幸宦官而在战场上吃了大亏，后来由于裴度指出了症结所在，及时召回了监军宦官，才有了李愬的"雪夜袭蔡州"和淮西大捷，也才有了随之而来的"元和中兴"。然而，到了穆宗这一朝，一切又都恢复原样了。监军宦官依旧在战场上指手画脚，偶有小胜则飞书报捷，自以为功，打了败仗就乱扣黑锅，归罪诸将。更有甚者，有些宦官还把部分精锐士兵挑选出来，充当自己的卫队，而把剩下的老弱残兵推上战场。有这样的一帮瘟神在左右战局，朝廷的胜利又从何谈起呢？

第三，也是最致命的问题——穆宗朝廷不仅派遣宦官去制约将帅，而且本身更喜欢对千里之外的战场指手画脚。

据《资治通鉴》记载，当时"凡用兵，举动皆自禁中授以方略，朝令夕改"，致使前线将士"不知所从"。很多时候，朝廷会不顾前线的具体情况，"不度可否，唯督令速战"。魏博节度使田布之死，从某种程度上说就是朝廷造成的。

鉴于上述三个原因，穆宗朝廷输掉这场战争也可以算是自取其咎、罪有应得了。

如果要用一句话总结穆宗君臣在这几年中的政治表现，也许只能用下面这八个字——天子昏庸，宰相无能。

自从穆宗即位，先后登场的宰相有萧俛、段文昌、崔植、杜元颖、王播。对于这几个人，司马光在《资治通鉴》中有一句评语，叫"皆庸才，无远略……不知安危大体"。

这样的评价可谓一针见血。

到了长庆二年春，萧俛、段文昌已陆续离开相位，宰相班子还有崔植、杜元颖、王播三人。

崔植，元和十五年八月入相，以前的职务是御史中丞；杜元颖，长庆元年二月以户部侍郎衔入相，此前是翰林学士。这两人都没有什么突出才干，上位后也是庸庸碌碌，无可称道。而最后入相的王播，更不是什么好鸟。

此人本是西川节度使，靠巴结宦官得以回朝，故而颇受朝议抨击。前任宰相萧俛就是因为看不惯此人才愤然辞职的，但穆宗对王播却极为宠幸，一回朝就任其为刑部尚书兼盐铁转运使。

王播一贯善于钻营拍马，当然不会令穆宗失望。一当上盐铁转运使，王播马上大事聚敛，对民间的茶叶经营课以重税，"每百钱加税五十"，惹得言官们纷纷上疏，极力反对。可穆宗一看王播生财有道，对他愈加赏识，没过多久就让他入相了，并且仍然保留他的盐铁转运使之职。王播上位后，更是不遗余力地向穆宗献媚，"专以承迎为事，未尝言国家安危"。

显而易见，穆宗登基后任命的宰相，没有一个令朝野满意，更无一人能以天下为己任，比起宪宗朝的宰相，可谓相去不啻霄壤。

长庆二年二月，也就是河北战事刚刚以妥协告终的时候，穆宗又任命了一个宰相。

此人很有才，诗写得很牛，在唐代诗坛上拥有相当的知名度和影响力。他一生写下的诗歌数以千计，其中就有"曾经沧海难为水，除却巫山不是云""诚知此恨人人有，贫贱夫妻百事哀""白头宫女在，闲坐说玄宗"等脍炙人口的千古名句。

这个牛人就是元稹。

元稹，字微之，自幼丧父，家境贫寒，但天性聪颖，勤奋好学，故而"少有才名"，年纪轻轻便登第入仕。他和白居易是科举同榜，又是好友，两人差不多同时进入仕途，而且诗名并驾齐驱，冠绝当世。据说宪、穆年间，言诗者必称元、白。元稹的诗，"自衣冠士子，至闾阎下俚，悉传讽之，号为'元和体'。"（《旧唐书·元稹传》）

由于没有任何背景和靠山，能够入仕全凭个人奋斗，因而元稹从政之初，很有些意气风发，踌躇满志。他的第一个官职是右拾遗，属于谏官之列。

元稹认为，自己既然身为谏官，就应该忠言进谏，指陈朝政阙失，因此上任不久，就给当时刚即位的宪宗呈上了一道洋洋数千言的奏疏。

宪宗看完，甚为赏识，随即在延英殿召他问对。

初试啼声就引起了天子的关注，令元稹大为振奋。然而，他的做法却不可避免地得罪了当时的宰执大臣。

在那帮官场老油条看来，这毛头小子的乌纱帽还没戴几天，就敢对朝政大放厥词，分明是不懂规矩，不能不给他点颜色瞧瞧。

没过几天，元稹就被逐出了朝廷，贬为河南县尉。

年轻人刚进入社会，尤其是刚进入官场，最大的优点是初生牛犊不怕虎，敢对一切丑恶现象开炮，可最大的缺点就是——摔了跟头也不长教训。

元稹没有因为这次挫折而学乖。几年后，朝廷起用他为监察御史，命他出使东川。元稹一到任，就捋起袖子挖出了一桩陈年旧案，涉案人是已故东川节度使严砺。

自古以来，权力跟腐败总是一对孪生子，官越大，屁股往往越不干净，差别只在有没有被曝光罢了。元稹经过一番明察暗访，发现严砺生前曾滥用职权，肆意侵吞下级官吏和百姓的财产，而且数额巨大，随即毫不犹豫地上疏指控。宪宗命人复查，果有其事，但严砺已死，无人抵罪，宪宗一怒之下，就对东川七个州的刺史都进行了责罚。作为严砺的旧属，他们就算没有同流合污，至少也存在知情不举的包庇嫌疑。

元稹此举，再次惹恼了当权人物。

官场就是一张网，无论此官与彼官表面上相距多远，背后都可能存在无形而坚固的利益联结。年轻的元稹看不见这张网，更看不见这张网后面的一切，所以他必须为此付出代价。

当时，朝中的几个宰相都跟严砺有很深的私交，一看元稹这小子为了追求政绩，居然拿死人来做文章，顿时大为恼怒，马上把他调离了长安，让他到东都洛阳去坐冷板凳。

可是，到了东都后，元稹的臭脾气还是没改，没过多久又盯上了他的顶头上司、河南尹房式，将他的一些不法之事向朝廷告发。

宪宗命人核查，证实了房式的违法行径，遂将其罚俸一月，同时征召元稹回朝。

不畏权贵、刚直敢言的元稹两次遭贬，却又两次复起，足以表明天子对他的信任和赏识。

元稹大感快慰，越发相信自己的为官之道是正确的。

元和五年二月，元稹迎着和煦的春风踏上了回京之路。

然而，此时的元稹万万没想到，他仕途上的最大一次挫折，已经在前方的不远处等待着他。

这一天，元稹走到华州，见天色已晚，便就近到一个叫"敷水驿"的驿站下榻。当时，专门接待官员的驿站通常设有上、中、下三种规格的房间，级别高的官员住上房，同级别的则是先到先住。元稹到驿站时，上房还没有人住，驿吏自然把他安排到了上房。

片刻后，麻烦来了。一个叫刘士元的内侍宦官也到了这里，嚷嚷着要住上房。驿吏一看是宦官，不敢怠慢，赶紧跟元稹商量，想让他挪个地方。

年轻气盛的元稹本来就对宦官没有好感，而且自己又是先来的，当然不肯让。驿吏无奈，只好如实告诉刘士元。

刘士元一打听，不过就是一个不入流的小御史，竟然敢跟他较劲，顿时勃然大怒，带上手下冲了上去，一下子就把房门撞开了。

此时，元稹已经脱了衣服和鞋子，正准备就寝。刘士元凶神恶煞地冲进来，不由分说，挥起马鞭往他脸上就是一下。

元稹捂着火辣生疼的脸颊，当场就懵了。

好汉不吃眼前亏。元稹见对方人多势众，而且还带着家伙，压根不敢反抗，赶紧拔腿就跑，连衣服和鞋子都顾不上穿。

当时的宦官都是骄横霸道的主，刘士元当然不肯轻易放过元稹。他一边挥舞鞭子穷追不舍，一边还叫手下把元稹的马牵走，再把弓箭拿来，一副非把元稹弄死不可的架势。

元稹吓得魂飞魄散，穿着袜子满驿站乱窜，最后好不容易才逃离了敷水驿，狼狈不堪地回到了长安。

此事在朝中引起了轩然大波。

众所周知，宪宗一向宠幸宦官。虽然他对元稹不乏好感，但在这件事上，宪宗最后还是偏向了宦官。此外，宰相们本来就看这姓元的小子不顺眼，如今出了这档子事，他们正好落井下石，拿他开刀。

几天后，朝廷便以元稹"少年后辈，务作威福"为由，把他贬为江陵府士曹参军。

贬谪令一下，好友白居易大为不平，接连上疏替他喊冤。时任翰林学士的李绛、崔群也面见宪宗，极言元稹无罪。

但是，宪宗不为所动，还是维持原判。

就这样，元稹第三次被逐出了长安，开始了他"山水万重书断绝""暗风吹雨入寒窗"的贬谪生涯。

这个曾经锋芒毕露、年少轻狂的才子，无论如何也不会想到，他这一去，就是整整十年。

自己到底错在哪了？

在谪居江陵的那些"残灯无焰影幢幢"的日子里，元稹一直在痛苦地反思。

从小到大所读的圣贤书，有哪一本不是教自己要清廉为官、济世安民的呢？又有哪一本是教自己要向权贵低眉折腰，甚至是与其同流合污的呢？

没有。

一直以来，他都认为，扶正祛邪、扬善去恶不仅是一个读书人的本分，更是一个官员的立身处世之本，也是应尽的义务和责任。就算不能彻底祛除世界上的黑暗与邪恶，至少也要为人间带来更多的光明与正义。然而，残酷的现实告诉元稹，假如他继续坚持这种理想，结果只有两个字——毁灭。

元稹毕竟是聪明人，他很快就意识到，要想在险恶的官场上生存下去，就必须放弃旧的人生观念，学会新的游戏规则。

而这个规则的核心就是两个字：人脉。

是的，官场就是一张网，一张由人脉所构成的利益联结网。所以，自命清高、四面树敌的人到头来只有死路一条，只有八面玲珑、广结善缘才是正确的为官之道。最后，在现实的铜墙铁壁前撞得头破血流的元稹，经过一番痛彻骨髓的灵魂挣扎，终于幡然猛醒，大彻大悟，开始编织属于自己的关系网了。

元稹构建的第一条官场人脉，是一个叫崔潭峻的宦官，此人时任江陵监军。

元稹过去最讨厌宦官，而且也是宦官把他害到今天这步田地的，所以贬谪江陵之初，他对宦官可谓恨之入骨。但是现在，元稹已经不这么想了。因为，从某种意义上说，当初刘士元在敷水驿抽下的那一鞭，已经把那个疾恶如仇的元稹打死了。

如今的元稹已然脱胎换骨，再也不会自命清高，以正人君子标榜于世了，更不会再坚守什么修齐治平的圣贤理想了。他现在只想放下身段，广交朋友，不管是什么人，只要大腿够粗，他就愿意去抱。

而崔潭峻正是一个大腿够粗的朋友。

因为他是穆宗李恒的东宫旧人。

元和十四年，宪宗大赦天下，元稹遇赦回朝，被任命为膳部员外郎。所谓膳部员外郎，就是宫廷里面管伙食的。元稹举目一望，和他同列的，都是一些刚刚入仕的后生晚辈，而当年与他一起当谏官的同僚，如今早已位列要津，个别人甚至已经贵为卿相了。

元稹的抑郁和苦闷可想而知。

元和十五年，穆宗登基，崔潭峻被召回朝中，元稹的好日子也终于到了。

早在当太子的时候，穆宗李恒就经常听宫人吟咏元稹的诗歌，对他印象甚佳。崔潭峻当然很清楚这一点，所以一回朝，就给穆宗献上了一百余首元稹的新作。穆宗大悦，顺便问起元稹近况。崔潭峻赶紧说明了他的尴尬处境。穆宗一听就皱了眉头，这么有才的人，怎么能让他在食堂里管伙食呢？

当年五月，元稹便被擢升为礼部的祠部郎中、知制诰。这是个帮皇帝草拟诏书的职位，相当于天子秘书，虽然级别不高，但却举足轻重。

元稹是靠宦官上位的，所以很多朝臣都对这项任命非常不满。没想到才过了几个月，天子又颁下一道诏书，擢任元稹为翰林学士、中书舍人。

谁都知道，走到这一步，距离相位就只有一步之遥了。

元稹如此扶摇直上，朝中舆论顿时哗然。他刚到中书省上了几天班，有人就给他难堪了。时值盛夏，有一天中午休息，元稹和同僚们聚在一起吃西瓜，忽然飞来一只苍蝇，嘤嘤嗡嗡惹人生厌。中书舍人武儒衡（武元衡的堂弟）马上拿起扇子拼命挥舞，瓮声瓮气地说："哪来的讨厌东西，居然往这儿凑！"

众人闻言，当即失色。武儒衡却意气自若。只有元稹恨不得找条地板缝儿钻进去。

不过，难堪归难堪，该干的事儿，元稹还是照干不误。

如今的元稹很现实，绝不会再意气用事，更不会因为同僚的冷嘲热讽就放弃编织自己的官场之网。实际上从回朝的那天起，元稹就已经开始构建另一条重大的人脉了。

那就是时任枢密使的宦官魏弘简。

凭借崔潭峻这条线，元稹挤进了权力中枢；眼下，他又攀上魏弘简这根高枝，目的当然是想一举登上宰相之位了。

然而，元稹要经营相位，就必须拿掉横亘在他面前的一块绊脚石。

这块绊脚石就是裴度。

此时正值河北叛乱全面爆发，穆宗紧急起用裴度为帅，对他极为倚重。众所周知，裴度在朝野拥有无人可及的威望和影响力，这回要是顺利平定叛乱，为朝廷再立新功，那他十有八九会重返相位。到时候，元稹拿什么跟裴度竞争呢？

因此，要防止裴度复相，元稹就必须千方百计阻挠他在河北建功。

接下来的事情，我们就很清楚了——裴度和将士们在前线浴血奋战，元稹和魏弘简就在后方拼命给他使绊子。我们前面所说的"凡用兵、举动皆自禁中授以方略，朝令夕改"，基本上就是元稹和魏弘简搞的鬼。"度（裴度）所奏画军事，（元稹）多与弘简沮坏之。"

裴度忍无可忍，愤然上疏穆宗："逆竖构乱，震惊山东（太行山以东）；奸臣作朋，挠败国政。陛下欲扫荡幽镇，先宜肃清朝廷……若朝中奸臣尽去，则河朔逆贼不讨自平；若朝中奸臣尚存，则逆贼纵平无益！"（《资治通鉴》卷二四二）

裴度口口声声所说的"奸臣"，当然就是元稹了。

至此，双方的矛盾陷入了不可调和的境地。

一边是元勋重臣，肩负平叛重任；一边是朝堂新贵，深受天子宠幸。没有人知道，穆宗内心的天平最终会倾向谁……

相权之争：渔翁得利的李逢吉

面对裴度言辞激烈的奏疏，穆宗采取了装聋作哑的态度。

因为这是一道两难的选择题，他一时也不知道该怎么办。

裴度怒不可遏，数日内又连上二表——前后三次，所奏的内容完全相同。

穆宗当然很不爽，但同时也很无奈。

看来，不给裴度一个说法，河北的局面是无从收拾了。最后，穆宗只好解除了元稹的翰林学士之职，把他调任工部侍郎，同时把枢密使魏弘简罢为弓箭库使。

表面上看，元稹好像是被天子疏远了。其实，事情并没有这么简单。因为，穆宗此举纯粹是一个权宜之计，而元稹更不可能轻易放弃对相位的角逐。

到了长庆二年春，形势变得对裴度越来越不利。虽然没有了元稹的掣肘，但河北战局仍然不见丝毫起色，加上恶劣天气、粮草不继等客观因素的困扰，裴度纵然有心杀贼，但也是无力回天。

这种时候，元稹当然不会闲着。他力劝穆宗就此罢兵，为王庭凑昭雪，把这场毫无获胜希望的战争结束掉。与此同时，河北又传来了田布自杀、史宪诚自立的消息，穆宗彻底死心，随即下诏承认了河北三镇。

数日后，亦即长庆二年二月十九日，穆宗把碌碌无为的宰相崔植罢为刑部尚书，同时命元稹以工部侍郎衔入相。

在仕途上辗转多年、几经浮沉的元稹，终于否极泰来，位极人臣。

短短几天后，穆宗又颁下一道诏书，任命裴度为司空、东都留守。

裴度原任检校司空，现在转正，貌似皇恩浩荡。可明眼人都看得出来，穆宗这么做，其实是外示尊崇，内夺其权。不仅解除了裴度的兵权，并且让他到洛阳坐冷板凳去了。而且穆宗的这项任命，十有八九是元稹在背后做的手脚。

满朝文武都替裴度抱屈，纷纷上奏穆宗，说："现在时局仍然紧张，裴度有将相全才，不应该放到闲散的位子上。"

迫于舆论压力，穆宗只好改任裴度为淮南节度使。但是朝臣们还是普遍反对，认为裴度应该留在朝中，不宜出外。

穆宗知道裴度的群众基础好，可好到这种程度，还是出乎他的意料。三月底，穆宗不得不再度收回成命，把备受时论抨击的宰相王播罢为淮南节度使，同时任命裴度为相，让他留在朝中辅政。

至此，裴度和元稹基本上打了个平手——谁也没能阻止对方入相，同时谁也没能把谁整垮。

既然二者势均力敌，而且已经同朝为相，就算不能相逢一笑泯恩仇，至少是没有必要再争个你死我活了。然而，裴、元之争的暂时平息并不意味着穆宗朝廷会从此波平浪静。

因为想当宰相的人，绝不止裴、元二人。

很快，又有一个人摩拳擦掌地加入了这场博弈。

这个人的来头还不小。

此人不但与裴度一样，曾任宪宗朝的宰相，资历深厚，人脉宽广，而且又曾担任太子侍读，算是穆宗李恒的授业恩师，具有常人难以比拟的竞争优势。随着此人的强势介入，这场围绕着宰相之位的权力斗争，注定要波澜再起，并且变得比此前更为扑朔迷离了。

这位闪亮登场的新选手，就是李逢吉。

李逢吉是元和末年的宰相，与裴度位列同班。当时，因宪宗将平定淮西的重任交给了裴度，李逢吉就犯了跟元稹一样的毛病，背地里频频使坏，企图阻挠裴度建功。宪宗察觉后，一怒之下将他逐出了朝廷，贬为东川节度使（几年后调任山南东道节度使）。

李逢吉栽了跟头，就把这笔账记在了裴度头上，发誓总有一天要报仇雪恨。长庆二年春，裴度与元稹几乎同时拜相，李逢吉随即敏锐地意识到，自己东山再起的机会来了。

在李逢吉看来，裴度和元稹是一对不共戴天的死敌，如今虽然表面休战，但绝不可能化干戈为玉帛。所以，只要制造事端激化他们的矛盾，让他们斗个你死我活、两败俱伤，他就能在鹬蚌相争中坐享渔翁之利，夺回失去的宰相之位。

当然，要想重回相位，前提是得先回长安。

为此，李逢吉立刻派侄子李仲言入朝打点，很快就结交了时任枢密使的权宦王守澄，打开了一条回朝复相的快速通道。三月，在王守澄的积极运作下，李逢吉被召回朝中，就任兵部尚书。

第一步大功告成。接下来，李逢吉要考虑的事情，就是如何激化裴、元二人的矛盾了。

正当李逢吉苦思冥想之际，他派去监视元稹的探子忽然送来了一条绝密情报，顿时令他笑逐颜开。

这则情报显然跟河北战事有关。

当时，朝廷虽然赦免了王庭凑，并已任他为成德节度使，但王庭凑依然没有退兵，还是想把富庶的深州据为己有。被围已达半年多的深州守将牛元翼频频告急，令朝廷非常苦恼。在此情况下，若有人能解深州之围，无疑是大功一件。

三月的一天，有个叫于方的朝臣找到了元稹，自称有办法解除深州之围，救出牛元翼。

此时，元稹虽已贵为宰相，但朝中不服他的人比比皆是，他正想干一两件大事树立威望，一听于方之言，赶紧问他有何良策。

于方故作神秘地一笑，说："办法倒是有，但还得宰相大人通权达变，此计方能成功。"

元稹瞟了他一眼："怎么个'通权达变'法？你倒是说说看。"

于方这才把他的锦囊妙计和盘托出。他凑近元稹，压低嗓门说："下官有两位门客，一个叫王昭，一个叫于友明，都是燕赵奇士，熟悉河朔的风土人情，如果派他们潜入成德军中，施以反间计，不难救出牛元翼。但他们不能空手而去，必须带上一些东西。"

"什么东西？"

"必须给他们二十道兵部和吏部的空白委任状，让他们相机行事，才能诱降那些骄兵悍将，也才能确保反间计的成功。"

"二十道空白委任状？"元稹冷笑，"你知道这是什么行为吗？"

"下官知道，所以方才已经有话在先，需要大人您通权达变。"于方神色自若地说。

元稹很清楚，于方是在暗示他用宰相权力去搞那二十道空白委任状。虽说这不是什么了不得的大事，但毕竟是违法乱纪之举，万一曝光，绝对是一大丑闻，对他这个新任宰相是很不利的。可是话又说回来，这事要是成了，无疑是一笔巨大的政治资本。有了这个功劳，日后在天子和百官面前，自己的腰杆就绝对够硬了。

干，还是不干？这是一个问题。

元稹沉吟良久，最后还是决定赌一把。

此刻的元稹当然不会知道，这一把赌下去，他就将身败名裂，懊悔终生。

李逢吉派出去的探子显然是个职业高手，第一时间就获悉了元稹和于方的密谈内容。

不过，搞到情报是一回事，如何利用情报又是另一回事。本着把水搅浑、把事闹大的指导精神，李逢吉决定把这个情报略作修改，然后透露给裴度，让他去跟元稹死磕。

五月的某一天，裴度的府上来了一位不速之客。此人名叫李赏，并未说明来路，只是神秘兮兮地告诉裴度：元稹和于方密谋，要派刺客干掉你。

裴度是大风大浪闯过来的人，当然不会听风就是雨，而且对这个来路不明的家伙也心怀警惕，所以听完只是一笑了之，并不当回事儿。

裴度如此气定神闲，李逢吉自然是大为恼怒。他想来想去，最后索性授意李赏去禁军告发，把这事捅上天去。

消息传开，朝野哗然。

穆宗立刻命人逮捕于方，交给三法司会审。审讯结果，所谓买凶杀人固然是子虚乌有，不过于方和元稹的密谋可就藏不住了。看过本案的卷宗后，穆宗对元稹大为失望——堂堂宰相，居然如此急功近利，不择手段，而且还执法犯法，怎堪为百官表率？

六月五日，穆宗愤然下诏，罢去元稹的宰相职务，贬为同州刺史；同时也免去裴度的相职，贬为右仆射。

很显然，这种各打五十大板的处理结果是不公正的，所以诏书一下，谏官们纷纷替裴度叫屈："裴度无罪，不当免相。而元稹身为宰相，却跟于方搞阴谋诡计，处罚得太轻了！"

可是，穆宗却不为所动，仍然坚持原判。

至此，穆宗一朝的相权之争总算告一段落。裴度和元稹双双出局，李逢吉则坐收渔人之利，如愿以偿地登上了相位。

事实证明，在这场政治博弈中，不管是德高望重、功勋卓著的裴度，还是才华满腹、灵活多变的元稹，在权力斗争方面都不是李逢吉的对手。

为了权力，李逢吉可以无所不用其极，所以他才能笑到最后。

元稹被贬同州后，愤懑难平，就给穆宗上了一道奏表，竭力表明对朝廷的忠心。他在奏表的结尾说："臣若余生未死，他时万一归还，不敢更望得见天颜，但得再闻京城钟鼓之音，臣虽黄土覆面，无恨九泉！"（《旧唐书·元稹传》）

元稹把自己说得可怜巴巴，就是想唤起穆宗的恻隐之心。

然而，奏表呈上却如泥牛入海，一点回音也没有。最后，元稹终于意识到——这一生，他再也没有机会听到长安的"钟鼓之音"了。

十年后，元稹卒于鄂州刺史任上，终年五十三岁。

敬宗登基

长庆二年，宰相们在朝堂上斗得不可开交，而在地方上，藩镇叛乱更是此起彼伏。这一年三月，也就是河北战乱刚刚平息不久，武宁镇又传来了兵变的消息。

武宁镇的治所在徐州，地处江淮，历来是帝国的财赋重镇。这个地方出了乱子，对朝廷显然是一个沉重打击。消息称，发动兵变的人是武宁节度副使王智兴，他在三月中旬驱逐了节度使崔群，夺取了军政大权，然后纵兵劫掠了中央盐铁专卖署在甬桥（今安徽宿州市）的转运院，抢走大量财帛，同时洗劫了各道停泊在汴水（连接黄河与淮河的运河）的进奉船，甚至连过往商旅的货物也强行搜刮了三分之二。

面对如此恶劣的反叛行径，穆宗李恒很头疼。

河北乱了，还可以依靠江淮的财赋发动一场平叛战争，如今江淮也跟着乱了，朝廷要拿什么来打仗？

最后，穆宗只好再度采用他那屡试不爽的"平叛"法宝——妥协。

三月二十八日，亦即兵变爆发仅仅十多天后，穆宗就忙不迭地授予了王智兴武宁节度使之职。

在飞扬跋扈、为所欲为的藩镇面前，与其说李唐朝廷的底线是被一次次突破了，还不如说此时的朝廷已经没有任何底线可言。

既然朝廷没有底线，那么造反也就成了一件低风险、高收益的事情了。这种好事，当然是人人抢着干。这一年七月，宣武（治所汴州，今河南开封市）又爆发兵变，将领李介驱逐了节度使李愿，自立为留后。

眼看藩镇叛乱已经从河北蔓延到了江淮和中原，再这么乱下去，帝国迟早会分崩离析。穆宗意识到事态严重，不敢再轻易让步了，连忙召集宰执大臣们商讨对策。

大臣们分成了两派。

一派以宰相杜元颖和财政大臣（度支）张平叔为首，他们认为，既然已经承认了河北三镇，宣武也未尝不可援用前例。

另一派以李逢吉为首，他坚决反对说："河北的事情是迫不得已，现在如果连宣武也抛弃，那么江淮以南就都不再是国家的土地了。"

虽然李逢吉在权力斗争方面是个不折不扣的野心家，但在这种大是大非面前，他的立场还是值得称道的。可碌碌无为的杜元颖向来信奉多一事不如少一事，所以对李逢吉的强硬立场很不认同。他对李逢吉说："李大人，难道你宁肯顾惜这几尺长的旌节，也不顾惜一方百姓的生命吗？"

这样的理由听上去似乎是冠冕堂皇的，让人很难反驳。

可事实上，杜元颖是在偷换概念。因为，李逢吉拒绝承认李介，绝不是出于对那"几尺长旌节"的爱惜，而是在维护朝廷废弛已久的纲纪，重拾屡屡被突破的底线。试想，假如李唐朝廷对所有叛乱藩镇始终采取妥协纵容的态度，那么天下藩镇必然会以河北、江淮和宣武为榜样，动不动就拥兵割据，与朝廷分庭抗礼。到那个时候，损失的就不是"几尺长的旌节"，而是帝国的秩序和天下的安宁。所以，与其说杜元颖等人的绥靖政策是在"顾惜百姓的生命"，还不如说他们是在以苍生社稷的福祉为代价，换取虚假而脆弱的表面上的和平。

说白了，这就叫饮鸩止渴、苟且偷安。

李逢吉当然不会听杜元颖等人扯淡，所以坚持原议。双方争执不下，穆宗无所适从，这次御前会议没有取得任何结果。

不久，宣武下辖的宋、亳、颍三州因不服李介，遂相继上表，请求朝廷另行任命节度使。穆宗大喜，这才感到李逢吉的意见是正确的。李逢吉随即向穆宗献计："征召李介入朝担任禁军将领，然后命义成节度使韩充转镇宣武。如果李介抗命不遵，就命武宁镇与忠武镇东西夹攻，再由义成军从北面攻击，韩充一定可以顺利赴任。"

穆宗依计而行。

李介果然拒不从命。

七月底，穆宗下诏讨伐，命忠武节度使李光颜等部对宣武发起进攻。李介发兵抵御，却屡战屡败。到了八月中旬，李介在忧惧中一病不起，只好把军政大权交给兵马使李质。李质历来倾向于朝廷，于是再度发动兵变杀掉了李介，并将其麾下所有反叛将领全部诛杀，最后把李介的四个儿子逮捕，一起押赴京师。

随后，韩充顺利赴任，并驱逐了一千多名参与李介叛乱的士兵，迅速稳定了宣武镇的形势，一场祸及中原的叛乱终于得以平息。

长庆二年下半年，各地又陆续爆发了一些小规模的兵变，所幸都被及时扑灭，没有酿成大的祸乱。然而，到了这一年冬天，一个突如其来的不幸事件，却让整个长安城的气氛骤然变得紧张起来。

穆宗李恒中风了。

天子的病是因一场马球赛而引发的。十一月的一天，穆宗和宦官们在宫中打马球，一个宦官不慎从马背上跌下，穆宗受了惊吓，随后就中风瘫痪、卧床不起了。

天子卧病在床，一连数日不能上朝，满朝文武都不知道具体情况，不免忧心忡忡。此外，更让朝野上下惶惶不安的是，帝国还没有储君。

无论天子的病情能否好转，都必须早立太子。这是人们的一致想法。于是宰相们屡屡上疏，请求入宫朝见，但都没有得到答复。

这种时候，人们自然想起了裴度。裴度年初虽被罢相，但仍以右仆射的身份留在朝中。如今，恐怕也只有像他这种功高勋著的元老重臣，才有资格见上皇帝一面了。

经朝臣们请求，裴度连上三疏，要求册立太子，并请皇帝接见大臣。十二月初五，穆宗终于被宦官用"大绳床"抬了出来，在紫宸殿接见了宰执大臣。

虽然天子的脸色异常憔悴，行动能力也尚未恢复，但是看见他的神志仍然清醒，众人总算稍感安心。

不过，太子是无论如何要赶紧册立的。

裴度和李逢吉不约而同地向穆宗提起了此事。当然，两个人的出发点截然不同。裴度考虑的是皇权的平稳过渡和社稷的安危，而李逢吉则是想趁此机会抢一个定策之功。所以，两人的劝谏之辞也有着微妙而重大的差异。

裴度说的是："请速下诏，负天下望。"

李逢吉不仅极力劝请，还提出了具体人选："景王已长，请立为太子。"

景王就是穆宗的长子李湛，此时年仅十四岁。

尽管宰辅重臣请立太子的要求非常强烈，可在整个接见过程中，穆宗李恒却始终不置可否，一言不发。

此时此刻，穆宗的心情无疑是很悲哀的。因为他现在才二十八岁，正值青春年华，可宰相们劝他册立太子时那种急不可耐的神情，好像他是一个马上就要死掉的七八十岁的老头。

不过，这也怪不得宰相们。因为李恒知道自己已经废了，更何况他也知道——死神在拜访一个人的时候，绝不会事先询问他的年龄。

所以，不管多么不情愿，他都只能认命。

随后的几天，中书、门下两省的官员请立太子的奏疏，又像雪片般飞进了宫中。穆宗怔怔地看着那堆奏疏，知道自己已经别无选择。

十二月初七，一道诏书颁下，景王李湛被立为太子。

接下来的整个长庆三年（公元823年），朝野上下都没有什么大事发生，帝国貌似一片平静。河北三镇虽然再次脱离了中央，所幸事态没有进一步恶化，并且自从朝廷平定宣武之后，各地藩镇似乎也收敛了一些，叛乱势头暂时得到了遏制。

这方面总算让朝廷暗暗松了一口气。可相形之下，朝廷内部的情况却不尽如人意。

朝堂上，李逢吉独揽朝政，极力排斥异己，于这一年八月把裴度逐出了朝廷，贬为山南西道节度使；而在内廷，宦官王守澄本来就因担任枢密使一职而手握大权，此次更是趁穆宗病重之际而彻底成为了天子的代言人。

李逢吉和王守澄就这样互为表里，联手控制了整个帝国朝政。

穆宗的病情在这一年没有进一步恶化，让满朝文武稍感安心。然而，天子随后便又染上了一样新的毛病，不禁让人们的心头再次蒙上了一层阴影。

天子喜欢上了长生之术，开始频频服用金石之药，就跟当年的宪宗一模一样。

遗传的力量真是不可思议。

人们对三年前发生在宪宗皇帝身上的那一幕记忆犹新——宪宗之所以英年早逝，正是不顾一切追求长生的结果。如今，天子李恒再次走上父亲的这条老路，其下场可想而知。

长庆四年（公元824年）正月初一，穆宗在含元殿举行朝会，准备恢复因病中辍的例行早朝。

然而，李恒绝对没想到，这将是他最后一次坐在金銮殿上。

正月二十日，穆宗旧病复发；短短两天后，病情迅速恶化，只好紧急下令太子监国。当天傍晚，刚届而立之年的穆宗李恒就驾崩了。

二十三日，李逢吉自命为"摄冢宰"，即摄政大臣。

二十六日，年仅十六岁的太子李湛在太极殿即位，是为唐敬宗。

穆宗朝的短暂历史就这样浮皮潦草地翻过去了。面对高高坐在金銮殿上这个尚未成年的新君，满朝文武未免都有些忐忑不安。因为大唐开国二百余年来，还从没出现过如此年轻的皇帝。

说白了，李湛还是个孩子。

饱经沧桑的大唐帝国，将在这个孩子手中变成什么样子？

人们不敢预料。

一人独大的朝堂

自从裴度和元稹罢相，李逢吉便在朝中一人独大，其地位已无人可以撼动。于是，朝臣中的识时务者纷纷投靠，很快就在李大人周围结成了一个阵容强大的死党。

这个死党以李逢吉的侄子李仲言为首，麾下有张又新、李续之、张权舆等人，号称"八关十六子"。所谓"八关"，是说李仲言等八人是这个死党的核心层，若有人想求李逢吉办事，必须先贿赂他们，相当于八道关卡；李仲言等八人另外还有八个手下，所以统称"十六子"。

面对权势熏天的李逢吉一党，多数朝臣都不敢招惹，只求洁身自好。但是，总有那么一两个刚直不阿的人，始终不买李逢吉的账。

比如翰林学士李绅。

自中唐以后，翰林学士就是一个相当重要的职位，很多宰相都是从这个位子提拔上来的，所以中晚唐的翰林学士常有"内相"之称，最典型的就是德宗时代的贤相陆贽。

　　当初穆宗在位时，李绅就深受天子信任，每逢穆宗跟他讨论朝政，他都会不失时机地贬抑李逢吉。此外，凡是李逢吉有奏表递进宫中，只要让李绅看到了，通常都会利用自己的"内相"职权，不动声色地将其否决掉。

　　对于这样一个处处跟自己叫板的人，李逢吉自然是恨得牙痒。所以早在去年冬，他就曾精心做了一个局，要把李绅扳倒。

　　那是长庆三年九月，御史中丞一职出缺，穆宗让李逢吉推荐人选。李逢吉二话不说就推荐了李绅。他的理由是，李绅秉性正直，为官清廉，正是肃清政风、维护朝廷纲纪的不二人选。

　　穆宗一听，觉得很有道理，当即批准。

　　此时的穆宗当然不会想到，李逢吉这是在给李绅下套。他把李绅支到御史台，目的就是要看一场好戏。

　　当时，御史台的一把手是韩愈。而韩愈跟李绅是同一种人，性情刚直，眼里从不揉沙子。很多人都知道，宪宗末年，韩愈曾因那篇著名的《谏迎佛骨表》差点被宪宗砍掉脑袋，多亏裴度和崔群力谏，才救了他一命。长庆三年六月，韩愈从吏部侍郎调任京兆尹。在他之前，禁军一贯在京师作威作福，过去的京兆尹都不敢惹，可韩愈一来，禁军一下就变乖了，纷纷在私下里相互告诫："这姓韩的连佛骨都敢烧，咱千万别犯在他手上！"

　　韩愈当时除了京兆尹，还兼任御史大夫。按规定，有此兼职的京兆尹不仅要在本衙门办公，还要在某些规定时间到御史台去坐班，称为"台参"。

　　李逢吉就打算在这里做手脚，让李绅和韩愈去死磕。

　　李绅刚到御史台上任，李逢吉马上通知韩愈不必台参。李绅不知此事，一连几天发现顶头上司都不来上班，便给韩愈发了道公函。韩愈有宰相特许，当然有理由不去。于是两人便在来回往返的公文中打起了口水仗，双方措辞都很强硬，最后闹得沸沸扬扬，满朝皆知。

李逢吉随即上奏穆宗，说李绅和韩愈身为大臣，竟然为了如此芝麻小事就撕破脸面，实在不堪为群臣表率，理应贬谪。

穆宗也觉得李、韩二人太不识大体，遂贬韩愈为兵部侍郎，贬李绅为江西观察使。

到了这一步，李绅和韩愈才不约而同地意识到——他们被李逢吉下套了。随后，两人便以辞谢君上为名入宫觐见。穆宗也依稀感觉事有蹊跷，就让他们把事情的来龙去脉仔细讲了一遍。

事情摊开后，傻瓜也明白问题出在哪了。

穆宗当即收回成命，改任韩愈为吏部侍郎，李绅为户部侍郎。

精心布下的局就在最后一刻功亏一篑，李逢吉大为不甘。

长庆四年正月，穆宗驾崩，敬宗即位，李逢吉一边庆幸李绅的靠山倒了，可一边却不免担心新君会再度重用李绅。

为了彻底摆平这个死对头，李逢吉召集党羽，日夜密谋，最后终于想出了一个双管齐下的办法：一、破坏李绅的群众基础，让满朝文武都忌恨他；二、破坏领导对他的信任，让新君李湛厌恶他。

从古到今，一个人要想在官场上混得好，都需要"群众基础"和"领导赏识"这两大前提。李逢吉的这个策略，显然是要把李绅的官场根基连根拔起。

当然，要达到这个目的，必须做许多细致的工作。

首先，李逢吉收买了李绅的一个族子李虞，让李仲言、张又新等人配合他在朝野上下大造舆论，散布谣言，说李绅一直在暗中侦查百官，凡是经常聚在一起讨论时政的，都被他以"交结朋党"为由列入了黑名单，然后再呈报给天子。

由于此事是从李绅的族子嘴里说出来的，很多朝臣都信以为真，自然都对李绅产生了极大的反感。

第一步大获成功，李逢吉随即展开第二步行动，请权宦王守澄帮忙，想办法在新天子面前抹黑李绅。随后的一天，王守澄找了个四下无人的机会，对小皇帝说："陛下，您是否知道，当初是谁拥立您为储君的？"

小皇帝不假思索："宰相啊。"

王守澄又问："哪个宰相？"

小皇帝一脸茫然。

王守澄一笑："这件事的内情，没有人比臣更清楚。陛下之所以能登临大宝，全凭李逢吉一人之力。至于杜元颖、李绅这些人，当时都是想拥立深王的。"

小皇帝虽然年龄不大，但不傻，听了王守澄的话，始终半信半疑。

李逢吉随即加紧攻势，让李续之等人接连上表，一再陈述相同的意思。最后，李逢吉亲自上场，对敬宗说："李绅此人心怀不轨，终将不利于皇上，必须加以贬谪。"

深谙权术奥秘的人，通常也深谙人心的奥秘。作为权谋高手的李逢吉，很清楚什么叫作三人成虎、众口铄金，所以他坚信——谎言重复一千遍就会变成真理。

小皇帝李湛顶不住李逢吉一党的轮番轰炸，最后终于将李绅逐出了朝廷，贬为端州（今广东肇庆市）司马。

李绅被贬当日，李逢吉率领文武百官入朝向敬宗道贺，极力称颂天子英明。出宫后，百官又赶紧来到中书省向李逢吉道贺，极力称颂宰相英明。

满朝文武中，只有少数人没有参与这场闹剧。

因为，他们还没有丧失起码的良知。

然而，在这个充斥着阴谋和谎言的世界上，良知很多时候只会给人带来噩运。

在李逢吉看来，不参与道贺就是一种无声的抗议。而在如今的朝堂上，他绝不允许任何人反对他，即便这种反对只是在心里。

几天后，没有参加道贺的右拾遗吴思，翰林学士庞严、蒋防等人便相继被贬谪出朝，放逐远地。当时，庞严有一个好友叫于敖，担任给事中，有权对中书省的敕令提出异议。李逢吉贬谪庞、蒋的敕令一下，于敖便原封不动地把它退了回去。

人们私下里都替于敖捏了一把汗。因为于敖这么干，显然是在替庞、蒋二人打抱不平，可这样一来，就把李逢吉往死里得罪了，绝对不会有好果子吃。

就在亲朋好友暗暗称颂于敖品行高洁、不畏权贵时，一件让人大跌眼镜的事情发生了。

人们听说，于敖把敕书退回去的同时，还给李逢吉附了一张纸条，上面写着：贬得太轻了，应该从重处罚。

人们恍然大悟，敢情这个于敖不是为朋友两肋插刀，而是向朋友胸口上插刀啊！

李逢吉本来正寻思着怎么修理这个不怕死的家伙，看见纸条后，顿时开怀大笑，随即重重褒奖了于敖。

李绅被贬到了天涯海角，此生回朝的机会已经微乎其微，可李逢吉还不甘心，决意要斩草除根。

随后的日子，李逢吉授意张又新等人屡屡上疏，说对李绅的贬谪太轻了，应该将其诛杀。小皇帝禁不住他们的软磨硬泡，最后终于点了头。只是什么时候杀李绅，他还下不了决心。

就在李绅命悬一线的时刻，终于有人站出来替他说话了。

这个人是翰林学士韦处厚。他上疏敬宗说："李绅被李逢吉一党迫害，朝野都为之震惊浩叹。李绅是先帝信任的臣子，就算有罪，也应该从宽处理，才能体现陛下'三年不改父之志'的孝道，更何况李绅本来就没罪呢？"

李湛看完奏疏，略有醒悟，但还是没有明确要不要杀李绅。

最后，一件很偶然的小事保住了李绅的人头。

有一天，小皇帝闲来无事，随手翻阅穆宗一朝留下的卷宗，其中几道奏疏忽然引起了他的注意。那是大臣请立太子的奏疏，署名者分别是裴度、杜元颖、李绅等人。

李湛打开一看，发现李绅当初也是极力拥立他当太子的人之一。

小皇帝看着这些奏疏，慨叹良久。过后，他就命人把李逢吉一党要求诛杀李绅的奏疏全部烧掉了，随后凡是此类奏请，也都被他当成了耳旁风。

然而，尽管明知道李绅是被冤枉的，李湛还是没有将他召回朝中。

因为，李逢吉一党的势力太大了，小皇帝绝不敢为了一个李绅跟他们翻脸。更何况，李湛太年轻了，他那单纯而稚嫩的心灵根本容不下繁杂沉重的国事。

换言之，李湛现在最喜欢的事情就是嬉戏玩乐，而不是打理祖宗留下来的这片忧患深重的江山。

玩乐天子：我的青春我做主

其实，小皇帝李湛刚一上台，人们就再次见识了不可思议的遗传力量——他几乎就是他老子李恒的翻版。

首先，他继承了穆宗的慷慨。

刚一登基，他就一连三天对宦官们大加赏赐，不仅金银、绸缎和珠宝随便出手，就连官服也随便赏赐。至于赏赐的标准，则是依小皇帝的心情而定。比如今天刚刚赐给某个宦官绿色官服（六七品），明天就有可能赏他红色官服（四五品）。

其次，他继承了穆宗的娱乐精神。

从当上皇帝的次月开始，李湛就天天打马球、游乐、宴饮、看戏，其次数多得连史官都懒得记载。

最后，也是最要命的一点是——小皇帝和穆宗一样，一点也不喜欢政治。所以，例行早朝对他来讲就是一件避之唯恐不及的苦差事。登基不过才一个多月，小皇帝上朝的时间就一天比一天晚。谏官们屡屡上疏，李湛却置若罔闻。

三月十九日这天，日上三竿，朝会大殿上依旧不见天子的身影。百官都列队在紫宸门外等候，年事已高和体弱多病者都已渐渐不支，几欲晕厥。

谏议大夫李渤对宰相说："昨天，我刚刚上疏提醒皇上，希望他上朝的时间不要太晚，没想到今天更晚。我身为谏官，难辞其咎，请准许我到金吾卫的军法处待罪。"

最后，哈欠连天的小皇帝总算来了。匆匆开完朝会，他就迫不及待地要起驾回宫，不料左拾遗刘栖楚却站着不走，显然是要进谏。

小皇帝假装没看见，准备开溜，可刘栖楚声音还是高高地响了起来："陛下，微臣有事要奏。"

小皇帝只好停下脚步。

刘栖楚朗声说道："宪宗和先帝都是年长之君，天下尚且叛乱不断，陛下年纪这么轻就继承帝位，更应早起治理朝政。可陛下却嗜睡贪色，日晏方起，如何对得起先帝的在天之灵？如今，先帝的灵柩还未下葬，歌舞伎乐已日日喧腾；陛下的美誉尚未彰显，恶名却已远播四方。臣恐陛下的福祚不会长久，请让臣在台阶上撞死，为荒废谏官之责谢罪！"

话音刚落，还没等小皇帝反应过来，刘栖楚便已跪倒在地，一下一下地用头去撞台阶，瞬间便已血流满面。

小皇帝吓呆了，顿时不知所措。

李逢吉和新任宰相牛僧孺闻讯，匆忙赶来解围，叫刘栖楚退下去听候处分。刘栖楚捧着鲜血淋漓的脑袋摇摇晃晃地站了起来，一开口又骂起了宦官。小皇帝眉头紧皱，一直挥手让他退下。可刘栖楚却坚持说："陛下不听臣言，就让臣死！"

牛僧孺赶紧说："你所奏之事皇上都已经知道了，先下去等候处分。"

刘栖楚这才不情不愿地退了出去和李渤一起在金吾卫听候裁决。

惊魂未定的李湛赶紧问宰相，此事该如何处置。几个宰相一致认为，谏官的意见是正确的，应该采纳。李湛无奈，只好命宦官前去宣慰，好言好语把刘栖楚和李渤劝了回去。

几天后，李湛下诏，将刘栖楚擢升为起居舍人，并赐四品绯衣，以示对他忠言进谏的表扬和鼓励。刘栖楚的原官秩仅为从八品上，而起居舍人则是从六品上。小皇帝一下子将他连升数级，可以说对他够意思了。可出乎李湛意料的是，刘栖楚一点也不领情，居然以生病为由推掉了官职。

不过，刘栖楚领不领这个情，对小皇帝来讲根本无所谓。

他本来就是迫于舆论压力做个姿态而已，如今刘栖楚自己不识抬举，李湛自然懒得理他。几天后，小皇帝又赐给"内教坊"（宫廷歌舞团）一万缗钱，叫他们抓紧排练，说随时会去观看他们演出。

没办法，这就叫我的青春我做主。

走自己的路，让谏官们说去吧！

在关注娱乐事业、弘扬娱乐精神方面，李湛可以说完全继承了他老爸穆宗的衣钵。让他们接受谏言或许容易，可要让他们改正缺点，那可是比登天还难。

"死谏风波"过去后，谏官们不约而同地噤声了。原因倒不是小皇帝改掉了嗜睡赖床、上班迟到的毛病，而是大伙寒了心。

既然刘栖楚以死相争都没效果，那大伙还有什么好说的？

小皇帝的种种荒唐行径很快就成了朝野上下尽人皆知的事实。对这种事，老百姓大多也只是当成茶余饭后的谈资，发发牢骚、苦笑几声而已，不会动什么别的心思。

可是，长安城中有个人却动了心思，而且还是特别大的心思。

他想——既然皇帝不好好干，为何不将他取而代之呢？

假如此人是独揽大权的宰相，或者是手握禁军的宦官，动这个心思还算靠谱，可问题是，这个异想天开的家伙只是个平头百姓。

此人叫苏玄明，是个算命先生。平常估计就是在街边支个摊，旁边插一根"苏铁嘴"或"苏半仙"的旗子，信口忽悠一些无知群众，随便混口饭吃，日子肯定是过得乏味至极。可自从动了这个"彼可取而代之"的心思后，苏半仙就变得精神抖擞了，成天眼睛放光，在所有认识和不认识的人里面拼命搜寻，希望找到那个可以取代李湛的真命天子，然后辅佐他君临天下。

苏玄明有个朋友叫张韶，是宫中染坊的杂役，有出入皇宫的便利。有一天，张韶来他家串门，苏半仙心中顿时一亮，赶紧问了他的生辰八字，然后煞有介事地算了一卦。

卦象出来后，苏半仙忽然瞪大眼睛不说话了。

张韶吓了一跳，连忙问他怎么回事。苏半仙盯着他的脸看了许久，然后用一种深沉的口吻说："卦象显示，你将会坐在天子的御榻上，与我一同进餐。"

张韶一听就乐了，差点没把大牙笑掉。可当他看见苏玄明异常严肃的表情时，才意识到这家伙并没有发烧。紧接着，他又听见苏玄明说："现在皇上每天都在打猎和玩球，经常不在宫中，依我看，大事可图！就看你敢不敢干了。"

接下来，不知道苏半仙是不是跟张韶宣扬了许多"王侯将相宁有种乎"的革命道理，反正张韶歪着脑袋回味了半天，最后终于大腿一拍，说了一个字："干！"

于是，唐朝历史上一场绝无仅有的宫廷暴动，就从这两颗朴素的脑袋中诞生了。

两个人说干就干，很快就忽悠了一百多人，都是张韶在宫廷染坊的工友。苏半仙不知用了什么手段，把他们忽悠得晕头转向、热血沸腾，于是暴动计划就这么定了下来。

四月十七日这天，行动开始了。他们把兵器藏在几辆运染料的车中，准备从大明宫东面的银台门运入宫中，于当天夜里起事。不料，他们刚走到银台门，禁卫人员就察觉车载太重，将他们拦下盘问。苏、张二人眼见事情即将败露，当即提前行动，抽出武器杀了盘查人员，然后和徒众们挥起武器，大声嘶喊着冲进皇宫。

此时，小皇帝正在清思殿和宦官们打马球，忽然听见外面杀声震天，顿时大惊失色。宦官们慌忙关上宫门，可暴民很快便砸烂宫门，一拥而入。魂不附体的小皇帝在宦官的簇拥下仓皇逃往左神策军营。左神策中尉马存亮一听皇上驾到，赶紧跪地迎驾，并亲自把小皇帝背进军营，随即命大将康艺全率领骑兵入宫讨贼。

苏、张二人带着手下径直冲上了清思殿。张韶一屁股坐在天子御榻上，一边招呼苏玄明吃东西，一边兴高采烈地说："你卜的卦可真准！"

苏半仙一听，差点没背过气去。敢情张韶这小子拎着脑袋造反，就为了坐在龙椅上吃一回点心啊？苏玄明恶狠狠地盯着张韶，气急败坏地说："我们起事难道就为了这个？"

就在这个时候，殿外传来了禁军的喊杀声。

张韶终于回过神来，慌忙跳起来夺路而逃。

可是，他们已经无路可逃了。

此刻的清思殿，已经被数百名全副武装的禁军士兵团团包围。

接下来的事情毫无悬念。禁军就像砍瓜切菜一般，很快就把苏、张和他们的暴动团伙彻底收拾了。次日，个别漏网之鱼也被悉数抓获，等待他们的无疑将是杀头诛族的命运。

这场突如其来的平民暴动，从头到尾都显得相当无厘头，在唐朝历史上似乎也是破天荒的头一遭。即便是把它当成小说情节来看，也显得有些匪夷所思，可它却被白纸黑字地记载在史册上。

现在比较流行"气场"一说，意思是一个人有什么样的性格，自然会感应什么样的事情。按佛教的说法，叫作"业力感召"。

也许我们只能说，正因为敬宗李湛本人就是个无厘头，才会感召如此无厘头的事情。

事后，有关方面追究责任，认为有三十五名宦官难辞其咎，按律当斩，因为他们看守的各道宫门都被暴民轻而易举地攻破了，明显是玩忽职守。可小皇帝却下诏赦免了他们的死罪，只处以杖刑，同时保留他们的所有职务。

对于小皇帝来讲，这场暴动只是虚惊一场，没什么大不了的。

他发现，除了宫门被砸烂几扇、御座上沾了几点染料和污渍之外，自己并没什么损失，所以没过几天，小皇帝就把一切不愉快全都抛到九霄云外了。

几年来，李逢吉在朝堂上俨然已是"教父"级的人物，不仅大多数朝臣唯其马首是瞻，就连宰相班子的人选也几乎都是他举荐的，如中书侍郎牛僧孺、吏部侍郎兼同平章事李程、户部侍郎兼同平章事窦易直等。然而，到了宝历元年（公元825年），李逢吉却发现自己苦心经营的权力金字塔开始有点松动了。

原因就出在他举荐的人身上。

首先是中书侍郎牛僧孺。他于长庆三年入相，已经在宰辅的位子上坐了两年。可这两年当中，朝中的大小事情基本上都是李逢吉一个人说了算，牛僧孺觉得自己就是一个毫无作用的摆设。这种徒有虚名、无所作为的宰相生涯让牛僧孺苦恼不已。

眼见皇帝荒淫、佞幸当权，牛僧孺很想进谏，却又怕因言获罪。继续保持沉默吧，又不甘尸位素餐，经过一番思想斗争，他最后还是决定离开朝廷，以求内心的解脱。

随后，牛僧孺屡屡上表请求外调。敬宗李湛看他去意甚坚，也就不再挽留，于这一年二月命他出任武昌节度使，但仍让他遥领"同平章事"的荣誉衔。

牛僧孺的断然离去让李逢吉很不爽。

因为这是一种无言的抗议，是在间接表达对他的不满，让李逢吉感到很没面子。

不过，最让李逢吉不爽的还不是牛僧孺，而是比他稍晚入相的李程。李程可不像牛僧孺什么事都窝在心里，他于长庆四年五月入相，刚一上台就表现出了刚直敢言的作风。当时，小皇帝刚即位不久，打算修建豪华宫殿，李程一看就说："先帝宾天未久，陛下便如此大兴土木，岂是人子尽孝之道？"

小皇帝闻言，也有些尴尬。李程当即建议，把已经准备好的那些建材拿去扩建穆宗陵寝，以示新君的孝心。李湛无奈，只好听从。

李逢吉听说这件事后，就隐隐觉得李程这个人不简单，可能不太好掌控。

不久后，又发生了一件事，果然证实了李逢吉的判断。

王庭凑当初围攻深州，刺史牛元翼只身突围，家属落在了王庭凑手里。事后，牛元翼派人给王庭凑送了好几次钱，请求赎回家人，可王庭凑对他此前的拼死抵抗余恨未消，所以把他送去的钱全都留下了，人却一个不放。

牛元翼悲愤莫名，不久后便抑郁而终。一听到牛元翼的死讯，王庭凑知道手上的人质没用了，就残忍地将牛元翼的一家老小全部杀死。

消息传到朝廷，敬宗李湛很受震动，连连哀叹"宰辅非才，使凶贼纵暴"。翰林学士韦处厚趁机劝谏，说被放逐的三朝元老裴度"勋高中夏，声播外夷"，如果让他回到宰辅的位子上，一定能从根本上解决河北藩镇的问题。

敬宗动了心，就打听裴度的近况。韦处厚说，裴度两年前遭李逢吉排挤，出任山南西道节度使，连"同平章事"的荣誉衔都没有挂。敬宗不禁愕然。过后，敬宗又就此事询问新任宰相李程。

关键时刻，李程再次体现出了自己的正直。他力赞裴度贤能，请敬宗对裴度施以恩遇，以备大用。几天后，敬宗就下诏恢复了裴度的同平章事之衔，显然有召他回朝复相的意思。

众所周知，裴度是李逢吉的头号政敌。可现在，被李逢吉一手提拔上来的李程居然胳膊肘朝外拐，帮着裴度说话，这无疑极大地触犯了李逢吉的利益。

对李程这种"恩将仇报"的做法，李逢吉的恼怒可想而知。

一旦有机会，他必将毫不犹豫地除掉李程。

宝历元年九月，朝中发生了一起要案，李逢吉立刻意识到机会来了。事情起于一个叫武昭的人。此人本是裴度手下，在平定淮西时立下战功，深受裴度赏识，几经提拔，后来官至刺史。可几年后，裴度垮台，武昭也跟着遭殃，被贬到了一个闲散的位子上。武昭愤愤不平，自然对李逢吉极为恼恨。

武昭有个朋友叫李仍叔，时任工部的水部郎中，是李程的族人。因为李程和李逢吉不和，所以李仍叔就想帮李程做点事情。当他发现武昭对李逢吉满腹怨言时，顿时生出了借刀杀人的想法。有一次，李仍叔若无其事地对武昭说，本来李程是想起用他的，不料李逢吉极力反对，只好作罢。武昭闻言，更是对李逢吉恨之入骨。

此后，郁郁不得志的武昭时常借酒消愁，每次喝高了便破口大骂李逢吉。九月的一天，武昭又叫了三五个朋友一块喝酒，照例喝得酩酊大醉，对李逢吉当然也是照骂不误。几个朋友都听惯了，也不以为意。可没想到，武昭骂得兴起，最后居然爆出惊人之语，说他已经有了一个刺杀李逢吉的计划。

说者无心，听者有意。席间有人一听就把这事记下了，随后立刻把消息透露给了李逢吉的死党张权舆。张权舆马上向李逢吉汇报。李逢吉闻言，一个一箭双雕的计划立刻浮现在他的脑海。

几天后，李逢吉就暗中派人告发了武昭。

敬宗觉得此事非同小可，随即逮捕武昭，命三法司会审，同时把那天跟他一块喝酒的几个朋友也都抓了起来。被抓的人中，有一个人叫茅汇，时任左金吾兵曹，平时与李逢吉的私交不错。李逢吉马上授意侄子李仲言去探监，并且给茅汇带去了一句话。

李仲言对茅汇说："只要一口咬定武昭是受李程指使，你就性命无忧，否则，你必死无疑！"

李逢吉的目的很明显，就是要把裴度和李程都扯进来，将他们污为此案的主谋。一旦这个目的达到，不仅李程要被逐出朝廷，裴度回朝的希望自然也就破灭了。

然而，李逢吉万万没想到，到头来，不但他的如意算盘彻底落空，而且还搬起石头砸了自己的脚。

因为茅汇不是贪生怕死之辈，而是根硬骨头。他对李仲言说："即便蒙冤而死，我也心甘情愿！要我诬陷别人以求活命，不是我的为人。"

最后，茅汇如实向三法司陈述了事情经过，并将李仲言要他作伪证的事也说了。

案情就此水落石出。

这一年十月末，三法司宣布判决结果：武昭因蓄谋刺杀宰相，被判杖刑，乱棍打死；李仍叔无中生有，挑拨是非，被贬道州（今湖南道县）；李仲言唆使证人作伪证，妨害司法公正，流放象州（今广西象县）；茅汇知情不报，有包庇嫌疑，流放崖州（今海南琼山市）。

宝历元年末，朝中要求裴度回朝的呼声日益高涨，敬宗李湛也频频派人前往兴元（山南西道治所，今陕西汉中市）慰问裴度，并暗示很快将召他回朝。

面对这一切，李逢吉感到了莫大的恐惧。

最信任的侄子李仲言因武昭一案被流放，让李逢吉强烈意识到——自己在天子李湛心目中的地位已经大不如前了。

一旦裴度回朝，自己的权力和地位必将不保。

所以，李逢吉必须堵死裴度回朝复相的道路。

为此，他将不择手段。

把娱乐进行到死

宝历二年（公元826年）正月，裴度终于在朝野的共同盼望中回到了长安。差不多与此同时，一则奇怪的民谣忽然间不胫而走，没几天便传遍了长安坊间。

民谣唱道："绯衣小儿坦其腹，天上有口被驱逐。"

谁都看得出，这是冲着裴度来的。

"绯衣"等同"非衣"，合起来是一个"裴"字；"坦其腹"的"腹"字可以指代"肚"（度），所以这前半句指的就是裴度；而后半句的"天上有口"合起来，则是一个"吴"字。整句民谣的意思，就是暗指当年裴度平灭淮西吴元济之事。

如果单纯看这则民谣，很可能以为这是在赞颂裴度的讨平藩镇之功。不过，事情并没有这么简单。

因为，与民谣配套出笼的，还有一则流言。

和上面那个民谣比起来，这则流言的杀伤力可要强得多了。

流言说，长安城里由东到西横亘着六条高坡，很像《易经》中"乾卦"的"六爻"卦象。六爻之象，由下往上分别名为"初九、九二、九三、九四、九五、上九"，而裴度的宅邸，恰好位于第五道高坡上。这意味着什么呢？

这意味着——裴度之宅乃是"九五贵位"。

中国人都知道，古代皇帝有一个代称叫"九五之尊"，可见"九五"

是真龙天子的专用名词，任何人不得擅用，一旦有侵权嫌疑，他的麻烦就大了。

所以，把这则流言跟上面那个民谣结合起来看，某些人企图向天下人表露的信息就再明显不过了。那就是——裴度既有平藩之功，又有"九五之命"，这样的人想当天子，不也是顺理成章的吗？

正当这则居心叵测的流言在长安传得沸沸扬扬之际，有个人又趁热打铁地入宫觐见天子了。他急不可耐地对敬宗说："裴度名应图谶，宅占冈原，不召而来，其旨可见。"（《资治通鉴》卷二四三）

这个人就是李逢吉的死党张权舆。

看见张权舆如此热心地为流言做注解，敬宗心里不免犯了嘀咕：说裴度"宅占冈原"倒有几分靠谱，可说他"不召而来"就纯属臆测了。他明明是奉了朕的密诏才回京的嘛，怎么可能有什么企图呢？倒是你张权舆的问题很大。你如此热心地为流言作解，是不是有点此地无银三百两的味道呢？你究竟安的什么心？

张权舆安的什么心，明眼人其实都能看明白。翰林学士韦处厚便直言不讳地告诉敬宗：指不定这个张权舆就是流言的始作俑者。

换言之，韦处厚是在暗示敬宗——李逢吉八成就是这件事的幕后主使。敬宗虽然是个玩乐天子，但他并不傻，所以他也觉得这种可能性非常大。

在敬宗看来，假如这事真是李逢吉搞的，那这招也太损了，足以证明李逢吉是个卑鄙阴险的小人，如果让这种人继续把持朝政，肯定不是什么好事。相反，李逢吉如此不遗余力地陷害裴度，反而从客观上证明了裴度对朝廷的价值，也表明裴度的贤能并非浪得虚名。

于是，短短一个月后，敬宗就做出了命裴度复相的决定。

宝历二年二月，李逢吉一党企图陷害裴度的计划彻底落空，裴度被召回朝中，复任司空、同平章事。

李逢吉知道，自己完了。

他做梦也想不到，自己处心积虑搞这么多事，不但最终促成了裴度的复相，而且加速了自己宰相生涯的终结。

十一月，把持朝政达四年之久的李逢吉被逐出朝廷，外放为山南东道节度使。

虽然敬宗没把事情做绝，仍然让他挂着"同平章事"的荣誉衔，可李逢吉明白，一旦离开政治中枢，这个虚衔与其说是陪伴他走过余生的一种荣誉，还不如说是供他回首往事的一种凭吊。

在贯穿穆、敬两朝的这场政治较量中，权谋高手李逢吉尽管一度赢得钵满盆满，但最终还是被淘汰出局了。

然而，小人的出局并不意味着君子的胜利，重回相位的裴度也没有多少欣喜之情。

因为，业已成年的天子李湛对娱乐事业的热衷不仅丝毫未减，且有变本加厉之势。此外，他对宦官的宠幸也是一如既往。从某种程度上说，大唐帝国的命脉仍然掌握在王守澄等人的手中。

这些年来，朝中政局日非，四方藩镇跋扈依旧，当初与宪宗一起奋力打拼出的那个"元和中兴"早已成为凋谢的黄花。即便裴度仍然怀有老骥伏枥的报国之志，但是面对千疮百孔、积重难返的帝国，他也难免有力不从心之感。未来的日子，裴度知道自己唯一能做的，就是力所能及地对阉宦集团进行制衡而已。

在李湛登基的第一年，他虽然讨厌上朝，可还是不敢不上，顶多就是迟到而已。可从第二年起，他就开始跳票了，连朝也不上，整天跟宦官们厮混在一起，寻欢作乐，毫无节制，一个月上朝最多不过两三次，满朝文武连他的面都很少见到。

宝历二年，李湛虽然已经十八岁了，可他却玩得比以前还疯，声色犬马样样喜好，无不精通，其中尤以"打马球"和"掰手腕"最为擅长。

据说，天子在这两个项目上的竞技水平已跻身当时超一流选手的行列。为此，禁军和天下诸道纷纷向天子进献大力士，以供天子训练和比赛之用。

当然，最终他们都不是李湛的对手。于是李湛特意悬赏一万缗，命内侍宦官招募能与他交锋的高手。很快，又有更多体育健儿从四面八方涌来，夜以继日地陪伴在天子左右，随时与他切磋技艺。

当然，大部分应召而来的大力士都很清楚"友谊第一，比赛第二"的竞技原则，多数时候都会表现出比天子稍逊一筹的样子，可也有些人一时疏忽，在竞技中险些赢了天子，那他们就遭殃了，动不动就会被流放边地、没收家产。

与此同时，天子身边那些内侍宦官也会跟着遭殃，时不时就会挨上一顿鞭子。

宦官们人人自危，又恨又怕。

这样的情形，看上去让人觉得特别眼熟。

是的，此时的敬宗李湛很容易让人回想起当年的宪宗李纯。

一切都是如此似曾相识……

当年那个喜怒无常、滥施刑罚的宪宗皇帝就是被宦官杀死的。这件事外界不清楚，可在大明宫老老少少的宦官中间，却是一个公开的秘密。而今，敬宗李湛拿宦官不当人，他又会遭遇怎样的命运呢？

宝历二年（公元826年）十二月初八，天子李湛在外面打了一天的猎，深夜才回到宫中。可他意犹未尽，又召集内侍宦官刘克明和禁军将领苏佐明等人一起饮酒。

天子一通豪饮，很快就醉了。他摇摇晃晃地站起来，去内室解手。

刘克明和苏佐明等人交换了一下眼色。

一切心照不宣。

苏佐明跟在天子后面悄悄走进内室……忽然间，刘克明掷下一只酒杯，殿内烛光齐灭，黑暗中传出一个人重重倒地发出的闷响。

李湛死了。

这个年仅十八岁的青春皇帝就这样把娱乐进行到死了。

干掉天子后，刘克明等人当即伪造了一道圣旨，传翰林学士路隋草拟遗诏，命绛王李悟（宪宗第六子）主持军国大事。

十二月初九，宫中发布天子遗诏，绛王李悟登紫宸殿外廊，接见宰相和文武百官。

这突如其来的巨变让满朝文武面面相觑，百思不解。他们无论如何也不敢相信，那个浑身上下充满活力的青春天子，怎么可能在一夜之间说驾崩就驾崩了呢？

谁也不知道，昨天那个月黑风高之夜，皇帝的寝殿里到底发生了什么。满朝文武，只有一个人对此心知肚明。他就是枢密使王守澄。

作为当年谋杀宪宗的主谋之一，王守澄很清楚天子暴毙的真正原因。很显然，内侍宦官刘克明等人干了和他当年一模一样的事情，而他们的目的也是不言自明的，那就是拥立新君，控制朝政。

意识到这一点的时候，王守澄不敢耽搁，立刻召集右枢密杨承和，左右神策中尉魏从简、梁守谦（这四个当权宦官，被时人称为"四贵"），开了一个碰头会。

经过紧急磋商，"四贵"决定抢在刘克明等人之前动手。

十二月初九，禁军倾巢出动。大明宫内鲜血飞溅。刘克明一党和绛王李悟等全部被砍杀。同日，王守澄等人亲自赶往十六宅（李唐皇族的聚居地），迎请江王李涵入宫……

满朝文武还没从天子暴亡的突发事变中回过神来，眼前的一切再次令他们目瞪口呆。

江王李涵是穆宗李恒第二子、敬宗李湛的异母弟，时年十八岁，仅比李湛小几个月。当一群全副武装的禁军士兵在宦官的率领下不由分说地把他拥入宫中的时候，一脸苍白的江王李涵根本不知道发生了什么事，也不知道这群人到底要让他干什么。

不过他很快就知道了——他们是要让他当天子。

直到江王李涵站在金銮殿上，看见那张空空荡荡的帝座向自己蓦然敞开怀抱的时候，他仍然不敢相信这一切都是真的。

可它的确是真的。

第二天一早，宦官们就拥着李涵来到了紫宸殿的外廊，像昨天的绛王李悟一样，以储君的身份接见宰相和文武百官。

宝历二年十二月十二日，在以王守澄为首的宦官集团的拥立下，江王李涵登基为帝，更名李昂，是为唐文宗。

在新天子的登基大典上，王守澄似笑非笑的目光一直盯在新君李昂的脸上。

这样的目光意味深长——

今天，我把整座江山送给了你；明天，你将回报给我什么？

大典进行的过程中，新君李昂始终目不斜视，看上去似乎显得专心致志。

可是，他只用眼角的余光就读懂了王守澄那个诡谲的笑容——

我知道，该给你的我都会给你。你开启了我的帝王之路，你有定策之功，所以，我会给你梦寐以求的一切富贵。

不过，有一点你要搞清楚，这李唐江山是我父兄留下的遗产，不是你一个奴才可以随手送人的礼物。所以总有一天，我也会给你一样你不想要的东西。

那就是——惩罚。

一个僭越犯上、擅行废立的奴才应得的惩罚。

| 第五章 |

平藩、除阉、斗相，悲剧三重奏

向藩镇宣战

作为一个被宦官拥立的天子，而且是一个与敬宗年龄相仿的天子，刚刚上台的李昂是很不被大唐臣民看好的。

因为，穆、敬二宗将娱乐进行到死的那副德性太让人印象深刻了，并且鉴于遗传力量的强大作用，人们完全有理由怀疑——这个叫李昂的年轻人十有八九也是个顽主。

都说群众的眼睛是雪亮的，可是这回，群众却看走了眼。

新天子非但不是顽主，而且还颇有明主的潜质——他一上台就狠烧了三把火，把臣民们烧得那叫一个目不暇接。

李昂先是一道诏命遣散了三千多名宫女，接着又把"五坊"中专供皇帝狩猎用的大部分鹰犬都放生了，随后又裁汰了教坊、翰林院和内苑总监中的一千两百多名冗员，最后把御马坊和马球场的占地，以及穆、敬二宗私藏的钱帛和田地等物全部划归朝廷的有关部门。此外，新天子还一改敬宗不理朝政的恶习，不但该上朝的时候准时上朝，而且在朝会上还孜孜不倦地向宰相和百官询问政务，以至经常忘了退朝的时间……

很显然，新天子登场后的这一系列做法，是想树立一种去奢从俭、励精求治的新政风，与贪玩好色和荒废朝政的穆、敬二宗划清界限。也就是说，他希望用大刀阔斧的实际行动，来改写李唐天子一蟹不如一蟹的历史宿命。

这样的开局无疑是令人振奋的。

看着朝气蓬勃的年轻天子，人们仿佛又看到了当年的宪宗皇帝。

于是，原本弥漫在朝野上下的悲观情绪顿时一扫而光。长安士民争相庆贺，相信太平日子很快就会到来，而帝国的明天也一定会更好。（《资治通鉴》卷二四三："中外翕然相贺，以为太平可冀。"）

新年二月，朝廷大赦天下，改元"太和"。

新时代的大幕拉开了，人们都兴奋地期待着新天子的后续表现。

然而，事情并没有按照人们的希望发展。

除了刚开始的三把火，这位闪亮登场的新天子并没有给人们带来更多的惊喜。

李昂登基不过数月，宰相们就发现，这位新君虽不乏宪宗皇帝年轻时那种虚怀纳谏的雅量，但他却远远不具备宪宗那种说一不二、雷厉风行的作风。

这些日子以来，君臣们在朝会上为帝国的未来描绘了许多美妙的蓝图，也煞费苦心地制定了一系列重大决策，可往往是昨天刚刚研究出来的东西，还没来得及实行，第二天就被天子本人莫名其妙地推翻了。

当这种出尔反尔的现象屡屡发生之时，宰相们的积极性自然是备受打击。

太和元年（公元827年）四月，新任宰相韦处厚终于忍不住了，在延英殿上对天子发了一通牢骚，并愤然提出辞职。

天子赶紧赔笑脸，并且说了一大堆好话。

韦处厚很无奈，最后只好收回了辞职请求。虽然他心里仍有些不快，可其实他也知道，天子之所以屡屡出尔反尔，并不完全是主观性格使然，而是有着难言的苦衷。

准确地说，天子背后有一只无形的手，足以通过天子左右帝国大政。这是谁的手？答案很简单——权宦王守澄。

事实上，从文宗李昂即位的那一刻起，王守澄就已经毋庸置疑地成了帝国政治的幕后推手。不管什么事情，只要王守澄说不的，李昂就绝不敢说是。不管文宗君臣对帝国的未来作出了怎样的规划和设想，王守澄都拥有最终裁决权和一票否决权。

这是天子的无奈，更是帝国的悲哀。

然而，冰冻三尺非一日之寒。"宦官乱政"的现象由来已久，绝非一朝一夕所致。任何人试图挑战宦官集团的权威，都必须考虑自己的身家性命，并且还要掂量自己的分量和实力。对此，无论是位居宰辅的韦处厚，还是君临天下的李昂，都概莫能外。

当然，天子宰相和满朝文武都奈何宦官不得，不等于天下士人就会对这种反奴为主、太阿倒持的政治乱象始终保持沉默。

太和二年（公元828年）三月，在文宗李昂亲自主持的"贤良方正"科的策试中，一个叫刘蕡的考生就呈上了一份慷慨激昂的策论，对宦官乱政和藩镇割据的现象进行了猛烈的抨击，终于替天下士人出了一口恶气，也替朝堂上的衮衮诸公说出了想说而不敢说的话。

刘蕡的策论文采斐然，切中时弊，而且把宦官和藩镇骂了个狗血喷头。上至天子，下至百官，所有看过卷子的人都觉得这个刘蕡实在是太有才了，骂得也实在是痛快！

可是，有才归有才，痛快归痛快，就是没人敢录取他。

因为没人敢得罪宦官。

包括天子李昂在内。

半个月后，朝廷张榜，同科应考的杜牧、裴休等二十二人皆被朝廷录取，且被授予官职，唯独刘蕡名落孙山。上榜的考生们义愤填膺地说："刘蕡落第，我辈登科，岂不令人汗颜！"随即联名上疏，请求把他们的官职转授刘蕡。与此同时，京城的舆论也一片哗然，纷纷为刘蕡鸣冤叫屈。

然而，天子和朝廷始终未作任何表态。

最后，刘蕡默默收拾行囊，黯然离开了长安。据说，刘蕡后来辗转数道，先后做了几个节度使的幕僚，终其一生也未能正式入仕，到死都是个不入流的"吏"。

不过，话说回来，刘蕡的这种结局也未尝不是好事。

道理很简单——连天子本人都是泥菩萨过河自身难保了，他一个小小的刘蕡就算入仕为官，不也是宦官砧板上的鱼肉吗？

这些年来，除了"宦官乱政"令人心焦之外，帝国的藩镇事务也是一笔让人无奈的糊涂账。

穆宗一朝，成德出了个王庭凑，卢龙出了个朱克融，魏博出了个史宪诚，武宁出了个王智兴。无一例外，全都是通过兵变上台的。穆宗李恒像是一个有心无力的救火队员，刚开始还东奔西突地扑了几下，后来发现再怎么努力也是白搭，索性闭上眼睛当鸵鸟，对藩镇一律采取妥协政策。

到了敬宗一朝，局面更是混乱不堪。先是昭义的刘从谏父死子继，朝廷承认他为留后，不久又任其为节度使。紧接着，幽州又发生兵变，乱兵杀了朱克融和他的长子朱延龄，拥立其次子朱延嗣接管军政。稍后，兵马使李载义又杀了朱延嗣和他一家三百多口，自立为留后。敬宗照例听之任之，于数月后任其为节度使。

差不多在此前后，横海（治所在今河北沧州市）节度使李全略死了，他的儿子、节度副使李同捷又擅自兼任留后。文宗登基后，李同捷随即送他的两个弟弟入朝为质，希望以此换取朝廷对他的任命。

对李昂来讲，这显然是他帝王生涯中的第一个考验。

如果承认李同捷，那无异于自动承认自己跟穆、敬二宗毫无二致，都是奉行鸵鸟政策的窝囊天子；如果拒绝承认，那就意味着一场战争。

刚刚即位的文宗李昂，敢下决心和藩镇开战吗？

他不敢。

可是，既想避免战争，又不甘心被藩镇牵着鼻子走，该怎么办？

文宗想来想去，最后只好采取折中的办法，把天平（治所郓州，今山东东平县）节度使乌重胤调往横海，再把李同捷调往兖海（治所兖州，今属山东）。

文宗本以为这样一来，既遂了李同捷当节度使的愿，又维护了朝廷的脸面，也算是个两全其美之策。

然而，接到调令的时候，李同捷却发出了一声冷笑。

在他看来，天子这一招叫作调虎离山。

老虎一旦离开自己的山头，被人扒皮的日子还会远吗？

这么简单的道理，李同捷不会不懂。于是他假托被将士留住，拒绝赴任。

文宗犯难了。

他意识到，眼下的河北诸藩早已被穆、敬二宗宠坏了，朝廷要么听之任之，要么断然宣战，二者必居其一，没有中间道路可走。

怎么办？

是不畏强藩迎难而上，继承宪宗遗志，让昙花一现的中兴大业重放光芒，还是无所作为得过且过，步穆、敬二宗之后尘，关起门来做一个奉行鸵鸟政策的"太平"天子？

要论志向，打从江王时代起就熟读《贞观政要》、对太宗皇帝充满无限景仰的李昂绝不至于胸无大志。对于安史之乱以来的历史积弊，以及穆、敬年间的种种政治乱象，他也看得比任何人都清楚。所以，在内心深处，李昂的中兴李唐之志绝不在当年的宪宗李纯之下。

如今，李昂唯一缺少的，也许就只有行动的勇气了。

太和元年盛夏的那些日子，大明宫中燠热难当，李昂在辗转反侧中度过了几个不眠之夜。最后，他终于做出了抉择——向藩镇宣战。

他要用行动向天下人证明，如今的大唐天子绝不是一个空怀梦想、志大才疏的人，他有信心、也有能力维护朝廷的纲纪和尊严，重塑李唐中央的权威。

这一年八月，文宗毅然下诏，革除了李同捷的所有官爵，命乌重胤、王智兴、史宪诚、李载义、李听等七道节度使发兵讨伐。

志大"财"疏：文宗的软肋

朝廷的宣战书一下，诸藩立刻产生了不同的反应。

武宁节度使王智兴表现得最积极，不仅亲率三万大军开赴战场，而且自备了五个月的军粮。当然，王智兴之所以如此自告奋勇，并不见得是出于对朝廷的忠心。首先，武宁地处江淮，与河北的利益联结不是很紧密；其次，王智兴也未尝不是想利用朝廷与河北的矛盾，趁机扩大自己的势力范围。

比较让人意外的是，历来同穿一条裤子的河北三镇，此次在对待横海的问题上，却采取了很不相同的立场。

横海虽然位于河北境内，但与卢龙、魏博、成德这三个造反专业户比起来，跟朝廷打架的经验要少得多，本身的实力也小很多。所以，朝廷一发出讨伐令，李同捷就赶紧给三位老大送了一大堆珍玩和美女，希望他们出手相助。

面对李同捷的贿赂和求援，三镇的反应各有微妙之处。

最先作出反应的是卢龙节度使李载义。当李同捷的侄子带着礼物来见他时，李载义想都不想就把他绑了，随后连人带东西一块献给了朝廷，做得相当绝情，一点面子也不给。

李载义之所以急于跟横海划清界限，原因自然也不是出于忠诚，而是出于心虚。

作为一个靠兵变上台的节度使，李载义很清楚，自己上位的合法性其实远比李同捷弱得多。人家至少还是父死子继的，而自己却是篡位夺权的。如今，朝廷居然派他这个篡位的去打那个世袭的，显然是给他一个表露忠心、塑造忠臣形象的机会。不管李载义心里怎么想，至少在表面上，他很有必要利用这个机会把自己洗洗白，以加强自己权力的合法性，巩固节度使的地位。

此外，被他杀掉的前任节度使朱延嗣是朱滔后人，虽然朱氏已被他灭门，但毕竟好几代人当过节度使，在卢龙将士中不乏拥趸，如果李载义不能趁这次机会取得朝廷的信任和支持，日后能否坐稳节度使的位子，实在很难说。因此，无论从哪个角度来讲，他都必须对横海摆出一个强硬的姿态。

相对于态度鲜明的李载义，魏博史宪诚的立场则是相当暧昧。

因为史宪诚被横海和朝廷夹在了中间——一方面，他跟李同捷的父亲李全略有姻亲关系，现在李同捷有难，不拉一把似乎说不过去；可另一方面，朝廷又把他也列入了讨伐李同捷的阵营，这既像是对他表示信任，又像是在试探他。

史宪诚颇感为难，只好采取骑墙策略，一边暗中给李同捷资助粮草，一边赶紧派人入朝，去摸朝廷的底。

魏博使者首先拜会了元老裴度。众所周知，自宪宗时代起，裴度就是朝廷处理藩镇事务的核心人物，所以，摸清他对魏博的看法，也就等于摸清了朝廷的底牌。

让魏博使者喜出望外的是，裴度对史宪诚非常信任，居然一再表态，说他相信史宪诚对朝廷绝无二心。

有道是智者千虑必有一失。

这一回，裴度对史宪诚算是彻底看走眼了。

不过，明眼人还是有的。当魏博使者又赶到中书省，去拜见中书侍郎韦处厚时，却在这里碰了一鼻子灰。

韦处厚斜乜了使者一眼，慢条斯理地说："听说，裴大人在皇上面前力保你家大帅，说愿用阖家百口的性命，为你家大帅担保。可惜，我韦某人跟裴大人看法不同。我只想睁大眼睛，看你家大帅的实际行动。回去告诉史大人，不管他干了什么，朝廷自有纲纪法度在，该赏则赏，该罚则罚，绝不含糊！"

使者忙不迭地跑回魏博，向史宪诚转述了韦处厚的话。

史宪诚听出了一身冷汗。

他知道，韦处厚深受天子信任，在如今的朝廷，其地位和作用绝不亚于裴度。所以，如果自己继续玩首鼠两端的把戏，搞不好就是给李同捷当陪葬。

意识到此，史宪诚不得不停止了对横海的资助，并于数月后出兵讨伐李同捷。

在河北三镇中，唯一支持横海的，只有成德的王庭凑。

因为王庭凑对朝廷很不满。

此次讨伐李同捷，朝廷给卢龙和魏博都派了任务，唯独把他成德漏掉了，这是无心之失吗？

显然不是。

这是因为朝廷不信任他。

王庭凑一想到这个就火大——那李载义和史宪诚还不是跟我一样，也是靠兵变上台的，凭什么他们能扛着朝廷的旗号出征，我王庭凑就该被甩在一边？

当然，王庭凑这次力挺李同捷，并不仅仅是出于被朝廷冷落的那种醋意。更重要的是——他感到了一种被朝廷打入另册的恐惧。

既然朝廷在河北三镇中最不信任他，那么一旦摆平李同捷，接下来要收拾的，岂不就是他王庭凑吗？！出于这样的危机感，王庭凑自然要跟李同捷结为盟友，共同对抗朝廷了。

太和元年秋，经过一番利益权衡，河北三镇各自选择了自己的阵营，两个投向朝廷，一个靠向了横海。

这年冬天，双方开打。

此时的文宗李昂当然不会想到，这场平藩之战虽然最终取得了胜利，但朝廷却为此付出了沉重的代价。

这场战争前后打了将近两年。

第一年冬天，文宗失去了他最为倚重的平叛主将乌重胤。

第二年冬天，他又失去了最为信任的心腹宰相韦处厚。

当然，这一对文臣武将并非直接死于战争，而是因病去世的，但是对即位不久的文宗李昂来说，显然是个不小的打击。

左膀右臂的遽然离去，令文宗哀伤不已，而接下来发生的事情，更是让他落入了焦头烂额的窘境。

由于王庭凑公然支持李同捷对抗朝廷，文宗不得不在太和二年九月同时讨伐王庭凑，在横海与成德之间两线作战。

战争规模的进一步扩大，直接导致的后果就是军费开支的急剧增长。本来，花钱如流水的穆、敬二宗就没给李昂留下多少家底，如今，高速运转的战争机器又像是一头张着血盆巨口、并且永不餍足的巨兽，无情地吞噬着李唐天下的民脂民膏和捉襟见肘的帝国财赋……

看着迅速被耗干的国库，文宗李昂感到了深深的无奈和悲哀。

太和三年（公元829年）四月十九日，这场旷日持久的战争终于进入了尾声。新任横海节度使李祐攻克横海重镇德州（今山东陵县）；同日，卢龙节度使李载义攻破了横海治所沧州外城。

眼见着大势已去，李同捷只好向朝廷投降，不久便被朝廷的宣慰使砍杀。

是月底，李同捷的首级传送京师，横海宣告平定。

文宗李昂无力地笑了。

与其说这是胜利的笑容，还不如说是近乎虚脱的、庆幸的笑容。

假如李同捷再坚持半年，先垮的肯定不是他，而是朝廷。

因为朝廷再也拿不出军费了。

虽然赢得十分惊险，但文宗毕竟为朝廷赢回了丧失已久的尊严。所以，他还是感到了一丝欣慰。

然而，李昂断然没有想到，就在李同捷败亡不久，魏博旋即又爆发了一场兵变。

就是这场兵变，将文宗朝廷历尽艰辛赢得的胜利果实毁于一旦。

平定横海后，为了彻底铲除后患，文宗作出了一系列重大的行政和人事安排。命魏博节度使史宪诚转任河中（治所在今山西永济市），命义成节度使李听兼镇魏博；同时，把魏博辖下的相州（今河南安阳市）、卫州（今河南卫辉市）、澶州（今河南内黄县东南）三地划出去另设一道，并另行委派了节度使。

魏博的骄兵悍将眼看自己的藩镇即将被朝廷肢解，不约而同地把目光转向史宪诚，希望他能在这紧要关头挺身而出，维护藩镇和地方将士的利益。

可结果却令他们大失所望。

史宪诚既然在讨伐横海时倒向了朝廷，现在当然要跟朝廷步调一致了。因此，他不但心甘情愿服从了朝廷的安排，而且还把魏博府库中的金银绸缎搬运一空，准备全部带往河中。魏博将士忍无可忍，于六月底发动兵变，杀死了史宪诚，拥立兵马使何进滔为留后。同日，毫不知情的节度使李听抵达魏州（魏博治所，今河北大名县），准备接管魏博。何进滔趁其不备发兵进攻。李听仓促应战，结果招致惨败，士卒死伤过半，余皆逃散，辎重和粮草全部落入何进滔之手。李听仅以身免，仓皇逃回滑台（义成治所，今河南滑县）。

消息传来，文宗李昂目瞪口呆。

国库早就已经见底，如果接着对魏博开战，朝廷拿什么充当军队的粮饷呢?

此时此刻，李昂终于明白了一件事：在这个世界上，最令人痛苦和无奈的事情不是志大才疏，而是——志大财疏。

太和三年八月初，文宗被迫任命何进滔为魏博节度使，而且把相、卫、澶三州归还给了魏博。八月二十五，文宗又下诏赦免了成德的王庭凑及其部众，恢复了他们的所有官爵。

轰轰烈烈的平藩之战，就此功败垂成。

与藩镇的第一次较量居然以这样的结局收场，对即位不久的李昂来讲，实在是一个致命的打击。他感到，燃烧在自己胸中多年的中兴壮志，仿佛一下子就熄灭了，并且化成一道青烟袅袅飘散。

李昂从此变得一蹶不振。

终其一生，他再也没有从这次失败的阴影中走出来。

即便后来有钱了，这个深感"志大才疏"的天子在平藩事务上也没有恢复早年的斗志和勇气，而是变得跟他的父兄如出一辙——成了一个彻底的妥协主义者。

对一个曾经胸怀大志的人来讲，这样的结果实在是充满了悲剧色彩。然而，当我们纵观文宗李昂十四年的帝王生涯，我们发现，和他此后要遭遇的一连串失败比起来，太和三年平藩之战的功败垂成实在算不上什么。

换句话说，李昂的悲剧人生才只是刚刚开始。

牛李党争：半个世纪的政治风暴

自从心腹宰相韦处厚遽然离世，李昂心里就有了一种空荡荡的感觉。平藩之战功败垂成后，他的无助之感愈发强烈。太和三年秋天，抑郁寡欢的李昂除了上朝之外，大多数时间都把自己关在御书房里，与一册册经书史籍为伴。

一个人默默读书，既是李昂从小养成的习惯，更是他自我疗伤的不二法门。

李昂从来不喜欢声色犬马。尤其是情绪不佳的时候，更是对种种歌舞伎乐、射猎宴游等娱乐活动敬而远之。

不仅如此，对于任何虚浮奢华之物，李昂似乎都有一种天生的反感和厌恶。

有一次，驸马韦处仁入宫来见他，头上戴着当时很流行也很昂贵的一种头巾，叫"夹罗巾"。文宗一看，马上面露不悦，说："朕当初把公主许配给你，是因为看上你家门风清素。像这种头巾，就让那些贪慕虚荣的贵戚去戴好了，你最好别戴。"

事实表明，文宗李昂的确是个难得一见的清谨自律的皇帝。从这个角度来看，他即位之初所表现出的种种去奢从俭的作风，显然不宜被视为政治上的作秀，而应该是居于他与生俱来的性格。远的暂且不说，仅与他的父兄，一辈子纵情声色的穆、敬二宗比起来，文宗李昂的淡泊寡欲就是难能可贵的。

然而，要当一个好皇帝，仅凭"俭朴自律"四个字是远远不够的。尤其是想在忧患深重的中晚唐做一个振衰起敝的皇帝，就更需要各种素质和能力的配合。至少，坚定的意志和果决的行动力，绝对是一个身处逆境的皇帝不可或缺的。

遗憾的是，文宗李昂在这方面明显偏弱。

一个文弱的皇帝，要想在内忧外患的乱世之中有所作为，他能依靠什么？

唯一的答案只能是——依靠强势宰相的鼎力辅佐。

自从安史之乱以来，历任大唐天子在平藩事务上的得失成败，很大程度上取决于他们身边的宰相，或者说取决于他们起用了什么人当宰相。

比如德宗年间之所以爆发"建中之乱",奸相卢杞在其中就起了很大作用;而宪宗皇帝之所以能收获元和中兴的果实,除了他自身的决心和能力之外,应该说当时的几位宰相都是功不可没的。诸如李绛、裴度、武元衡等,都是满腹韬略、深谋远虑的人物。

对此,终日手不释卷、熟悉唐朝历史的文宗李昂当然不会不知道。

可眼下,文宗却发现自己身边几乎没有一个像样的宰相。

韦处厚去世后,翰林学士路隋入相,可他上位后碌碌无为,不像是能力挽狂澜的角色。如今,朝堂上硕果仅存的,就只有那个从德宗时代起便已入仕的六朝元老裴度了。

但是,此时的裴度已经六十七岁,年近古稀,纵然他内心仍保有壮士暮年、雄心未已的报国热情,可毕竟年纪不饶人。这几年来,裴度的身体已是每况愈下,脑力和精力都已严重衰退、今非昔比了。在此情况下,文宗和裴度几乎是不约而同地意识到,此时的朝廷必须赶紧起用几个年富力强的宰相,否则就算不耽误政事,也会让藩镇耻笑中央无人。

太和三年八月,裴度向文宗推荐了一个人。

此人时任浙西观察使。文宗仔细了解了他的背景和资历后,也觉得挺满意,随即召他回朝就任兵部侍郎,准备择日拜相。

此时的文宗和裴度当然不会料到,唐朝历史上前所未有的一场政治风暴,就将由这个人引发,并最终席卷整个帝国政坛。

他,就是"牛李党争"的主角之一——李德裕。

李德裕,字文饶,出身于名门望族赵郡李氏。他的父亲,就是宪宗朝的宰相李吉甫。也许是由于出身显赫,李德裕从小就有一种莫名的优越感,非常看不起那些热衷于科举的士子,甚至对科举取士的制度怀有强烈的抵触情绪。

因此,从小到大,李德裕都没有参加科考。尽管他读书很用功,学业也很好,却连乡试都没参加过,颇有些恃才傲物、特立独行的做派,其情形就跟今天的某些年轻人一样，对应试教育颇有微词，对千军万马挤独木桥的高考制度尤为不屑，所以死也不参加。

不过，一个人试图挑战既定的社会规范，肯定要具备某种傲人的资本，否则不要说什么出人头地，能不能养活自己都是个问题。

当然，李德裕没有这个问题，因为他是官二代。

在唐朝，官二代不参加高考，大家都是很能理解的。因为唐朝的入仕之途有两条，一为科举，一为门荫。所谓"门荫"，说白了就是前人栽树后人乘凉，老爸拥有高官显爵，儿子自然就有官做。这是受当时法律保护的。

既然如此，身为当朝宰相李吉甫的儿子，李德裕自然有资格对高考说不。

元和初年，李德裕在地方上当了几年低级官员，大约于元和十一年入朝，历任大理评事、殿中侍御史、监察御史等职。穆宗初年，李德裕升任翰林学士，不久又兼任中书舍人。当时的禁中书诏多出自他的手笔，故与同任翰林的元稹、李绅并称一时才俊。

一开始，李德裕的仕途可谓一帆风顺。凭着父亲早年的威望，加上自己的才学，年纪轻轻的李德裕就混得如鱼得水，距离父亲当年坐过的那个位子，似乎也并不遥远。

然而，到了长庆二年，随着李逢吉的复相，李德裕的仕途顺风船就触礁搁浅了。

早在元和年间，李逢吉与李吉甫的政见就多有抵牾。后来，李吉甫在宪宗支持下，把李逢吉贬出了朝廷，二人由此结下梁子。现在，李逢吉又回来了，当然要拿仇人的儿子开刀。李德裕旋即被逐出翰林院，先是调任御史中丞，后又贬为浙西观察使，从此远离政治中枢。

在浙西观察使任上，李德裕一待就是七八年，始终未获升迁。回想早年的春风得意，李德裕觉得当下的处境无异于坐牢。这些年来，李德裕几乎日夜都在引颈西望，无时不在等待那道宣他回朝的诏书。

而今，他终于熬到头了。

一接到诏书，如逢大赦的李德裕立刻踏上了回京之路。

离开浙西的那一天，尽管时节已近暮秋，可李德裕还是有一种冰雪消融、如沐春风的感觉。因为，凭着多年从政的经验，他已经从朝廷的诏书中读出了一丝特殊的意味。

准确地说，那是文宗将对他委以重任的暗示和期许。

李德裕相信，七年前与他擦肩而过的宰相之位，这一次肯定是非他莫属了。

然而，李德裕万万没想到，就在他披星戴月、马不停蹄地赶往长安的时候，有个人已经抢在他前面，一举扼杀了他入阁拜相的可能性。

这个人，就是"牛李党争"的另一个主角——李宗闵。

说起李宗闵，就必然要提到他的一位亲密战友，也就是"牛李党争"的第三位主角——牛僧孺。

当时，朝野上下无人不知，李宗闵和牛僧孺是李吉甫父子在政坛上的宿敌。

要说清他们之间的宿怨，还要从二十一年前讲起。

李宗闵和牛僧孺是一对典型的难兄难弟，两人于贞元末年同登进士榜。及第后，李宗闵授华州参军，牛僧孺授伊阙县尉。宪宗元和三年春，朝廷举行"贤良方正"制举考试，李宗闵和牛僧孺又同时入京赴考。而他们与李吉甫父子的宿怨，就缘于这次考试。

当时，李、牛二人年轻气盛，为了引起主考官和天子的重视，就在策试中放言抨击时弊，指陈朝政缺失。主考官杨于陵、韦贯之非常欣赏，便把他们列为甲等。宪宗皇帝看过试卷后，也甚为嘉许。

然而，李宗闵和牛僧孺等人的大胆言论却把当朝宰相李吉甫往死里得罪了。

在李吉甫看来，这几个考生抨击朝政就等于是在抨击他这个当朝宰辅，而天子和主考官对他们的录用和赏识，也无异于是在扇他李某人的耳光，这口气要是吞下去，日后他李吉甫如何号令百官？如何在朝堂上立足？

李吉甫愤然而起，立刻去找宪宗告状。

当然，他不会说这些人得罪了他，而是声称本次策试的复试主考官之一、翰林学士王涯是某位考生的亲舅舅，可王涯不但不避嫌，还录取了他的外甥，这说明了什么？这说明本次科考有暗箱操作、任人唯亲的嫌疑。

宪宗虽然多少能猜出几分李吉甫的真实用心，可他刚登基不久，事事需要倚重宰相，自然不愿为此跟宰相把关系搞僵。无奈之下，宪宗只好把主考官杨于陵、韦贯之、王涯等人全部贬谪。而李宗闵、牛僧孺等人也从此上了朝廷的黑名单，长期不得升迁。

因言获罪的李宗闵和牛僧孺虽然满腔怨愤，却无计可施，最后只能自谋出路，在各地藩镇漂流辗转，当了好几年的低级幕僚。

元和七年，李吉甫病殁，李宗闵和牛僧孺头上的紧箍咒总算是解开了，遂双双入朝担任监察御史，不久又同迁礼部员外郎。

元和十二年，李宗闵被裴度举荐，随他出征淮西；平定淮西后，因功擢任驾部郎中，并以本官兼知制诰[1]；穆宗即位后，又升任中书舍人。

与此同时，牛僧孺的仕途也是扶摇直上，历任库部郎中兼知制诰、御史中丞、户部侍郎等职。

眼看李宗闵和牛僧孺这几年不但咸鱼翻身，而且一路平步青云，大有入相之势，时任翰林学士的李德裕坐立难安，随即利用为天子侍讲的有利身份，不断对穆宗施加影响。长庆元年，李德裕终于抓住李宗闵的一个把柄，再度把他逐出朝廷，贬为剑州（今四川剑阁县）刺史。

李德裕如此不忘旧怨，挟私报复，顿时激起了李宗闵对他更为强烈的仇恨。

君子报仇，十年不晚。

被远谪巴蜀的李宗闵每天面朝长安，心里反复念叨的只有这句话。

---

1 所谓"知制诰"，即参与禁中诏敕的策划和草拟，虽官秩不高，但位居要津，可在一定程度上影响天子决策。

他相信，自己总有一天会东山再起。

而到了那一天，他必将以其人之道还治其人之身。

有道是风水轮流转。几年后，形势果然发生了巨大变化。一方面，死对头李德裕被宰相李逢吉贬到了浙西；另一方面，亲密战友牛僧孺又因李逢吉引荐而拜相。李宗闵就此时来运转，于穆宗末年回朝复任中书舍人；敬宗年间，升任礼部侍郎，后迁兵部侍郎；文宗即位后，又调任吏部侍郎。

从元和三年（公元808年）到太和三年（公元829年），李吉甫、李德裕父子与李宗闵、牛僧孺就这样你来我往、乐此不疲地斗争着。在这漫长的二十一年里，他们之间的仇恨非但没有因时光的流逝而逐渐淡化，反而由于无休止的冤冤相报而愈演愈烈。对他们来说，朝廷授予的官职和权力与其说是供他们报效国家、造福社稷所用的，还不如说是供他们发泄私怨、打击对手的工具。

假如他们当中的任何一个人能够认识到这种斗争的无聊和无益，从而多一丝宽容、少一分狭隘的话，那么这场绵延半个世纪、波及整个政坛的"牛李党争"，应该是可以避免的。可惜的是，不管是李德裕，还是李宗闵和牛僧孺，都没有人愿意放弃仇恨。

所以，随着他们三人地位和权力的提升，这场原本纯属私人恩怨的斗争，也就注定要发展成具有党派性质的大规模的"政治械斗"。

而太和三年秋天，就成了这场"牛李党争"从暗流涌动发展到公开对决、从个人斗争发展到党派斗争的重要节点……

听到李德裕即将回朝，并且很可能入相的消息后，李宗闵产生了极大的恐惧。

李宗闵很清楚，无论他们中的哪一个先行入相，对方势必会在第一时间被贬出朝廷。所以，他必须和时间赛跑，不惜一切代价抢在李德裕之前入相。

论资历，他和李德裕旗鼓相当，可要论人脉，他显然比李德裕深厚得多。因为李德裕这些年远在浙西，而李宗闵身为朝廷的吏部侍郎，无疑拥有近水楼台先得月的优势。

接下来的日子，李宗闵开始发挥自己的优势，通过关系层层转托，终于攀上了时任右枢密使的宦官杨承和。

众所周知，早在敬宗年间，这个杨承和就是"四贵"之一，与王守澄等人都是拥立文宗的功臣，由他出面力挺，李宗闵觉得自己胜算可以说是很大的。

虽然，依附宦官这种事历来为天下士人所不齿，也是李宗闵自己在二十一年前极力抨击的时弊之一，但是，此刻的李宗闵已经顾不了那么多了。

为了报仇雪恨，为了扳倒李德裕，如今的李宗闵没有什么事是不能干的，更没有什么原则是不能放弃的。

在权宦杨承和的干预下，后来发生的一切就顺理成章了。

太和三年八月二十五日，吏部侍郎李宗闵入相。

九月十五日，刚刚回到长安、才当了几天兵部侍郎的李德裕就被罢去朝职，外放为义成节度使。

太和四年（公元830年）正月十六日，因李宗闵举荐，武昌节度使牛僧孺回朝担任兵部尚书、同平章事，与李宗闵同朝为相，共执朝柄。

当年被李氏父子极力打压的这对难兄难弟，如今终于翻身做主，成了满朝文武马首是瞻的宰辅重臣。

随后，李、牛二人开始以其人之道还治其人之身，联手实施政治清洗——一批被视为"李党"（李德裕之党）的朝臣纷纷落马，就连德高望重的六朝元老裴度也未能幸免。

尽管裴度在元和末年对李宗闵有过知遇之恩，可举荐李德裕入相这件事，却让李宗闵始终耿耿于怀。仅凭这一点，他就有理由把裴度划归李党。太和四年九月，李宗闵便借故将裴度逐出了朝廷，外放为山南东道节度使。

李党遭到清洗的同时，另一批朝臣纷纷投奔到李宗闵和牛僧孺麾下，趁此机会攫取权力、排斥异己。为了区别于"李党"，历史上就把这一强势崛起的阵营称为"牛党"（牛僧孺、李宗闵之党）。

一时间，"凡德裕之善者，皆斥之于外……牛、李权赫于天下。"（《旧唐书·李宗闵传》）

没有人会料到，元和三年的那个春天，李宗闵和牛僧孺这两只官场小蝴蝶无意间扇动了一下翅膀，竟然会在此后的四十多年里，掀起一场席卷整个帝国政坛的政治风暴。

从宪宗时代起，历穆、敬、文、武、宣，前后六朝，帝国大部分高层官员相继卷入这场规模空前的党派斗争。牛、李党人均以正人君子自居，矢口否认自己结党，而极力抨击对方都是结党营私的卑鄙小人。只要其中一党的成员夺取了宰相之位，立马便会擢升本党成员占据重要职位，对另一党展开无情的报复和清洗。而一旦时移势易，另一党便会卷土重来，对掌权的这一党实施反攻倒算……

在中晚唐将近半个世纪的时间里，牛、李二党就这样你方唱罢我登场，频频上演这一出既刺激又无聊、既新鲜又雷同的历史大戏。

直至牛、李二党的党魁去世之后，他们的徒子徒孙依然相互攻讦，倾轧不止。

在这场大规模的政治械斗中，国家安危、天下兴亡、百姓祸福、朝政得失，全都被牛、李党人弃之不顾，赤裸裸的党派利益和个人利益成为他们立身处世的最高原则。为了抢班夺权、打击对手，这些熟读圣贤书的士大夫甚至不惜出卖人格，投靠宦官，致使阉宦集团的势力更加强大，气焰更为嚣张。

如此恶劣的党派斗争，对于早已忧患重重的李唐王朝来讲，无异于雪上加霜。

内有宦官擅权，外有藩镇跋扈，中间又夹着一个朋党之争。它们就像三具重轭，沉沉压在大唐第十四位天子李昂的肩头。

年轻的文宗李昂就这样在历史的重负下踉跄前行。

他的眼神迷惘而无助。

他的前方，危机四伏……

流产的"除阉计划"

文宗李昂有时候经常觉得，自己和穆、敬二宗其实没有本质上的区别，都是窝囊天子。尽管他比父兄更自律、更勤政、更有志向，可这个世界历来是以成败论英雄的，如果你拿不出实实在在的业绩，你说你多努力都没人会相信，甚至连你自己都不相信。

自从即位以来，李昂发现自己多当一天皇帝，就会多一分无力之感——面对割地自专的跋扈藩镇，他无力；面对甚嚣尘上的文臣党争，他无力；面对反奴为主、不可一世的宦官集团，他更无力。

在这三者中，藩镇和朋党固然可恶，但李昂多少还能容忍，毕竟他们不会直接颠覆他的帝位，危及他的生命，充其量只能算是远患。让李昂感到最可恨也最可怕的，其实是擅权乱政的宦官。

李昂心里很清楚，宪宗和敬宗都是死在宦官手里的，这是李唐皇族的奇耻大辱，更是不可忘怀的血海深仇；可充满讽刺意味的是，李昂自己偏偏又是宦官拥立的，假如没有权宦王守澄等人的弑逆犯上，也就不可能有李昂的今天。这笔糊涂账，到底该怎么算？

也许，只能把恩和仇分开来算。

李昂登基后，为了报答王守澄的拥立之功，不得不让他在枢密使的职位上又兼任神策中尉，不久又拜其为骠骑大将军，可谓荣宠备至。王守澄从此一手遮天，不仅招权纳贿，而且肆意干预朝政，俨然已有架空皇帝之势。

对李昂来说，这才是真正的心腹大患。

如今，该报的"恩"，李昂都已经报答了。接下来，是不是应该报仇了呢？

答案是肯定的。

实际上，从登基的那一天起，李昂就已经打定主意要剪除宦官了。这不光是为宪、敬二宗报仇的问题，更是李昂必须采取的自保之策。原因很简单，既然这些肆无忌惮的阉宦当初可以不费吹灰之力就杀了宪、敬二宗，如今他们也可以随时随刻取他李昂的性命，另行拥立天子。

只要他们觉得有动手的必要，估计连眼睛都不会眨一下。

所以，李昂知道，自己必须先下手为强，否则迟早有一天会步宪、敬二宗之后尘，成为这帮阉宦的刀下之鬼。

对付宦官是一件具有高度危险系数的事情，需要有胆识、有能力、并具备高度忠诚的人来承担，否则，一着不慎就会满盘皆输。

然而，让李昂深感无奈的是——他身边几乎无人可用。

如今，上至宰相，下至文武百官，几乎都在忙于党争和倾轧，而且大多与宦官有着千丝万缕的联系，要从中找出一个背景清白、忠诚能干的人，几乎是难于上青天。

所幸，文宗李昂找了整整三年，终于找到了一个。

此人名叫宋申锡，时任翰林学士。

通过长时间的观察，李昂觉得此人沉稳干练、忠实可靠，应该可以委以重任。有一天，李昂单独召见宋申锡，鼓足勇气向他发出了试探。这种试探是相当含混的。就像一个内心炽热而外表矜持的窈窕淑女，对某郎君芳心暗许却又不敢直言表白，只好向他抛出那种若有似无、欲说还休的媚眼。

尽管天子的这个"媚眼"抛得有些暧昧，可聪明的宋申锡还是在第一时间就读懂了。他当即表态，应该想办法逐步削弱王守澄的权力，并最终做掉他。

一听此言，文宗李昂顿时龙颜大悦。

看着宋申锡那张敦厚忠直的脸庞，李昂真是无比欣慰。

几天后，李昂就把宋申锡擢升为尚书右丞。太和四年（公元830年）七月十一日，李昂又正式任命宋申锡为宰相。

宋申锡蹿得这么快，虽然有些突兀，但人们并没有多想。此时的宰相李宗闵、牛僧孺等人，包括权宦王守澄在内，都没有猜到这个政坛新贵突然跻身权力中枢的真正原因。因此，他们自然也就不会料到他身上所肩负的那项特殊使命。

文宗李昂与宦官集团的第一次较量，就这样悄悄拉开了序幕。

经过半年多的酝酿和策划，到了太和五年（公元831年）春，文宗李昂与宋申锡终于制订了一个剪除宦官的绝密计划。

万事俱备，只欠东风。接下来，就是为这个计划物色一个具体的执行人了。

宋申锡选择了时任吏部侍郎的王璠，准备引荐他担任京兆尹，也就是把京畿的军政大权交给他，让他去对付手握禁军的宦官集团。

宋申锡为什么会选择这个王璠，原因我们不得而知，但有一点可以确定——这是一个十分愚蠢的选择。

这个选择，将给他和天子带来灾难性的后果。

当宋申锡向王璠传达天子密旨的时候，王璠一开始是颇有些受宠若惊的，然而他转念一想，就觉得不太对头了。

因为这件事的风险太高，收益又太低，很不划算。

先说风险。此次对阵的双方，一边是大权旁落的天子和刚刚上位的宰相，一边是根深势大、权倾朝野的宦官，二者实力之悬殊不言而喻，宦官获胜的可能性大得多。要是脑子一热去蹚这趟浑水，搞不好不但自己人头落地，全家人恐怕都要跟着脑袋搬家。

再说收益。就算天子这边侥幸获胜，那功劳也是宰相宋申锡的，他王璠一个跑腿的能得到什么？也就是个不痛不痒的"京兆尹"而已。为了这顶可有可无的乌纱帽，就押上身家性命跟宦官斗，那不是脑子进水了吗？

所以，王璠很快就得出结论——这事儿很不靠谱，绝不能干。

当然，在宋申锡面前，王璠是不会这么说的。

他甚至连内心的一丝犹疑都没有表现出来，而是作出一副疾恶如仇、与宦官势不两立之状，因而彻底稳住了宋申锡。

然后，一走出宋申锡的家门，王璠就迫不及待地奔向了王守澄的宅邸，把他刚才听到的东西一五一十全给抖搂了出来，而且还不忘绘声绘色地添上几滴油、加上几点醋，以博取王守澄的欢心。

得知天子的绝密计划时，王守澄还是有几分震惊的。尽管他知道天子李昂心里对他有些不满，可他绝没想到天子会动杀机。

原来看上去那么文弱的人，内心也有这么强的杀机。

看来，自己还是有点小瞧这个年轻人了。

不过，王守澄丝毫没有慌乱。天子李昂的这点小阴谋小诡计，对于腥风血雨闯荡过来的王守澄来讲，根本就是小儿科。

随后，王守澄召见了一个人。

这些年来，不管碰到大事小事，王守澄都会找这个人过来商量，然后交给他去摆平。

在王守澄看来，如果要在这个世界上找出两个最聪明的人，一个当然就是他自己；另外一个，恐怕就非此人莫属了。

这个人，名叫郑注。

过去看武侠小说，经常会发现一种模式，那就是——一个人的武功高低往往跟他的表面形象成反比。

通常，外表最凶悍的彪形大汉往往武功最烂，他们出场的时候，总是十几个扎堆打一个，结果还老是被人家用一把扇子或一根柳条打得满地找牙。所以说，这种外表凶悍的人根本没用，只是打手级别。

再往上一个层次，一般是风流倜傥的年轻公子，或者是如花似玉的妙龄女郎，又或者是满头银发的长须老者。总之，此类人都是比较斯文的，看上去好像不能打，其实一出手就能放倒十几个彪形大汉，属于高手级别。

但是，真正的绝顶高手，往往是最不起眼的。比如，每当几路人马在客栈里乒乒乓乓打得火热的时候，角落里总会坐着一个干瘪瘦小、背部微驼、长得像痨病鬼一样的人。别人嘿嘿哈哈打得半死，他却浑然不觉，只是坐在那儿一个劲地咳嗽。但是，当咳嗽声蓦然停止的时候，整个客栈就会在电光石火的一瞬间完全静止下来。

因为，痨病鬼出手了。

没有人知道他是如何出手的，只知道那些彪形大汉、年轻公子、妙龄女郎、长须老者，都在刹那间被点了死穴，丝毫不能动弹。

最后，痨病鬼会在一连串的咳嗽声中站起来，伛偻着身子慢慢向外走去，没有让任何人看见他的脸，只给众人留下一个莫测高深、来去无踪的背影。

在当时的权谋江湖，郑注就是这么一个看上去毫不起眼、实则内功深厚的绝顶高手。

史称，郑注"眇小，目下视，而巧谲倾诐，善揣人意，以医游四方，羁贫甚"（《资治通鉴》卷二四三）。

翻成白话就是，郑注这个人干瘪瘦小，眼睛有斜视的毛病，为人狡险诡谲、心机极深，要陷害一个人或是谄媚一个人，都很容易得手，因为他善于洞察人的内心。此人早年凭借医术行走江湖，但是混得不怎么样，经常穷得叮当响。

早年跟郑注打过交道的人，肯定没有一个会料到，这个其貌不扬的家伙日后会成为帝国政坛上呼风唤雨的人物。

郑注的发迹，始于徐州。

他生命中的第一个贵人，就是平定淮西的名将李愬。

当时，李愬担任武宁节度使，坐镇徐州。他麾下有个牙将有一次生病，老是看不好，后来不知怎么就找到了郑注，结果郑注一来，即刻手到病除。牙将又惊又喜，赶紧把他介绍给了李愬。李愬当时身体也不好，就让郑注试着给他开些方子，服用之后，果然感觉神清气爽，腰也不酸了，腿也不疼了，身体倍儿棒，吃嘛嘛香。

李愬大喜过望，马上给了郑注一个官职，把他留在了身边。

郑注就此时来运转，从一个穷酸落魄的江湖郎中变成了节度使的私人医生，实现了人生的第一次跨越。

但是，郑注是个野心很大的人，绝不会满足于私人医生的角色。很快，他就利用李愬对他的信任频频干预军政。也许是因为这家伙确实心机过人，凡他经手的事情总是处理得很好，所以李愬对他越发信任，下放给他的权力也越来越大。

郑注得志之后，开始在徐州作威作福，日子一长，自然引起了将士们的不满。

当时，有个人对郑注最为反感，恨不得马上把他赶出徐州。

这个人就是王守澄，当时他的职务是武宁监军。

王守澄找到李愬，说这个姓郑的很不地道，弟兄们都很讨厌他，还是赶紧请他走人吧。李愬笑着说："郑注虽然有些毛病，但却是个奇才，王大人要是不信，可以找他谈谈。要是实在没什么可取之处，再让他走也为时不晚。"

随后，李愬就让郑注去拜访王守澄。王守澄一开始很不屑于见这个"痨病鬼"，后来一想，其实也不妨见见，挑他一些毛病，也好以此为由把他赶走。

然而，王守澄万万没有想到，此次会见的结果，竟然会与他的初衷完全背道而驰。

宾主双方坐下来后，才讲了一会儿话，王守澄就对这个丑陋的痨病鬼刮目相看了，以至于彻底忘记了自己跟他谈话的目的。

真的是人不可貌相。一席话下来，王守澄就对郑注的见识和口才大为折服，立刻把他延请到"中堂"（刚开始可能只是在厢房接见，准备敷衍一下就把他打发掉）。然后，两人又进行了一番促膝长谈，其间笑语不断，聊得相当投机。王守澄大有相见恨晚之感，第二天马上对李愬说："郑先生果然如您所言，是个难得一见的奇才！"

从这一刻起，郑注再次摇身一变，成了王守澄的密友兼智囊，而王守澄自然也就成了郑注生命中的第二个贵人。

长庆三年，王守澄回朝担任枢密使，就把郑注带到了长安，并在自己府邸旁边给他盖了座豪宅，而且很快又把他推荐给了穆宗。当时穆宗正苦于风疾，吃过郑注开的药后，虽然病情不见好转，但是病痛却能得到有效缓解，于是对郑注大为宠幸。

至此，郑注实现了人生的第二次跨越，从节度使的私人医生变成了皇帝的首席御医。

与此同时，王守澄利用天子患病独揽大权，而作为心腹智囊的郑注也就当仁不让地成了王守澄的权力寻租代理人。凡是想巴结王守澄的，必得先过他郑注这一关。

郑注刚到长安的时候，来走后门的不过是一些想往上爬的小官吏，短短几年后，和他交往的就都是清一色的达官贵人和名流政要了。每天，他家门口的高档车马都会摆成一条长龙，吸引着无数路人既羡且妒的目光。

到了文宗年间，郑注俨然已是帝国政坛上炙手可热的人物。

然而，他的野心远未满足。

没有人知道，这个当初穷困潦倒的江湖郎中，很快就将实现人生中的第三次跨越。而最后这一次跨越，是踩着王守澄的尸体实现的。

当然，这些都是后话，此时的王守澄不可能预料到几年后要发生的一切。

现在，王守澄正饶有兴味地看着这个世界上第二聪明的人，等着他想出一个计谋，把不知天高地厚的宋申锡彻底摆平，同时给天子李昂一个深刻的教训。

郑注并没有思考很久。

他略一沉吟，一个天衣无缝的反击计划就出笼了。

他问王守澄："王公，依您看，古往今来之人君，最忌讳的事情是什么？"

王守澄脱口而出："谋逆。"

郑注一笑："那么再依您看，如今的宗室亲王中，谁最有贤能之名，最得时人赞誉？"

王守澄再次脱口而出："漳王李凑。"

接下来，郑注不说话了，只是似笑非笑地看着王守澄。

王守澄想了想，也跟着无声地笑了。

漳王李凑是文宗李昂的异母弟，人望很高，当初敬宗被弑后，这个漳王其实也是宦官们考虑的继位人选之一。王守澄很清楚，对这种人，天子李昂不可能没有猜忌和防范之心。在此情况下，如果有人指控宋申锡阴谋拥立漳王，再有人出面举证，天子肯定会宁信其有不信其无。如此一来，宋申锡就死无葬身之地了。

现在的问题是，要让谁来指控？谁来举证？

当然，这些活就是郑注要干的，也是他的拿手好戏。王守澄知道，郑注不会让他失望。

很快，郑注就找来了两个人：一个叫豆卢著，另一个叫晏敬则。

豆卢著，时任神策军都虞侯，其职责是秘密纠察文武百官的过失。由他来提出指控，可谓顺理成章，很容易让人采信。

晏敬则，宦官，专门负责为十六宅（宗室亲王的府邸群）采办物品。郑注交给他的任务是——由他以自首的方式出面举证，证明宋申锡曾授意亲信幕僚王师文与他暗中结交，从而通过他向漳王李凑传达拥立之意。

一张天罗地网就这么撒了下来，可此时的文宗和宋申锡却对此浑然不知。

他们仍然以为，剪除宦官的绝密计划正在有条不紊地进行当中。

他们仍然相信，肩负重任的王璠马上会给他们带来胜利的消息……

太和五年（公元831年）二月二十九日，王守澄匆匆入宫，向天子李昂禀报了一个令人震惊的消息——神策军都虞侯豆卢著指控宋申锡，说他阴谋拥立漳王李凑为天子，而且证据确凿。

这一刻，文宗李昂目瞪口呆。

完了，彻底完了！

李昂痛苦地意识到——自己半年多来苦心制订的除阉计划，已经在这一刻宣告流产了。

因为，无论宋申锡谋反是真是假，这个人都已经不能再留。原因很简单，如果宋申锡真的想谋反，他固然该死；就算他是被诬陷的，也足以证明计划已经泄露，所以王守澄才会迫不及待地对他下手。倘若真的是后者，那宋申锡就更不能留。

没得选了，就算明知道宋申锡是被陷害的，此刻的李昂也只能壮士断腕、丢卒保车，否则很可能陪着宋申锡一块完蛋。换句话说，他必须毫不犹豫地牺牲宋申锡，以此向王守澄谢罪，求得宦官集团的宽宥和谅解，才能勉强自保。

王守澄细细玩味着天子的表情，心里掠过一丝冷笑。他当场向文宗提出，要亲自带领两百飞骑去把宋申锡满门抄斩。

李昂茫然无措地看着王守澄，无奈地点了点头。

关键时刻，另一个宦官马存亮站了出来，极力反对王守澄的提议。他说："未经查实而诛杀宰相满门，必将引起京师大乱！臣建议，应该召集众宰相就此事举行廷议。"

马存亮也是一个元老级宦官，资历并不比王守澄浅，而且曾经救过敬宗皇帝一命。王守澄尽管极为不悦，也不便发作，只好悻悻作罢。

李昂闻言，顿时庆幸不已，自己身边总算还有一个宦官保持中立，没有被王守澄收买，真是谢天谢地！

文宗随即传诏，命宰相们到延英殿廷议。

而直到此刻，宋申锡依然蒙在鼓里。当他跟其他三位宰相一起进入宫门时，忽然被传诏宦官拦住了去路："圣上所召的人中，并无宋公。"

宋申锡懵了。

但是，凭着起码的政治嗅觉，他也能意识到大事不好了。

他知道——王璠肯定把自己卖了，而且顺带着把天子也给卖了。

所托非人，所托非人啊！除了怪自己瞎了眼，宋申锡还能怎么办呢？仅仅由于一个具体环节的疏忽，就导致了整个计划的流产，不仅辜负了天子的重托，还把天子置于了极端危险的境地。这一刻，宋申锡真的有一种五内俱焚之感。

他满怀惭悚，忧愤难当，最后把朝笏高高举过头顶，往延英殿拜了三拜，黯然转身离去。

延英殿上，当李宗闵、牛僧孺、路隋三位宰相得知此事，顿时大惊失色，相顾骇然，许久说不出一句话。

这是谋逆大罪啊，还有什么好议的？更何况，宋申锡是皇上您钦点的宰相，现在居然犯了这种族诛重罪，我们还能说什么？所以，皇上您还是自个儿拿主意吧，对这件事，我们只能采取一个态度，那就是——沉默是金。

李昂早就料到了。这几个成天忙于党争、一心想着巴结宦官的宰相不可能替宋申锡说话。

这场沉默的廷议实际上跟没开一样。无奈的李昂只能授命王守澄，即刻逮捕晏敬则和王师文。王师文事先得到消息，连夜逃亡；晏敬则被捕，押进宫中由宦官审理。

三月初二，宋申锡被罢相，贬为右庶子。虽然满朝文武对此案真相心知肚明，但上自宰相，下至群臣，无人敢替其喊冤，只有京兆尹崔琯、大理卿王正雅等少数大臣接连上疏，请求将此案移交外廷审理。然而，晏敬则早就被郑注摆平了。即便是由朝廷的司法部门审理，他还是一口咬定宋申锡、王师文暗中与他交结，阴谋拥立漳王李凑为天子。

既然当事人对"犯罪事实"供认不讳，有心替宋申锡申冤的大臣们也就无话可说了。

三月初四，此案定谳，宋申锡等人的谋反罪名成立。

朝野上下都知道，等待宋申锡的结果只有一个——杀头。

同日，文宗召集太师、太保，以及台、省、府、寺等所有高级官员再次举行廷议，讨论对宋申锡的处置办法。

很显然，李昂心里仍然存有一线希望——他希望大臣们能在这最后的时刻替宋申锡说一句公道话，保住他一条命。

以左常侍崔玄亮为首的一批谏官终于发出了天子希望听到的声音，一致要求重审此案。李昂感到了一丝欣慰。可在场面上，他还是不得不做一些姿态给宦官们看。他对谏官们说："宰相们对此案已经没有异议，你们还是退下去吧，不必再坚持。"可谏官们却不肯退下，崔玄亮流泪叩首说："杀一个匹夫尚且要慎重，何况是宰相！"

李昂用一种近乎感激的眼神看了崔玄亮一眼，说："既然诸位爱卿如此坚持，朕愿意和宰相们再商议一下。"

李昂随即又召集宰相廷议。牛僧孺看出了天子的心思，便顺水推舟说："人臣禄位，最高莫过宰相，宋申锡既已为相，若真有谋反企图，到头来仍不过是宰相而已，还能得到什么？故依臣看来，宋申锡当不致如此。"

郑注风闻朝臣们开始同情宋申锡了，担心万一重审、而晏敬则又顶不住翻供的话，真相就会泄露，到时候连他都得搭进去。思虑及此，郑注只好退了一步，劝王守澄放宋申锡一条生路，以免闹得鱼死网破，对大家都没好处。王守澄觉得有道理，便采纳了郑注的建议。

三月初五，文宗下诏，贬漳王李凑为巢县公，贬宋申锡为开州（今重庆开县）司马。

晏敬则等案犯则被处死或流放，同时还株连了一百多人。

同日，还有一个人向文宗递交了辞呈。

他就是宫中唯一没有依附王守澄的宦官马存亮。

不知是不是已经被王守澄施压，还是预感到即将来临的威胁，总之，马存亮是铁定了心要走了。也许是因为他知道，自己在宋申锡一案中把王守澄彻底得罪了，如果硬着头皮留在宫中，绝对没有好日子过。所以，他只能三十六计走为上，早日逃离这块是非之地。

对于马存亮的心境，李昂比谁都清楚。尽管他很不情愿让身边唯一一个具有正义感的宦官就这么离开自己，可他还是不得不批准了马存亮的致仕请求。

因为李昂知道，要是执意把马存亮留下来，他的下场绝不会比宋申锡更为美妙。

马存亮走后，文宗很快又得到一个消息，说宋申锡因抑郁忧愤，病死在了贬所。

走的走了，死的死了。你们都逃离了，解脱了。只剩下朕一个孤家寡人，不知要往哪里逃？

太和五年的暮春，连绵不断的雨水一直顽强地飘荡在长安城的上空。唐文宗李昂独自坐在大明宫中，看见孤独像一张无边的巨网把他层层笼罩——让他无所逃于天地之间。

党争进行时

就在皇帝和宦官激烈过招的同时，牛党和李党也从未停止过交锋。

李党的领袖人物李德裕被贬出朝廷后，先是出任义成节度使，旋即又调任西川。西川是大唐帝国防御吐蕃和南诏的军事重镇，具有十分重要的战略地位。

在这个位子上，最容易判断一个官员的政治和军事才能。

而李德裕正是在这个西川节度使任上，充分展现出了他的过人才干。他的前任郭钊由于年老多病，给他留下的是一个边备废弛、军粮短缺、士卒懈怠的烂摊子。李德裕一到任，马上修建了一座"筹边楼"，作为整顿边防的军事指挥中心。随后又命人详细画出了一张南至南诏、西至吐蕃的西川战区地图。此后，李德裕每天都召见那些长期戍边、熟悉边防的老兵，向他们仔细询问西川的山川形势、城镇位置以及每条道路的远近宽狭等交通情形。不出一个月，李德裕已经对整个西川的战略形势了如指掌。

与此同时，李德裕还积极整修边塞，储存粮食，训练士卒，调整军队部署，迅速扭转了边备废弛的局面，使整个西川战区的边防形势焕然一新。

所有这一切，都被远在朝廷的牛党看在了眼里。

原以为，把李德裕逐出长安就等于终结了他的政治前途，没想到他在广阔天地里反而大有作为。

牛僧孺和李宗闵冷冷注视着西川，一直想找个机会挫挫李德裕的风头和锐气。

太和五年（公元831年）九月，机会终于出现了。

起因是吐蕃的维州（今四川理县）副使悉怛谋率部向李德裕投降，李德裕认为这是削弱吐蕃的良机，立刻派部将虞藏俭率军进入维州接防，同时飞书朝廷，奏称："臣准备派遣三千羌军进攻吐蕃，烧毁十三桥（唐与吐蕃的边界桥），直捣吐蕃腹地，一洗我大唐长久以来蒙受的耻辱！"

奏疏交到尚书省，文宗召集百官商议。多数朝臣一致认为，应该批准李德裕的作战计划。

关键时刻，牛僧孺发言了。

他说："吐蕃的土地，四面各有万里，失去一个维州，并不能削弱他们的势力。况且近来我大唐与吐蕃两国修好，相约撤除边防警戒。大唐与西戎交往，信守盟约最为重要。如果他们以我国失信为由出兵，用不了三天，前锋骑兵就会直抵咸阳桥。到那个时候，西南数千里外就算得到一百个维州，又有什么意义？如果无端抛弃诚信，对国家只有害处，没有裨益。这种事情是连一个匹夫都不愿干的，更何况一个帝王！"

这番话说得高瞻远瞩、大义凛然，把文宗说得惭愧不已，觉得煌煌大唐实在不应该见小利而忘大义，遂下令李德裕逮捕悉怛谋及其部众，把人和城池全部归还吐蕃。

李德裕无奈，只好从命。

交接的当天，吐蕃人就在边境线上把悉怛谋等人全部砍杀，场面极其残忍。

目睹那一道道飞溅的鲜血和一颗颗滚动的人头，李德裕满腔愤怒，对牛僧孺的怨恨越发深入骨髓。

太和六年（公元832年）十一月，在悉怛谋事件过去了一年多之后，由于原西川监军宦官王践言回朝就任枢密使，文宗才听到了来自牛党之外的有关这个事件的不同声音。

王践言不止一次对文宗说："当初把悉怛谋逮捕送还吐蕃，不仅让吐蕃称心快意，还彻底杜绝了吐蕃人日后归降大唐的可能性，实在是下下之策。"

直到此刻，文宗才意识到，牛僧孺当时那个冠冕堂皇的建议背后，仍然是党派斗争和个人恩怨的动机在作祟。

眼见皇帝由此对牛僧孺产生了不满，李党成员纷纷发起反击，称牛僧孺当初纯粹是假公济私，目的是妨碍李德裕为国立功。

从此，文宗开始疏远牛僧孺。

有一天，李昂在延英殿上召集宰相廷议，忽然说了一句意味深长的话："天下何时能够太平？诸卿又是否着意于此呢？"

天子这句话，与其说是对宰相们的一种勉励和期许，还不如说是一种责备和诘问。尤其在牛僧孺听来，更觉得天子是在暗示他，希望他引咎辞职。

意识到自己的相位已经不保，牛僧孺反而坦然了。他随即答道："天下太平并没有迹象。不过，如今四方夷狄没有侵扰，百姓没有离散，虽然不是太平盛世，也可以称为'小康'，陛下如果更要追求天下太平，恐怕不是臣等的能力所能办到的。"

牛僧孺之所以敢斗胆说这番话，前提当然是他不想当这个宰相了。退朝后，牛僧孺既无奈又伤感地对同僚说："皇上对我们的期望越高，失望就会越深，我们怎能久居此位呢？"

随后，牛僧孺不断上表请辞。

十二月初七，文宗下诏，将牛僧孺外放为淮南节度使。

接下来发生的事情就显得顺理成章了。短短几天后，李德裕就被征召回朝，出任兵部尚书。数年前与他失之交臂的宰相之位，如今终于再度向他发出了召唤。

同盟者黯然离去，老对手卷土重来，李宗闵不禁忧心忡忡。

接下来的日子，李宗闵开始千方百计地阻挠李德裕入相。然而，李德裕这几年在西川取得的政绩是有目共睹的，文宗对他的好感也是与日俱增，所以，尽管李宗闵挖空心思地在背后搞了一系列小动作，结果还是没能得逞。

太和七年（公元833年）二月二十八日，在仕途上浮沉多年的李德裕终于登上了宰相之位。文宗李昂接见他的时候，有意无意地谈起了令人头疼的党争问题。李德裕毫不讳言地说："当今朝廷的士大夫，起码有三分之一以上是朋党！"

当然，李德裕自认为他和他的同志们绝对是在这些人之外的。

所以，李德裕拜相后首先要做的事情，当然就是有恩报恩、有仇报仇了。随后，李德裕便率领他那些"非朋党"的同志们，对那"三分之一"的朋党展开了新一轮的政治清洗。与此同时，一些早先被排挤出朝的"非朋党"的同志们，又在李德裕的援引下纷纷回朝。

而这些事情最后朝向的那个逻辑终点，无疑便是李宗闵的罢相了。

这一年六月十三日，李宗闵被外放为山南西道节度使，与牛僧孺罢相时隔不过半年。

李德裕这么干算不算是党争？

这似乎不是一个很难判断的问题。

我们相信，已经当了八年天子的文宗李昂，断不至于看不懂这些事情的真相。

然而，看得懂又怎么样呢？

当一个国家的大部分高层官员都已深陷党争的泥潭而无力自拔的时候，当国家利益和百姓利益都已经习惯成自然地在党派利益和个人利益面前让路的时候，这个孤掌难鸣的年轻天子，又如何能够力挽狂澜呢？除非他不分牛党李党，一夜之间把帝国的高层官员清理一空，否则的话，他就只能在两党恶斗的夹缝中尽力寻求一种无奈的平衡而已。

除此之外，李昂又能做什么呢？

太和七年岁末的一天，就在牛李党争如火如荼地进行之时，李唐皇族的遗传病又在文宗李昂的身上爆发了——他忽然中风，一下子丧失了语言功能。

王守澄随即推荐郑注为天子治疗。

事实证明，郑注的医术确实不是吹的。他一出手，文宗的病情便大有好转，从此开始宠信郑注。于是，李昂的这场病就成了郑注实现第三次人生跨越的重要契机。野心勃勃的郑注紧紧抓住这个天赐良机，从而一跃成为天子跟前的大红人。

没有人会料到，在即将来临的新年里，这个政坛新贵就将与另一个野心家联手，在帝国朝堂上掀起一场狂飙突进的政治运动，并对所有既得利益集团进行了沉重的打击……

即将和郑注联手的这个野心家，也是我们的老熟人。

他就是李逢吉的侄子、当初的"八关十六子"之首——李仲言。

宝历元年，李仲言因武昭一案被逐出朝廷，流放边地。几年后，在一次大赦中回到了东都洛阳闲居。当时，李逢吉已被罢相，正以东都留守之职在洛阳坐冷板凳。叔侄二人劫后重逢，自然免不了互倒苦水，对当年的失败耿耿于怀。

这些年，李逢吉天天巴望着回朝复相，李仲言更是急切渴望摆脱目前的窘境，于是叔侄二人一拍即合，当即决定由李逢吉拿出一笔重金，再由李仲言出面，回长安找人打点，谋求东山再起。

而他们决定打点的这个人，就是郑注。

郑注早年流落江湖时，跟李仲言有过一些交情。如今，老友找上门来，郑注自然要给点面子。更何况，李仲言带来的那笔重金也着实让郑注心动。收下贿赂后，郑注就把李仲言引荐给了王守澄，王守澄继而又把他引荐给了天子李昂。

此刻，在洛阳望眼欲穿的李逢吉绝对想不到，他拿出的那笔钱并没有打通他朝思暮想的复相之路，而是替李仲言铺就了一条攫取相位的金光大道。

由于李仲言深研《易经》，工于术数，而且能言善辩，富有文采，文宗一见倾心，将其引为奇士，宠幸日隆。

太和八年（公元834年）八月，文宗准备让李仲言进入翰林院，作为近臣随侍左右。李德裕断然反对，说："李仲言过去的所作所为，想必皇上也都清楚，这种人岂能用为近侍？"

文宗不以为然："难道不能允许他改过吗？"

李德裕毫不退让："臣听说，只有颜回这样的圣贤才能不二过，至于李仲言这种人，恶念早已在内心扎根，如何改过？"

文宗说："他是李逢吉推荐的，朕已经答应了，不想食言。"

文宗不提李逢吉还好，一提李逢吉，一下就勾起了李德裕的伤心往事。就是因为李逢吉的排挤，他才在浙西浪费了七八年的大好光阴。李德裕随即斩钉截铁地说："李逢吉身为前任宰相，竟然推荐这种小人来误国，他也有罪！"

见李德裕如此坚决，文宗也不想把事情搞得太僵，只好退了一步："如果当侍讲学士不合适，那么，另外给他一个官总可以吧？"

没想到李德裕一点面子都不给，居然硬邦邦地顶了一句："不可以！"

文宗狠狠地瞪了李德裕一眼，把脸转向了另一个宰相王涯。

李德裕刚刚举手要暗示王涯别松口，王涯却已经脱口而出："可以。"

文宗不无得意地回过头来，恰好看见李德裕制止王涯的那个小动作，顿时大为不悦。

不过，有了宰相王涯的支持，文宗就有底气了。几天后，他便不顾李德裕的反对，让李仲言当上了太学的四门助教。

当然，这个职位只是一个跳板，迟早，文宗是要重用李仲言的。

李德裕此次面折廷争，把自己推入了相当被动和不利的境地。一方面，这种做法令文宗对他的好印象大打折扣；另一方面，又把权宦王守澄彻底得罪了。

俗话说：打狗也要看主人，李仲言毕竟是王守澄引荐的，你李德裕如此不给面子，不就是跟王守澄过不去吗？

随后，王守澄、李仲言和郑注一合计，觉得这个李德裕实在太碍事，不赶紧把他弄走，谁也别想活得自在。

尽管李德裕贵为宰相，可在王守澄等人看来，要把这家伙弄走太简单了，甚至不需要他们自己动手，只要把某个人召回朝中，拱上相位，就能迫使李德裕滚蛋。

太和八年十月十三日，在王守澄等人的干预下，李宗闵翩然回朝，复任中书侍郎、同平章事。

短短四天之后，李德裕就被罢去相职，外放为山南西道节度使。

同日，李仲言被任命为翰林侍讲学士。

至此，李德裕才意识到自己铸下了大错，连忙入宫向天子"陈情"，请求留在朝中任职。文宗考虑了一下，答应了，同意让他担任兵部尚书。

然而，天子虽然收回了成命，刚刚复相的李宗闵却绝不答应。他的理由是，朝廷政令非同儿戏，岂能轻易更改、出尔反尔？

文宗哑口无言，只好把李德裕外放为镇海节度使。

牛党党魁卷土重来，李党党魁再度失势，紧随而来的，自然又是新一轮轰轰烈烈的权力倾轧和政治洗牌。

面对如此阴魂不散的朋党之争，文宗李昂束手无策，只能仰天长叹："去河北贼易，去朝中朋党难！"（《资治通鉴》卷二四五）

太和八年岁末的那些日子，看着郁郁寡欢、愁肠百结的天子，李仲言和郑注不断交换着意味深长的目光。

他们不约而同地意识到——此时的天子亟须信得过的人帮他排忧解难。如今，谁是天子最信得过的人？

当然是李某人和郑某人了。

李仲言和郑注认为自己责无旁贷，而且他们相信，只要能帮领导排忧解难，他们的前程必定不可限量。

这年十一月的一天，李仲言忽然上奏天子，请求将自己的名字改为李训。

一个人改名本来并不值得大惊小怪，但已经活了半辈子才突然改名，肯定不会是毫无意义的举动。

那么，李仲言为何改名呢？

也许，他是想用一个新的名字，告别不堪回首的过去，拥抱即将到来的辉煌仕途，同时拥抱一个风生水起的崭新人生。

狂飙突进的政治运动

在中晚唐一百多年的历史上，太和九年（公元835年）注定是一个不同寻常的年份。

因为从这一年四月开始，在李训和郑注的一再怂恿之下，文宗李昂终于鼓足勇气，决定突围——从令人窒息的党争泥潭中，从宦官乱政的黑暗现实中，从上天给定的悲剧命运中，作一个历史性的突围。

尽管有着宋申锡的前车之鉴，可李昂并没有丧失信心。

因为他相信，自己不会永远都走背运，也不会永远都用错人。

李训和郑注没有辜负天子的殷切期望。

这两个野心勃勃的政坛新贵心潮澎湃地接过文宗给予他们的权力，斗志昂扬、意气风发地向暮气沉沉的旧世界发起了猛烈的进攻。

他们的第一波攻击目标是党人。

李德裕首当其冲。

尽管李德裕在去年十月已被逐出朝廷，外放为镇海节度使，可李训和郑注并未就此罢手。他们要把他打翻在地，再踏上一万只脚，让他永世不得翻身。

为此，郑注找来了尚书左丞王璠、户部侍郎李汉，让他们出面指控李德裕，说他几年前曾与漳王李凑暗中勾结，图谋不轨。

在文宗一朝，这个漳王几乎就是衰神的代名词，不管是谁，只要跟他扯上关系，保准倒霉。

文宗一听李德裕居然跟漳王有瓜葛，勃然大怒，马上把宰相跟郑注、王璠、李汉等人召集起来，讨论如何处置李德裕。

会上，王璠和李汉一口咬定李德裕跟漳王勾结。宰相路隋看不过眼，忍不住说了句公道话："德裕断然不会做这种事。如果硬要说他谋逆，那臣备位宰相，也有失察之罪。"

可想而知，路隋的仗义执言非但没能帮到李德裕，反而引火烧身，把自己也给搭了进去。

四月中旬，李德裕被贬为太子宾客，到东都洛阳任职。稍后，路隋被贬为镇海节度使，补了李德裕的缺。

尽管李德裕已经被一贬再贬，可事情并未到此结束。

短短几天后，郑注就又找了两条理由，把李德裕踢得更远，连东都的冷板凳都不让他坐。这两条理由是：一、前年冬天天子患病，据说王涯曾邀约李德裕一同入宫探望，可李德裕居然没有去，显然不把天子放在眼里；二、李德裕在担任西川节度使期间，曾强行征收赋税三十万缗，致使百姓困苦，怨声载道。

四月二十五日，李德裕再度被贬为袁州（今江西宜春市）长史。

看见李德裕被整得这么惨，李宗闵真是心花怒放，天天乐得合不拢嘴。然而，还没等李宗闵乐够，李训和郑注的枪口就已经转向他了。

这一年六月，一则令人毛骨悚然的流言忽然在长安坊间传开，说郑注为皇帝配制的丹药，居然是用小孩的心肝合炼的。流言一起，整个京师顿时人心惶惶。

文宗大怒，马上命李训和郑注彻查流言的制造者。

李训和郑注立刻行动起来，很快就向文宗禀报了调查结果。他们说，流言是京兆尹杨虞卿的家人散布的。

文宗二话不说，当即将杨虞卿逮捕，关进了御史狱。

杨虞卿是李宗闵的心腹，他出了事，李宗闵当然不能坐视。随后的日子，李宗闵开始四处奔走，极力营救杨虞卿。

可是，李宗闵并不知道，这是李训和郑注专门给他设计的陷阱。所谓的流言及其制造者云云，当然也都是郑注一手炮制的。李训和郑注的目的，就是要在驱逐李德裕之后，把李宗闵及其党人一网打尽。

六月二十八日，一纸诏书颁下，李宗闵被罢相，贬为明州（今浙江宁波）刺史。

七月初一，杨虞卿被贬为虔州（今江西赣州市）司马，不久又贬为司户。

七月初九，李宗闵再度被贬为处州（今浙江丽水市）长史，不久又贬为潮州司户。

同月，被视为李宗闵一党的刑部侍郎萧浣等人，也纷纷被逐出朝廷，贬为远地司马。

与此同时，李训和郑注开始扶摇直上。李训先是任国子博士，后迁兵部郎中、知制诰，仍兼翰林侍讲；郑注先是任太仆卿、御史大夫，后迁工部尚书，兼任翰林侍讲。

当时，朝中人人都说郑注随时可能拜相，侍御史李甘看不惯郑注小人得志的嘴脸，发了一句牢骚，说："只要他入相的诏书一下，我一定当廷把它撕毁！"

几天后，李甘便被贬为封州（今广东封开县）司马。

文宗有一次跟翰林学士、户部侍郎李珏谈起郑注，问李珏是否与他有过交往。李珏不屑地说："臣深知他的为人。此人异常奸邪，皇上若宠幸他，恐怕对德业毫无帮助。臣忝列皇上近侍，怎敢与这种人交往？"

几天后，李珏便被贬为江州（今江西九江市）刺史。毫无疑问，在此时的文宗朝廷，不管你是李党、牛党，还是洁身自好的无党派人士，只要不去抱李训和郑注的大腿，唯一的命运就是被贬谪。

就在全面打击党人的同时，李训和郑注又把目标转向了另一个更为强大、也是最让文宗李昂切齿痛恨的政治势力。

那就是——宦官。

作为短时间内强势崛起的政坛黑马，李训和郑注的发迹，无疑都得益于权宦王守澄的援引，但是，这并不妨碍他们在得势之后，毅然把枪口掉转过来对准王守澄。

因为，在李训和郑注这种人眼里，世界上除了利益是永恒的，其他一切都是浮云。世界上除了他们自己，任何人都是可以利用的工具。

如今，王守澄还有利用价值吗？

没了。

眼下，只有堂堂大唐天子才是李训和郑注手中最有价值的筹码。所以，不管是牛党、李党，还是阉党，在李训和郑注的眼中都是浮云。如果一定要把他们划归某个政治阵营，那也只能说他们是"皇党"。

是的，皇党。他们以此为荣为傲。

现在，李训和郑注就是皇帝的代言人，是天子李昂进行历史性突围的骑手和先锋，是睥睨一切旧势力的新时代的弄潮儿。

魔来斩魔，佛来杀佛，天地之间，唯我独尊。

宦官算什么东西？只要是阻挡他们登上权力巅峰的人，就一个字——杀。

当然，李训和郑注也知道，宦官不是那么好对付的。相比党人而言，对付宦官更需要策略。

为了剪除强大的宦官集团，李训和郑注决定采取"以毒攻毒、各个击破"的迂回战术。

他们首先锁定了一个人，作为剪除王守澄的突破口。

这个人，就是时任右领军将军的宦官仇士良。

此人在当年拥立文宗的行动中也曾立过功，由此长期遭到王守澄的压制。李训和郑注向文宗献计，进用仇士良，分散王守澄的权力。

这一年五月二十一日，仇士良突然被擢升为左神策中尉，取代王守澄掌管了禁军。

对此，王守澄虽然有些不悦，但并没有采取任何行动。因为直到此刻他也没有意识到，李训和郑注的刀子已经从背后悄悄伸了过来。

一个在权力的塔尖上待得太久的人，通常都会被一种凌驾万物的快感所陶醉，从而无视从塔顶跌落后那种粉身碎骨的危险。

王守澄就是这种人。

为了进一步麻痹王守澄，同时为了更快地瓦解阉党，李训和郑注计划的第二步，是反过来与王守澄联手，铲除另外三个一直与他明争暗斗的元老级宦官。

他们就是左神策中尉韦元素、左枢密使杨承和、右枢密使王践言。

这一年六月，这三个大宦官一夜之间全被逐出朝廷，分任西川、淮南和河东监军。

八月二十三日，文宗下诏，指责这三名宦官曾分别与李宗闵和李德裕内外勾结、收受贿赂，故将韦元素流放象州（今广西象州县），杨承和流放驩州（今越南荣市），王践言流放恩州（今广东恩平市）。同时，文宗又责令有关部门必须将三人戴上枷锁，装入囚车押送。

数日后，这三个人刚刚被押上流放之路，天子派出的使臣便从背后追上了他们，宣诏将三人赐死。

太和九年，帝国政坛上掀起了一场狂飙突进的政治运动。

从这一年四月到九月，在不过半年的时间里，李训和郑注联手掀起的政治飓风，就已经把整个长安官场扫得面目全非。史称，"是时，李训、郑注连逐三相（李德裕、路隋、李宗闵），威震天下，于是平生丝恩发怨无不报者。""注与训所恶朝士，皆指目为二李之党，贬逐无虚日，班列殆空，廷中恼恼。"（《资治通鉴》卷二四五）

这些日子里，只要是跟李训和郑注有过丝毫旧怨或者是他们看不顺眼的人，立刻就会被划归牛党或李党成员，遭到无情打击。百官几乎被贬逐殆尽，整个朝廷人心惶惶。

与此同时，一大批帝国的基层官员和名不见经传的小人物通过巴结李训和郑注而被迅速提拔，纷纷进入朝廷，占据那些突然空出来的重要职位。

看着原本铜墙铁壁般的旧势力被摧枯拉朽般地轰然推倒，文宗李昂终于感到了一种突出重围、豁然开朗的喜悦。看着原本声势浩大的牛党、李党和阉党到头来也不过是一群外强中干的纸老虎，年轻的天子顿时焕发出一种敢教日月换新天的快意和豪情。

那些日子，李训和郑注胸有成竹地为天子勾画了一幅美妙的政治蓝图，并且信誓旦旦地描绘了一番海晏河清的太平景象。他们说，第一步是铲除朋党和宦官，第二步是收复河、湟（甘肃中西部及青海东部），第三步是肃清河北的跋扈藩镇。

李训和郑注说，只要走完这三步，天下必然太平。

如今，党人集团已被彻底清除，接下来，只要把恶贯满盈的阉宦集团铲除干净，这第一步就算是走完了。

这一年九月，在李训的策划下，当年谋杀宪宗皇帝的凶手、时任山南东道监军的宦官陈弘志突然被征召回朝。二十一日，陈弘志刚刚走到青泥驿（今陕西蓝田县南），便被李训派出的人乱棍打死。

随后，李训和郑注又向文宗献计，以明升暗降的手段进一步削弱王守澄的权力。

九月二十六日，原任右神策中尉、行右卫上将军、知内侍省事的王守澄被调任左、右神策观军容使，兼十二卫统军。

此刻，王守澄无疑已经走到了灭亡的边缘。

然而，对于死神近在咫尺的脚步声，王守澄还是充耳不闻。

与王守澄的调动相隔仅一天，文宗又发布了一项重大的人事任命——以兵部郎中、知制诰、翰林侍讲李训为礼部侍郎、同平章事。

至此，李训终于登上了帝国的权力巅峰。

这个当初被流放边荒、几乎已经输得精光的投机政客，如今却只用了短短一年的时间，就一举成为一人之下、万人之上的帝国宰相，其发迹之快，足以令人叹为观止。

十月初九，李训和郑注认为除掉王守澄的时机已经成熟，遂建议文宗下手。

当天，宫中的内侍宦官李好古来到了王守澄的宅第。

他奉天子之命，给王守澄带来了一件礼物。

这是一瓶毒鸩。这个礼物，李昂已经给王守澄准备好多年了，直到今天才算派上用场。

总有一天，我会给你一样你不想要的东西。

那就是——惩罚。

一个僭越犯上、擅行废立的奴才应得的惩罚。

直到这一刻，王守澄才如梦初醒。

这个反奴为主、三度操纵皇帝废立的权宦，这个权势熏天、把持朝政十五年的幕后推手，终于感到了一种强烈的无助和恐惧。

可是，出来混，迟早是要还的。

黯然良久之后，在李好古冷冷的目光中，在一群禁军士兵齐齐的逼视下，绝望的王守澄终于颤颤巍巍地端起毒鸩，万般无奈地领受了这份迟来的礼物。

当天，朝廷发布了王守澄暴病而亡的消息，同时追赠他为扬州大都督，并且宣布——准备在沪水为王守澄举办一场隆重的葬礼。

在李训和郑注的计划中，王守澄的葬礼是非同寻常的。

因为，他们将利用这次葬礼策划一场大规模的行动。

准确地说，是一场大规模的屠杀行动。

他们要在王守澄的葬礼上埋伏重兵，然后把王守澄大大小小的党羽一网打尽。

这样的一场葬礼，当然是非同寻常的。因为它不是王守澄一个人的葬礼，而是这些年来，把历任大唐天子玩弄于股掌之中的整个阉党的集体葬礼。

如果顺利走完这一步，文宗李昂和他的皇党就算彻底粉碎了旧世界，从朋党和宦官的包围圈中成功突围了。无论他们下一步能否如愿以偿地收拾掉河北的跋扈藩镇，光是消灭"朋党之争"和"宦官乱政"这两大政治痼疾，就已经是一场历史性的胜利了。

王守澄的葬礼定在太和九年十一月二十七日举行。

这是一个激动人心的时刻。把这一页历史翻过去，前面就是李昂梦寐以求的那一片朗朗乾坤……

然而，令人遗憾的是，这一天永远不会到来了。

因为，另一个黑色的日子挡在了它的前面。

这个日子是太和九年十一月二十一日。

没有人知道，就在这一天，一场可怕的政治灾难将降临长安，并使得整座大明宫尸横遍地、血流成河。

后来的人们，把这场从天而降的灾难称为——甘露之变。

甘露之变：喋血大明宫

一手遮天的大宦官王守澄死了，朝野上下的正直之士无不额手相庆。但是与此同时，他们对帝国的未来也生出了一种不祥的预感。

通过王守澄这件事以及一年来朝堂上发生的一切，李训和郑注所表现出的阴险、狡谲和毒辣，足以令所有人不寒而栗。天子李昂让这样的人来把持朝政，除了制造更多的政治斗争和权力倾轧外，还能为帝国创造一个什么样的未来呢？

其实，人们不难理解文宗李昂急于澄清天下的迫切心情，全力打击擅权乱政的朋党、阉党也是无可厚非的，但是起用李训和郑注这样的野心家来做这些事情，无异于"前门驱虎，后门迎狼"，只能为帝国朝政埋下更为深重的隐患。

换言之，文宗这么做，只能叫病急乱投医。

而病急乱投医的结果，往往是旧疾未愈、新病又发，最终只能把原本忧患频仍的帝国，进一步推入更加深重的灾难之中。

可是，文宗李昂根本没有意识到这一点。

对于李训和郑注，他的宠幸是前所未有的。尤其对李训，李昂更是给予了毫无保留的信任。"训起流人，期年致位宰相，天子倾意任之。训或在中书，或在翰林，天下事皆决于训。而涯辈（宰相王涯等人）承顺其风旨，唯恐不逮。自中尉、枢密、禁卫诸将，见训皆震慑，迎拜叩首。"（《资治通鉴》卷二四五）

自从当上宰相之后，李训快意恩仇，指点江山，深深品尝了权力的美味。

在人间绝顶俯视芸芸众生，真是一种妙不可言的感觉。

然而，与这种感觉相伴而来的，却是一丝挥之不去的隐忧。

如今的李训已然位极人臣，还会有什么隐忧呢？

有。

李训的隐忧就是郑注。

古人常说"一栖不两雄"，意思是，一个鸡窝里容不下两只同样好斗的公鸡。同理，权力的塔尖自然也容不下两个同样野心勃勃的人。

所以，李训不得不居安思危，未雨绸缪。

按理说，郑注应该算是李训的恩人。因为李训当初回长安时，只是个没人搭理的无业游民，要是没有郑注的积极引荐和鼎力相助，李训绝对不可能得到文宗的宠幸，更不可能爬上宰相之位。

但是，就像郑注发迹之后，为了铲除通往权力之路的障碍，可以把枪口对准早年的恩人王守澄一样，李训得志之后，为了长保富贵，自然也可以回过头来对付郑注。我们说过，对李训和郑注这种人来讲，世界上除了利益是永恒的，什么都是浮云；世界上除了他们自己，任何人都是工具。

事实上，早在拜相之前，李训就已经开始排挤郑注了。

因为，当时的情况是两个人都有入相的可能，但是文宗碍于舆论，不可能同时让他们当宰相，所以，李训为了夺取相位，就必须把郑注挤出长安。

那是在九月份的时候，当时王守澄虽已被解除兵权，但是还没死，于是李训便以防止王守澄反扑为由，建议郑注谋求凤翔节度使之职。因为凤翔离长安近，万一王守澄垂死挣扎，郑注可以随时调动凤翔军进入长安，与李训里应外合，共同应对，这显然比两个人都窝在长安要安全得多。

当时，李训是这么对郑注说的："中外协势，以诛宦官。"（《资治通鉴》卷二四五）

郑注觉得很有道理，所以丝毫没有怀疑李训的用心，立刻向文宗提了出来，随即出镇凤翔。

结果，郑注才走了几天，李训就顺利拜相了。

如今，李训虽然已经捷足先登攫取相权，但他对郑注的防范却是有增无减。原因很简单，此次诛灭宦官集团的计划中最关键的部分，就是郑注要亲率数百名凤翔的精锐士兵，以护送王守澄的棺椁为名，在葬礼上出其不意地诛杀宦官。

可想而知，一旦此计成功，郑注就成了铲除宦官的首功之臣，到时候，文宗对他的宠幸和奖赏一定会超过李训，这对李训无疑是极大的威胁。退一步讲，就算郑注得到的荣宠没有超过李训，他也必定会心存不甘。届时，朋党和阉党既已全部清除，外部的敌人消失了，他们两人必然会拔刀相向，围绕宰相之位展开一场巅峰对决。

因此，不管从哪个角度来讲，李训都必须先下手为强——在铲除宦官的同时，把郑注一块做掉。

换言之，李训必须另行制订一个计划，赶在十一月二十七日的王守澄葬礼之前行动。

心意已决，李训立刻召集自己的一帮心腹，商讨具体的行动细节。他的心腹包括宰相兼刑部侍郎舒元舆、左金吾大将军韩约、河东节度使王璠、邠宁节度使郭行余、京兆少尹罗立言、御史中丞李孝本。

经过几天的密谋，一个看上去相当完美的计划就出笼了。

行动时间，就定在十一月二十一日的早朝，比郑注的原计划整整提前了六天。

对此，文宗和郑注当然是一无所知。

而李训和他的心腹们当然也不会料到，这个看上去相当完美的计划，非但没有铲除宦官集团，反而把他们所有人，全都推进了身死族灭的万丈深渊⋯⋯

太和九年（公元835年）十一月二十一日，一切都与往常并无不同。天刚蒙蒙亮，文宗就已经来到了大明宫的紫宸殿，准备举行朝会。

片刻后，文武百官鱼贯进入大殿，按官阶高低站定班次，只等着金吾将军一如平日那样高声奏报，"左右厢房内外平安"，然后百官就可以奏事了。

可是，这天早朝，左金吾大将军韩约进入大殿的时候，报的却不是平安，而是祥瑞。

满朝文武清晰地听见，韩约用一种异常激动的声音向天子奏报："左金吾听事（办公厅）后院的石榴树上，昨夜天降甘露，臣已递上'门奏'[1]，请陛下移驾往观！"。

韩约说完，三拜九叩向天子道贺。李训和舒元舆当即出列，率领百官一起向文宗祝贺。

天降甘露，象征着天下太平，无疑是一件普天同庆的大喜事。李训和舒元舆随即邀请文宗前往观赏，以领受天赐的吉祥。

文宗李昂也感到异常惊喜。连老天爷都忍不住降下了祥瑞，这足以证明太平盛世已经指日可待了。

文宗当即宣布——暂停朝会，百官随驾前往含元殿。

于是，百官依次退下，来到含元殿内重新站定。一个时辰后，天子李

1　夜间宫门紧闭，凡有紧急奏章皆从门缝投入，称为门奏。

昂乘坐銮轿出了紫宸门，登上含元殿，命宰相和中书、门下两省官员先去"左仗"（位于含元殿左侧的左金吾办公厅）查看。过了一会儿，李训和舒元舆等人回来向天子奏报："臣等已经查验过了，恐怕不是真的甘露，应暂缓对外宣布，以免天下百姓争相道贺。"

"怎么会这样？"李昂大为失望，回头命左右神策中尉仇士良、鱼弘志去重新查看。

仇士良等人随即走出了含元殿。

一切都在按计划进行。李训和舒元舆对视一眼，立刻传召河东节度使王璠和邠宁节度使郭行余上殿听旨。

按原定计划，王璠和郭行余各带着数百名全副武装的士兵等候在丹凤门（大明宫正门）外，一等李训宣旨，他们就要即刻带兵进入大明宫，与金吾卫里应外合诛杀宦官。可不知道为什么，只有王璠带着他的河东兵进来了，郭行余却是单枪匹马，邠宁兵一个也没有随他入宫。

计划开始走样了。

李训感到了一丝不安。

更让李训不安的是，没带兵的郭行余前来殿下听宣了，而带着兵的王璠却脸色苍白、双脚打颤地远远站着，一步也不敢靠近含元殿。

看来，王璠和郭行余是靠不住了。李训忧心忡忡地想。

一切只能看韩约的了。

此刻，含元殿左侧的金吾卫衙门内，宦官仇士良没有看见传说中那晶莹剔透的甘露，只看见了韩约那苍白如纸的脸上一颗颗滚圆的汗珠。

为什么在这样一个大冬天的早晨，这个左金吾大将军竟然会大汗淋漓呢？

仇士良满腹狐疑地盯着韩约，问："将军这是怎么了？"

话音刚落，一阵穿堂风吹过，吹起了厅堂后侧的帐幕。仇士良无意中瞥见了一些闪闪发光的东西。

那是兵器。

随着帐幕的晃动，仇士良还听见了一些声音。

那是兵器相互撞击发出的铿锵之声。

什么也不用再问了，所谓的天降甘露纯粹就是一个陷阱。仇士良和宦官们猛然掉头就往外跑。跑到门口时，守卫正准备关闭大门，仇士良高声怒斥，守卫一紧张，门闩怎么也插不上。仇士良等人冲出金吾卫，第一时间跑回皇帝身边，奏称宫中已发生事变。

全乱了，计划全乱套了。

李训知道，此时此刻，谁把天子攥在手里，谁就能掌控整个大明宫的局势。他立刻呼叫殿外的金吾卫士兵："快上殿保卫皇上，每人赏钱百缗！"

仇士良当然不会让天子落入李训之手，马上对文宗说："情况紧急，请皇上立刻回宫！"旋即把文宗扶上銮轿，和手下宦官拥着皇帝冲出含元殿，向北飞奔。李训抓住轿杆，情急大喊："臣还有大事要奏，陛下不可回宫！"

此时，京兆少尹罗立言带着三百多名京畿卫戍部队从东面杀了进来，御史中丞李孝本也带着两百多名手下从西边冲过来，都是来增援李训的。他们冲进含元殿，对着那些未及逃离的宦官挥刀便砍，顷刻间便有十余人倒在血泊中，哀叫声此起彼伏。

天子的銮轿在宦官们的簇拥下摇摇晃晃地跑到了宣政门。李训仍旧一路死死抓着轿杆，不停地叫天子落轿。早已吓得失魂落魄的文宗又惊又怒地喝令他住口。仇士良的手下宦官郗志荣一见皇帝发话，冲上去对着李训当胸一拳，将他打倒在地。还没等李训爬起来，銮轿已经进了宣政门，宫门立刻紧闭。宦官们知道自己安全了，齐声高呼万岁。

此刻，宫中的文武百官早已各自逃命，作鸟兽散。李训意识到行动彻底失败了，急忙换上随从人员所穿的绿色低品秩官服，骑马奔驰出宫，一路大声抱怨："我犯了什么罪，要被贬谪出京！"借此掩人耳目。果然，各宫门守卫一路放行，没人怀疑他。

经此变故，仇士良已经意识到李训等人要对付的就是他们宦官，而幕后主使很可能就是天子本人。仇士良死死地盯着文宗李昂，忍不住破口大骂。

文宗浑身战栗，无言以对。

这一刻，堂堂大唐天子在宦官面前几乎就像一个做错事的小孩一样，把头深深地耷拉了下去，一句话也说不出来。

而此刻的宦官仇士良，却有一种在光天化日之下抓获小偷的快感。

天子惭悚不已，愧悔难当。

而宦官则正义凛然，理直气壮。

我们不知道这算不算一种令人啼笑皆非的倒错。反正从这一刻起，直到生命终结，唐文宗李昂再也没有在宦官面前抬起过头来。

仇士良开始反击了。

他即刻下令左、右神策副使刘泰伦和魏仲卿分别率领五百名禁军大举搜捕"叛党"。此时，宰相舒元舆、王涯等人仍然没有意识到事态的严重性，正在政事堂用午膳。一名小官惊恐万状地跑进来喊："不好啦，军队从内廷出来了，逢人便杀！"

几位宰相这才清醒过来，赶紧狼狈出逃。政事堂瞬间炸开了锅，门下、中书两省官员，以及金吾卫吏卒共计一千多人，争先恐后地往外跑，把大门口挤得水泄不通。片刻后，宦官带着禁军杀到，立刻关闭大门。转眼间，政事堂内未及逃离的六百多人全部被杀。

杀人是很容易获得快感的，尤其是杀那些手无寸铁、毫无反抗意志的人。

此刻的仇士良就充分体验了这种快感。

于是，反击行动迅速升级，变成了一场彻头彻尾的大屠杀。仇士良一声令下，各道宫门相继关闭，驻扎在玄武门的所有禁军士兵全部出动，在大明宫展开了地毯式搜索，不放过任何一个"叛党"。只要不是宦官和禁军，一律在他们的屠杀之列。

这一天，大明宫变成了一座血肉横飞的屠宰场。

正在朝廷各衙门办公的大小官员，以及刚好入宫办事的各色人等，全都不明不白地成为宦官的刀下之鬼。这一天，先后有一千多人被杀，尸体纵横交错，鲜血四处流淌。各个衙门的印信、档案、图籍、帐幕、器具尽皆被毁，到处是一片惨不忍睹的凄凉景象。大明宫的每一个角落，都弥漫着恐怖与血腥的气息。

大屠杀之后，仇士良又派遣千余名禁军骑兵，在城中大肆捕杀漏网之鱼，同时出城追捕逃亡者。宰相舒元舆独自骑马逃到安化门，被禁军抓获。宰相王涯徒步逃出宫外，躲藏在永昌里的茶肆，也被禁军搜出，旋即被戴上枷锁，押入左军军营严刑拷打。年已七十多岁的王涯禁不起酷刑，最后屈打成招，胡乱承认自己与李训合谋篡逆，企图拥立郑注当皇帝。

这份供词虽然荒谬可笑，可对仇士良来说，有它就足够了。

只要宰相承认谋反，他今天的屠杀行动就能披上一件合法的外衣。

事变一起，惯于见风使舵的河东节度使王璠第一时间逃回了长兴里的私宅，并即刻部署河东兵进行防守。宦官鱼弘志命禁军向他传话，声称宰相王涯等人已供认谋反，所以天子起用他为宰相，请他出来主持大局。王璠信以为真，赶紧开门出来，旋即被捕，也押进左军。

王璠一见王涯，一开口就埋怨："你自己谋反，干吗把我也牵扯进来？"

满腹冤屈的王涯万万没想到，这个反复无常的小人到了这种地步还不忘倒打一耙。他气急败坏地说："还记得宋申锡的案子吗？当初是谁把机密泄露给王守澄的？早知今日，又何必当初？"

王璠满脸通红，无言以对。

看着这帮狗咬狗、一嘴毛的文臣，宦官们在一旁不住冷笑。

凡事明哲保身，临事苟且畏难，任事首鼠两端，见危险就躲，见利益就上。

这就是大唐文臣们的处世哲学。

难怪你们输得这么惨。

紧随王涯和王璠被捕的还有躲藏在太平里家中的京兆少尹罗立言，王涯的家人、眷属和奴婢，李训的族弟、户部员外郎李元皋。

紧接着，禁军士兵开始以执行公务为名抢劫私人财产。前岭南节度使胡证、左常侍罗让、翰林学士黎埴等大臣的府邸全部被洗劫一空。长安坊间的一些流氓地痞也开始趁乱烧杀抢劫，并且互相攻击。一时间鸡飞狗跳，尘埃蔽日，整座长安城陷入了无政府状态……

这一天的流血政变，历史上称为"甘露之变"。

翌日清晨，劫后余生的文武百官陆陆续续前来上朝，都等在宫门外。一直到太阳爬得老高，建福门才徐徐打开。只见伫立在两侧的禁军士兵全部刀剑出鞘，脸上依旧杀气腾腾。百官战战兢兢地走到宣政门，大门却尚未开启。许久，宫门打开，宦官传令：所有朝臣，一律只能带一名随从进入内廷。

紫宸殿上已经没有了宰相和御史，百官随意站立，班位全乱套了。

脸色苍白的文宗皇帝升殿之后，看着表情各异、班位混乱的文武百官，有气无力地问了一句："宰相怎么没来？"

仇士良一声冷笑，说："王涯等人谋反，已被关进监狱。"随后，召左仆射令狐楚和右仆射郑覃把王涯的亲笔供词呈给皇帝看。

文宗一下子全明白了。

他接过那纸供状，忽然作出一副愤怒而惊愕的表情，问令狐楚等人："这是王涯的亲笔吗？"当得到肯定的答复后，天子越发表现得怒不可遏，狠狠地说，"果真如此，死有余辜！"

李昂知道，他现在必须表现得越惊愕越好。因为惊愕就表明他无辜，表明他没有参与宰相们诛杀阉党的计划。这样他才能摆脱干系，以免仇士良等人一怒之下，把他这个天子废掉，甚至杀死。

李昂现在唯一的希望，就是保住自己的皇帝位子。其他的一切，他都无暇顾及，也无力顾及了。

事变第三天，御史中丞李孝本在咸阳西面被抓获；同日，李训也在逃亡凤翔的中途周至镇（今陕西周至县）被当地官员逮捕，旋即押赴京师。走到昆明池时，李训知道自己反正是一死，倘若被送进禁军军营，还要徒然遭受凌辱，于是便对押送官说："得到我，就等于得到富贵。听说禁军现在正到处搜捕我，待会儿进了城，他们一定会把我抢走，到时候你们就什么都得不到了，不如现在砍下我的首级，秘密送进宫去。"押送官觉得言之有理，随即一刀砍下了李训的脑袋。

事变第四天，满朝文武都被勒令去旁观"叛党"的游街示众和行刑过程。

神策军将李训的首级高挂在"叛党"队列的前方，后面的囚车分别押着王涯、王璠、舒元舆、郭行余、罗立言、李孝本等人，在长安的东、西两市游街示众，然后将他们推到闹市的一株独柳下，一一腰斩，最后把首级悬挂在兴安门外示众。

当天，所有"叛党"的宗亲族裔，不论远近亲疏一律处死，连襁褓中的婴儿也没有放过。其中，有妻女侥幸未死的，全都充为官妓。

事变第五天，仇士良下了一道密敕，命凤翔监军张仲清将郑注诱杀，随后全家诛灭。

第七天，右神策军在崇义坊逮捕韩约，次日将其斩杀。

尘埃落定之后，文宗李昂被迫下诏，大举封赏此次镇压"叛乱"的功臣。仇士良和手下的大小宦官，包括禁军官兵，全部获得不同程度的升迁和赏赐。

一场狂飙突进的政治运动，就这样以一场政治灾难宣告终结。

李训和郑注这两匹政坛黑马，就像两颗光芒万丈却乍现即逝的流星，在沉沉的帝国夜空中一掠而过。

在他们身后，黑暗比此前的任何时候都更为浓重。

关于"甘露之变"导致的政治后果，史书做了这样的记载："自是，天下事皆决于北司（内侍省），宰相行文书而已。宦官气益盛，迫胁天子，下视宰相，陵暴朝士如草芥。"（《资治通鉴》卷二四五）

太和九年深冬的那些日子，唐文宗李昂经常在夜深人静的时分被噩梦惊醒。

醒来后的李昂总是怔怔凝望着床前那一地惨白的月光，恍惚不知自己身处何方。直到看清这熟悉的寝殿和龙床，李昂急促的呼吸声才会慢慢地平息下去。

夜未央，可李昂睡意全无。

他只能圆睁双眼，在无涯的黑暗中焦灼地等待——

等待那仿佛永远不会到来的天明。

不共戴天的宰相恶斗

转眼已是新年。正月初一，文宗御宣政殿，改元"开成"。

不堪回首的太和九年就这么翻过去了，可文宗却始终没有从"甘露之变"的阴影中走出来。

这一年，李昂事实上还很年轻，虚岁才二十七。按常理，这种年纪本来应该是朝气蓬勃、意气风发的，可此时的李昂却显得有些意志消沉和未老先衰。

这也难怪。经历了那么多挫折与失败，就算有再多的锐气和棱角，肯定也都被磨得一干二净了。

过去的李昂虽不喜声色犬马，但至少对左右神策军的马球赛还是比较感兴趣的。可从这一年起，李昂却把马球赛减少了十之六七，纵使偶尔举办一两场宴会，他的脸上也从未有过一丝笑容。

闲居的时候，李昂更是郁郁寡欢。左右侍从看见他总是一个人独处，时而徘徊眺望，时而独语叹息，很少主动和人说话。

李昂仿佛在一岁之间就苍老了。尽管他的生理年龄还很年轻，但却无可挽回地走进了心理上的老年。

细心的侍从发现，只有当天子的目光偶尔从书架上的某个地方掠过，眼中才会闪现出一丝旧日的神采。不过，那神采也是极其微弱、稍纵即逝的。

天子注目的那个地方摆着一本书。

那是一册久已蒙尘的《贞观政要》。

自从"甘露之变"后，以仇士良为首的宦官集团基本上一手把持了朝政，其嚣张程度比当初的王守澄有过之而无不及。这个时期，李石、郑覃、李固言、陈夷行四人先后入相。对于宦官擅权的现实，他们也无可奈何，只求明哲保身。

开成二年（公元837年）末，李固言被外放为西川节度使。在剩下的三个宰相中，只有中书侍郎李石的表现还算强硬。虽说他也不敢跟宦官公开较量，但至少会在力所能及的范围内维护朝廷的一些纲纪。

可仅仅因为这样，李石就成了仇士良的眼中钉和肉中刺。

开成三年（公元838年）正月初五，李石骑马上朝，刚刚走到半路，忽然从暗处射出几支冷箭，左右随从当即吓得抱头鼠窜。李石被射中一箭。幸亏刺客射艺不精，没射中他的要害。李石慌忙捂着伤口拍马往家里跑，可刚跑到坊门，又有一个刺客从斜刺里冲出，猛然一刀向他砍来。

要是这一刀命中，李石就是第二个武元衡了。

还好李石的反应快，挥起鞭子往马屁股上狠命一抽，坐骑受痛，奋力往前一跃，竟生生躲开了这一刀，只是马尾巴被砍断了一截。

李石就这么捡回了一条命。

得知宰相遇刺后，文宗大为惊愕，立刻命禁军派兵护卫，同时下令各级衙门全力缉捕刺客。然而，各级官员忙活了一整天，却连刺客的影子都没见着。

李石遇刺的消息传开后，满朝文武都成了惊弓之鸟，第二天集体缺勤，连请假条也不打，害得文宗在大殿上苦等半天，到最后数一数人头，居然只有九个人上朝。

整个京师人心惶惶，直到几天后才慢慢恢复正常，而那两个刺客则始终没有抓着。

不过，案子没破，不等于没人知道真相。其实，李石自己比谁都清楚，要拿他性命的人，除了仇士良，没有第二个。

事后，李石越想越怕。

仇士良既然想干掉他，就绝不会轻易罢手，一次不成，还会来第二次、第三次……躲得过初一躲不过十五，与其这样天天担惊受怕，还不如辞职走人算了。

随后，李石屡屡上表请辞。

文宗虽然明知道此案的幕后主使就是仇士良，但也无可奈何。别说没有证据，就算有，他也不敢拿仇士良怎么样。

正月十七日，文宗下诏，将李石外放为荆南节度使。

与此同时，户部尚书兼盐铁转运使杨嗣复、户部侍郎李珏进入了宰相班子。

随着这两个人的入相，一度销声匿迹的牛李党争便又卷土重来了。

李固言和李石离任后，剩下的两个宰相郑覃、陈夷行均属李德裕之党。作为牛党的李固言担心朝政被李党把持，于是早在临走之前，便极力向文宗推举了杨嗣复和李珏。杨嗣复的父亲杨于陵，就是元和三年录取李宗闵和牛僧孺的主考官。

杨嗣复和李珏入相后，李党的陈夷行非常不爽。每次讨论政务，他便故意跟杨嗣复吵得不可开交。为了表示自己的不满，他甚至以足疾为由提出辞职。不过，文宗没有答应他。

陈夷行如此剑拔弩张，杨嗣复自然也不甘示弱。所以刚一入相，他便处心积虑想让牛党党魁李宗闵回朝。当然，杨嗣复也知道，郑覃和陈夷行肯定会阻挠，所以他没有直接向文宗提出来，而是搞了个迂回战术——先去跟宦官疏通，再让宦官跟文宗打招呼。

杨嗣复的这一招很管用，因为此时的文宗对宦官基本上不敢说半个不字。

几天后的一次朝会上，文宗主动提出，李宗闵已经外放好几年了，应该召他回来担任朝职。

郑覃一听，马上出列，高声奏道："陛下若体恤李宗闵被贬得太远，最多只能往内地调一调，千万不可再用。倘若陛下非用不可，请先让臣离开。"

郑覃话音未落，陈夷行立刻接腔："李宗闵当初以朋党乱政，陛下为何顾惜这样的小人？"

杨嗣复冷笑："郑大人，陈大人，为人处世，最好是中庸一点，不要凡事都用自己的爱憎做标准。"

看见双方一下就掐起来了，文宗赶紧打圆场："这样吧，不妨先给宗闵一个州。"

"陛下！"郑覃急了，"这样对他太优厚了，臣认为，最多只能让他担任洪州（今江西南昌市）司马。"

李党如此霸道，杨嗣复当然没必要跟他们客气。他随即大声指责郑覃和陈夷行是在搞党争。郑、陈二人眼睛一瞪，立马又把帽子扣了回去。于是，当天的朝会就变成了一场口水仗。双方都撕破脸面，高声对骂。天子和满朝文武目瞪口呆，恍然有置身于菜市场之感。

许久，文宗才有气无力地说了一句："就这么定了，给宗闵一个州吧。"

眼见天子心意已决，郑覃等人才悻悻地闭上嘴。

当天散朝后，文宗一直长吁短叹，忍不住对侍臣抱怨："身为宰相，却吵成这个样子，你们说可以吗？这样可以吗？"

侍臣们无言以对，只好安慰天子说，郑覃他们也是出于忠心，一时激愤才会这样子的。

文宗闻言，只能摇头苦笑。

忠心？

是啊，也只能理解为忠心了。登基十几年来，这种为了党派利益而不顾一切的"忠心"，朕见得太多了，当然也见怪不怪了。

二月初九，文宗下诏，将李宗闵由衡州司马升为杭州刺史。

这令人不快的一页总算是翻过去了，但是，宰相班子内的两党恶斗却从此愈演愈烈，一刻也没有平息。"李固言与杨嗣复、李珏善，故引居大政以排郑覃、陈夷行，每议政之际，是非锋起，上（文宗）不能决也。"（《资治通鉴》卷二四六）

要说这样的执政班子能治理好国家，那基本上就是个笑话。

开成三年，让文宗烦心的不仅是宰相之间的恶斗，还有他那个不争气的太子。

太子名叫李永，是文宗的长子，于太和六年册立。其母王德妃生下他后，先是与另一个女人杨贤妃争风吃醋而失宠，不久又被杨贤妃谗害而死。李永从小没了妈，自然比较缺乏管束，于是天天跟一帮内侍宦官混在一起，就知道吃喝玩乐，很少花时间读书。

文宗先后派了几个德高望重的大臣给太子当老师，却始终没什么效果。杨贤妃趁机向文宗猛吹枕边风，添油加醋地编排太子的不是。

到了开成三年九月，文宗终于忍无可忍，便召集宰执大臣们在延英殿开会，历数太子的种种劣迹，准备把他废掉。

废黜储君非同小可，大臣们纷纷表示反对："太子年少，应该允许他改过。储君乃国之根本，不可轻易动摇。"曾给太子当过老师的韦温更是直言不讳地说："陛下没有好好教育他，致使他沉沦到这种地步，难道只是他一个人的过错吗？"

子不教父之过，文宗自觉理亏，又看见大臣们没一个支持他，只好悻悻作罢。

不过，太子虽然可以不废，但东宫那帮群小却不能轻饶。为了杀一儆百，文宗随后就对太子身边的宦官和宫女进行了严厉惩处，一下子诛杀和流放了好几十个。

文宗本以为太子能够吸取教训，痛改前非，可他没想到，太子根本没把这当一回事，依旧我行我素，日夜沉湎于声色犬马。更让文宗万万没料到的是——短短一个月后的十月初七，年仅十来岁的太子李永就暴毙了。

听到噩耗的那一刻，文宗震惊得半晌说不出一句话。

不仅是文宗，满朝文武也觉得此事太过蹊跷，都等着天子对太子死因展开调查。

然而，出乎所有人意料的是——天子居然什么也没做，只是把太子匆匆殓葬了事。

这是怎么回事？为什么堂堂储君死得不明不白却无人问津？天子的表现如此反常，到底意味着什么？

人们深感困惑。不过，天子的沉默至少向朝野透露了这样一个信息，那就是——太子暴毙案的背后，水很深。

也许，此案的背后并不仅仅只有那个争风吃醋、心狠手辣的女人杨贤妃，很可能还站着另外一群人。

那就是宦官。

人们都还记得，一个月前，天子一怒之下诛杀了一批东宫宦官，虽然这些宦官级别很低，只是些阿猫阿狗，但还是有可能引发那些当权宦官的不满和报复。

假如太子真是被杨贤妃或宦官（或二者联手）所杀，那么天子李昂的反应就很好解释了。说白了，李昂对于太子之死也许并不是无动于衷，而是——无能为力。

开成四年（公元839年）夏天，宰相之间的矛盾越发尖锐，逐渐发展到不共戴天的地步，最后终于来了个总爆发。

矛盾爆发的导火索，是文宗李昂的一句话。

四月的一天，文宗在一次闲谈中，夸判度支杜悰这个人很有才，杨嗣复和李珏一听，马上推举杜悰出任户部尚书。他们这么做，一来是为了迎合上意，二来也是想树立私恩，在杜悰面前讨个人情。

陈夷行当时也在场，随即冷笑着说："皇上想提拔谁，他自有主张，何必二位多此一举？自古以来国家败亡的，往往都是因为权力被臣下操控了。"言下之意，是说杨、李二人企图架空天子。

李珏针锋相对地说："陛下曾经对我说过，一个圣明君主，应该用人不疑，疑人不用；选择宰相的时候要谨慎，可一旦选定，就不应随便怀疑。"

陈夷行冷笑不语。

几天后，文宗又和四位宰相讨论政事，陈夷行再次挑起话头，强调不能使威权落入臣下之手。李珏愤然道："按陈大人的意思，就是说宰相之中有人窃弄陛下威权喽？在下为表清白，愿意辞去宰相之位。"

郑覃笑了笑，说："李大人不必过于激动，陈大人也是就事论事嘛。按照郑某的看法，开成元年、二年，朝政的确比较清明，这两年，似乎就不如从前了。"

杨嗣复勃然大怒："照你的说法，头两年你们两个用事，朝政就清明了；这两年轮到我和李大人执政，就有人窃弄威权了？"说着，突然转身朝天子一拜，"臣有罪，从今往后，不敢再入中书省！"说完，头也不回地往殿外走去。

文宗顿时傻眼，赶紧派宦官把杨嗣复叫了回来，温言劝慰道："方才是郑覃一时失言，爱卿又何必如此呢？"

文宗这话固然安慰了杨嗣复，没想到却又得罪了郑覃。

郑覃当即酸劲十足地说："臣生性愚钝，口舌笨拙，方才并不是针对杨大人。可他的反应却如此激烈，显然是容不下臣了。"

杨嗣复余怒未消，狠狠瞪了郑覃一眼，对文宗说："既然郑覃说政事一年不如一年，那不仅是臣难辞其咎，就连皇上您也是圣德有亏啊！"

文宗一听，确实觉得郑覃刚才的话把他也数落进去了，心里顿时觉得不太舒服。

当天的廷议就此不欢而散。过后，杨嗣复一连三次上表，请求辞职，并且好几天都不上朝。文宗只好派宦官去他家跑了好几趟，说了一大堆好话，总算是把他留住了。

几天后，杨嗣复终于不情不愿地回来上班，可同时却让宦官转达了他对郑覃的态度——有他没我，有我没他，皇上您看着办吧！

既然矛盾已经激化到这种程度，文宗也没法再和稀泥了。

五月十六日，文宗不得不将郑覃和陈夷行双双罢相。郑覃罢为右仆射，陈夷行罢为吏部侍郎。

至此，这场不共戴天的宰相恶斗，终于以李党的落败、牛党的胜出而告终。

杨嗣复和李珏大感快慰。

然而，他们并没有高兴太久。

因为，此时的天子李昂已经不久于人世了。而文宗驾崩、新天子即位后，首先遭殃的，就是他们这两个前朝宰相。

武宗登基

太子李永死之后，文宗整整一年没有册立新太子，有个人终于忍不住了。

她就是杨贤妃。

这个女人虽然很有心计，也很有手段，只可惜肚子不争气——嫁给文宗这么多年，始终不能生育。在后宫争宠，没有子嗣的女人显然是毫无优势的。所以，为了保住自己后半生的富贵，杨贤妃很早以前就和文宗的异母弟、安王李溶走得很近。

长期以来，她之所以不遗余力地构陷太子李永，目的就是要拥立与她关系亲密的安王。

开成四年冬天，杨贤妃频频怂恿文宗册立安王李溶。

可是，文宗始终没有答应。

因为他已经有了另外的人选。

开成四年（公元839年）十月十八日，文宗突然下诏，立敬宗之子、陈王李成美为太子。

杨贤妃大为沮丧——没想到自己机关算尽，到头来却是为别人做了嫁衣。

太子李永死了一年之后，帝国终于确立了新的储君，满朝文武悬着的一颗心终于放了下来。时隔整整一年，太子之死的疑云早已从人们的记忆中淡出。可是，就在新太子册立的第二天，一件小事却引发了天子的激烈反应，使人们忽然间意识到，原来天子的丧子之痛从来没有消失，只是被他深深地掩藏而已。

这一天，文宗李昂来到会宁殿观看杂技表演，其中一个节目是一个童子表演高竿攀爬。让李昂感到诧异的是，童子在上面表演时，一个男子一直在高竿下面来回走动，而且一脸焦急不安的神色。李昂问左右："这是何人？"左右回答："是童子的父亲。"

就在这一刻，天子的眼泪夺眶而出。

他哽咽着说："朕贵为天子，却连一个儿子都不能保全啊！"

当天，文宗就命人将教坊（宫廷歌舞团）的刘楚材等四人、宫女张氏等十人全部逮捕。这些人过去都是太子身边的人。文宗指着他们怒斥："害死太子的就是你们这帮人,如今新太子已经册立,你们是不是还想这么干?"

两天后,暴怒的文宗就将这些人全部斩首了。

毋庸讳言,天子如此大开杀戒,显然有迁怒于人和伤及无辜的嫌疑。即便当初这些人的确是引诱太子纵情声色的罪魁祸首,但也罪不至死。说白了,这些小人物就是天子发泄愤怒的工具而已。

然而,对于大权旁落的文宗李昂来说,明明知道自己的儿子死于非命,却不敢也无力去调查真相,这样的一种悲愤除了发泄在这些人身上,还能往哪里发泄?

数日后,李昂就在难以排遣的抑郁和哀伤中病倒了。

年轻的天子逐渐生出了一种不祥的预感。

他觉得,自己的大限不会太远了。

这一年深冬,李昂的病情突然有所好转。朝臣们看见天子的脸上甚至泛起了一丝久违的红晕。

然而没有人知道,这只是天子的回光返照。

十一月二十七日这天,正在翰林院值班的翰林学士周墀忽然接到传唤,说天子请他到思政殿问对。周墀匆匆步入殿中的时候,天子已命人备好了酒。周墀看见天子微笑着示意他坐下,不禁有些诚惶诚恐。

今天的天子看上去精神不错,兴致也很好,又是赐坐又是赐酒,到底想谈什么?

片刻之后,周墀听见天子发话了。

"贤卿,你看朕可以和前朝哪位君主相比?"

周墀听见这没头没脑的问题,慌忙起身回答:"皇上是尧、舜一样的君主。"

天子摇摇头笑了:"朕哪敢和尧舜比!之所以问你这个问题,是因为朕想知道,朕比之周赧王、汉献帝如何?"

蓦然听见这句话，周墀顿时惊出了一身冷汗。周赧王和汉献帝都是历史上著名的亡国之君啊！皇上怎么突然说出这种话？周墀忙不迭地跪地叩首，用一种颤抖的声音说："他们都是亡国之君，绝不可以和皇上相提并论！"

天子再次摇头苦笑。

他的笑容中满是泪光。

紧接着，趴在地上的周墀听见天子的声音忽然弥漫着一种难以言表的沧桑。天子说："赧王与献帝只不过是受制于诸侯，朕却是受制于家奴！照此说来，朕甚至比他们还不如……"一句话还没有说完，天子李昂已经泣不成声。

不知是由于过度紧张，还是被天子的悲伤所感染，周墀的眼泪也随即夺眶而出。

他不知道该说什么，只能不住地叩首，同时陪着皇帝一起啜泣。

这是一个大雪初霁的冬日。一抹阳光正无力地透过窗棂，悄悄洒在这一对相向而泣的君臣泪光闪动的脸上。

阳光在他们脸上驻留了很久，可始终没有让他们察觉到丝毫暖意。

这样的日子，或许连太阳也是冷的。

开成五年（公元840年）正月，是唐文宗李昂在位的第十五个年头，也是最后一个年头。

病榻上的李昂黯然回首自己十四年的帝王生涯，感觉就是一场彻头彻尾的悲剧。

藩镇割据，朋党之争，宦官乱政。

这是帝国肌体上的三种不治之症，也是属于他李昂的悲剧三重奏。这三大悲剧情节交相辉映，联袂上场，共同演绎了李昂有志中兴、无力回天的悲情人生。

明天的帝国会变成什么样子？

眼下的李昂已经无力思考。事实上，未来的一切也已经与他无关。这个春天，李昂已经倦极累极，连呼吸都必须用尽全力……

天子弥留的时刻，宦官集团自然不会闲着。

其实，早在去年冬天文宗卧病之际，左右神策中尉仇士良、鱼弘志就已经在设计帝国的未来了。准确地说，仇士良打算为帝国物色一个新的储君。

现在的太子李成美不是仇士良拥立的，所以他很早就打定了主意，准备把李成美废掉，另立李昂的异母弟——颖王李瀍（穆宗第五子）。

开成五年正月初二，文宗自知不预，紧急传召杨嗣复和李珏入宫，准备命他们辅佐太子，同时下令太子监国。仇士良和鱼弘志得到密报，立刻对杨、李二相说："太子年纪尚幼，又体弱多病，不宜继位，应改立颖王李瀍为皇太弟，命李成美仍为陈王。"

杨嗣复和李珏当然不同意："太子的名位已定，不可中途变更！"

可是，在仇士良和鱼弘志看来，如今的大唐帝国除了他们的意志之外，任何人的决定都是可以变更的，就算是天子李昂也不例外。

他们随即以文宗名义发布了一道诏书：册立颖王李瀍为皇太弟，并总领军国大权。当天，仇士良和鱼弘志便亲自带兵到十六宅，迎接李瀍入宫，登思贤殿接受百官朝见。

帝国的命运再次被宦官拨弄于股掌之中，一切都与当年文宗登基时如出一辙。杨嗣复、李珏等宰执大臣们悲愤莫名，却又无可奈何。

正月初四，唐文宗李昂崩于太和殿，终年三十二岁。

正月初六，仇士良强迫李瀍下令，将杨贤妃、安王李溶和太子李成美全部赐死。随后，凡是文宗生前宠信的近臣和侍从，甚至包括乐工，全部遭到诛杀或流放。

正月十四日，二十八岁的李瀍即位，是为唐武宗。

虽然李瀍和他的兄长李昂一样，都是被宦官拥立的，但此时的李瀍比当初的李昂大十来岁，其阅历和见识显然要深厚得多。而且，史称李瀍"沉毅有断，喜愠不形于色"（《资治通鉴》卷二四六）。可见，李瀍比少年即位的李昂更有魄力，也更具城府。

既然如此，人们似乎就有理由期待——被三大政治顽疾搞得气息奄奄的大唐帝国，兴许能够在这个新天子的手中焕发出一线生机。

第六章

盛唐终结之前的回光返照

强势宰相与超级宦官

一朝天子一朝臣。

新君李瀍刚一登基，第一件事就是把宰相杨嗣复和李珏赶下了台。因为这两个家伙反对他入继大统，当然没资格当他的宰相。况且，以李瀍的眼光来看，他们的资历、能力和威望都实在有限，要当这个新朝宰辅显然不够斤两。

李瀍现在属意的是一个元老级的人物——此人曾经出将入相，无论政治才能还是军事才能都相当突出，只可惜仕途不顺，在政坛上几度沉浮，如今还被贬在外，屈居淮南。

李瀍觉得，只有这个人来当自己的宰相，才有望一扫文宗朝的孱弱萎靡之风，在李唐中央重建一个强有力的政治核心。

开成五年（公元840年）九月初四，此人被征召回朝，就任中书侍郎、同平章事。

他，就是李德裕。

一个朋党领袖又回来了，满朝文武不禁喜忧参半。

喜的是——李德裕的能力无疑远远强过开成年间那几个宰相，由他来执政，帝国的政局也许会有所改观；忧的是——这么一个众所周知的朋党领袖一旦重执朝柄，是否预示着新一轮的党争又将拉开帷幕呢？

仿佛是为了回应人们的疑虑，同时也为了向新君表明自己的清白，李德裕回朝伊始，就郑重其事地对李瀍宣讲了一番辨别正邪的大道理。

他说："执政的秘诀就在于辨别百官的正邪。但是，正直之人与奸邪小人往往相互指责，所以人主很难分别。臣以为，正直之人就像松柏，独立而不依附他物；奸邪小人就像藤萝，不相互攀缘就无法生存。所以，正直之人一意侍奉君王，而奸邪小人则竞相结为朋党。先帝虽深知朋党之祸，但所重用的始终是朋党之人，皆因意志不坚，小人才得以乘隙而入。陛下若能拔擢贤能之人为相，凡奸邪欺君之辈一律罢黜，使中央政务皆由宰相裁决施行，并且对宰相推心置腹、坚信不疑，何愁天下不能大治！"

李德裕这番大道理听上去似乎冠冕堂皇，实际上未免有些大言不惭。他说来说去，无非就是强调自己并非朋党，而是一个一心一意与朋党做斗争的人。这样的表白，实在是有些此地无银、贼喊捉贼的味道。身为李党党魁，李德裕如果不搞党争，牛党那一个巴掌又怎么能够拍得响呢？

此外，李德裕说"正直之人"为官，不需要"依附他物"，不需要"相互攀缘"，这也未免有些矫情。地球人都知道，古往今来，一个人在官场上混，假如不搞关系网，不拉帮结派，恐怕立足都有问题，更别说想往上爬了。

其实，不要说别人，单说李德裕此次回朝复相，很大程度上就是"依附"和"攀缘"宦官的结果。

他结交的宦官，名叫杨钦义。

几年前，李德裕在淮南当节度使，杨钦义任淮南监军。起初，两个人虽说关系挺近，但并无私交，因为自命清高的李德裕对宦官从来没有好感。这一年年初，新君李瀍即位，敕命杨钦义回朝，众人纷纷传言他即将入主枢密。杨钦义心想，这一回，李德裕肯定要来巴结他了吧？

可是，一连数日，李德裕竟然无动于衷，丝毫没有表示。杨钦义心里不免快快。直到他即将回朝的几天前，李德裕才忽然表现出罕见的殷勤，不仅单独邀请他赴宴，席间礼遇甚周，而且随后还送给了他好几床金银珠宝。杨钦义大喜过望，觉得以前真是错怪了李德裕。

几天后，杨钦义启程回朝，不料刚刚走到汴州，天子李瀍又下了一道敕命，让他暂返淮南。杨钦义失望已极，觉得自己既然不能入主中枢，就没理由收受李德裕的财物。回到淮南后，他当即将原物奉还。可李德裕却表现得十分慷慨，说："那些东西值不了什么钱，您千万别放在心上！"

为此，杨钦义颇有些感动。数月后，天子再度下诏，正式召他回朝就任枢密使。杨钦义遂极力向天子举荐李德裕，从而为李德裕的回朝复相铺平了道路。

由此可见，李德裕所谓的"君子为官，不必依附攀缘"的说法，纯属吃了葡萄又说葡萄酸的矫情之言。

不过，李德裕毕竟还是一个有原则的人。虽说这一次，他是通过交结宦官而重掌朝柄的，但他在对待"宦官乱政"这种大是大非的问题上，心里面还是有杆秤的。

作为帝国的五朝元老，李德裕比谁都清楚"宦官擅权"对社稷和朝廷造成的危害有多大，更清楚依附宦官的人最后都不会有什么好下场。所以，即便不是出于澄清宇内、重振朝纲的政治理想，单纯就李德裕的家世背景、个人心性和政治抱负而言，他也绝不能容许自己委身于权宦集团。

李德裕深知，对付宦官必须采用两手，那就是——拉一派，打一派。比如对于枢密使杨钦义这类宦官新贵，他的策略是尽量与他们保持一定程度的私谊，以便让他们成为自己施政的助力；而像仇士良这种一手遮天、根深势大的超级宦官，他不但不会妥协，而且还会千方百计地制约他们。

理由很简单，与杨钦义这种宦官交往是对等的，双方遵循的是互利互惠的交换原则，谁也不会凌驾于谁的头上；而与仇士良这种不可一世的权宦打交道，则绝不能示好，更不能示弱，否则就会沦为他们手中的傀儡和玩物。

况且，身为宰相，李德裕所能拥有的权力大小，将直接取决于他能从权宦那里夺回多少本属于文臣的权力；而他身为宰相的政绩大小，也将直接取决于他与宦官集团的博弈结果。因此，如果不能成功地制约并削弱宦官势力，他当这个宰相就毫无意义，只能让天下人耻笑。所以，无论在公在私，李德裕都不可能成为仇士良的朋友，而只能站在他的对立面。

既然李德裕是抱着这样的心态回朝的，那么接下来的日子，一场强势宰相与超级宦官之间的权力博弈，也就在所难免了。

仇士良拥立李瀍即位时，杨嗣复和李珏极力阻挠，为此，仇士良始终怀恨在心，一直想把他们置于死地。

会昌元年（公元841年）三月，仇士良频频向武宗施加压力，要他杀掉杨嗣复和李珏。当时，杨嗣复已被贬为湖南观察使，李珏被贬为桂州观察使，尽管已经远离朝廷，但在武宗心里，同样怀有一丝后患未除的隐忧。

三月二十四日，武宗禁不住仇士良的一再怂恿，终于派出两路宦官，分别前往潭州（今湖南长沙市）和桂州（今广西桂林市），准备诛杀杨嗣复和李珏。

户部尚书杜悰得到消息，立刻骑上快马去找李德裕，希望他能出手相救。

这个杜悰当初曾得到杨嗣复和李珏的举荐，现在当然要报恩，可问题是，杨、李二人是不折不扣的牛党，现在杜悰却找李党党魁李德裕帮忙，这不是搞错对象了吗？

不，杜悰没搞错。

因为李德裕当场就告诉杜悰——没问题，我愿意帮这个忙。

李德裕之所以作出如此出人意料的决定，其因有三：一、如今牛党已彻底失势，因此朝廷现阶段的主要矛盾，显然已不在牛李二党之间，而在于文臣与宦官之间；二、李德裕在牛党落难的这个时候施以援手，无异于为自己打一个大公无私的免费广告，足以在天下人面前树立起"不计前嫌、以德报怨"的光辉形象；三、最重要的是，李德裕很清楚，一心想杀杨嗣复和李珏的人就是仇士良，如果能在这件事上阻止他，就能借此机会打击宦官集团的嚣张气焰，同时赢得满朝文武和天下人的心。

总而言之，这已经不是救不救杨嗣复和李珏的问题，而是李德裕能否以此证明——自己是不是一个强势宰相的问题。

所以，李德裕第一时间就展开了营救行动。

三月二十五日，李德裕紧急联络另外三位宰相，一天之内三度递交奏疏，同时敦请枢密使杨钦义到中书省磋商，并请他入宫面奏天子，反对诛杀杨、李二人。

李德裕等人在呈给天子的奏疏中说："当年，德宗皇帝怀疑刘晏动摇东宫，仓促将他诛杀，朝野皆替其喊冤，两河藩镇甚至以此为借口而对抗中央。事后德宗追悔，以录用刘晏子孙为官作为补偿。先帝文宗也曾猜疑宋申锡与亲王串通谋反，将他流放贬谪而死，事后同样追悔，为宋申锡而流涕。而今，假如杨嗣复与李珏真的有罪，也只能加重贬谪，就算一定容不下，也当先行审讯，待罪证确凿，杀他们也不晚。如今，陛下不与百官商议便遣使诛杀，朝中无不震惊。恳请陛下登延英殿，允许我们当面陈述！"

武宗还是很给李德裕面子的，当天傍晚便宣他们上殿。

李德裕等人一上殿，第一句就说："陛下应该慎重考虑，以免后悔！"

李瀍面露不悦，很干脆地说："朕绝不后悔！"随后命他们坐下，意思是让他们不必如此激动。

可天子一连说了三遍，李德裕等人却还是直挺挺地站着。李德裕说："臣等希望陛下免除二人死罪，不要因他们之死而让天下人同声喊冤。陛下若不下旨，臣等不敢坐。"

李瀍大惑不解地盯着李德裕的脸，不明白他为何非救杨、李二人不可。看了许久，李瀍终于让步了。

尽管他不是很清楚李德裕的想法，但自己刚刚即位，实在没必要为两个过气的人而跟宰相们闹僵。所以，李瀍最后只好无奈地挥挥手："罢了罢了，就看在你们的面子上，饶他们一命吧。"

李德裕等人如释重负，当即趴在阶下三跪九叩地谢恩。

随后，两路使者被追回。杨嗣复被再贬为潮州刺史，李珏再贬为昭州刺史，但他们的性命总算是保住了。

仇士良恨得牙痒，但却无计可施。

因为他意识到，这次反对他的势力不可小觑——既有李德裕这样的朋党领袖、政治强人，又有新近崛起、明摆着要与他分庭抗礼的另一派宦官头子杨钦义。

面对这种强强联手的反对派，仇士良绝不敢掉以轻心。他预感到，在新君李瀍的朝廷上，自己可能很难像在文宗朝那样为所欲为了。

仇士良的预感是对的。

这一年八月，武宗李瀍忽然下了道诏书，给他加了一个"观军容使"的头衔。虽然左神策中尉的职务仍然保留，但这个新加上的头衔并没有让仇士良感到喜悦，而是感到了不安。

因为，稍有政治常识的人都知道，这是一种"外示尊崇、内夺其权"的做法。换言之，目前的这个加衔其实只是一种过渡。下一步，李德裕很可能就会怂恿天子卸掉仇士良的禁军兵权，只给他保留"观军容使"这个虚衔。

意识到这一点的时候，仇士良不禁倒抽了一口冷气。

自己难道就这么坐以待毙？

当然不能。

仇士良决定采取行动，对李德裕等人进行反击。

一旦找到合适的借口，何妨再来一场甘露之变。

仇士良：一个权宦的完美谢幕

会昌二年（公元842年）四月，百官提议要给天子李瀍进献尊号，称"仁圣文武至神大孝皇帝"，天子同意了，决定择日亲临丹凤楼接受尊号，同时大赦天下。

这将是一个盛大的典礼。届时，满朝文武必将云集丹凤楼，而神策六军的将士也要到场执行警戒任务。假如在这样一个重大时刻出了某种状况，比如禁军士兵因故哗变什么的，那是不是会有一场好戏看呢？

仇士良这么想着，无声地笑了。

他仿佛又闻到了七年前飘荡在大明宫中的冰凉而腥膻的气息。

当然，禁军将士是不会无缘无故哗变的。要看这出好戏，必定需要一个有力的借口。

这样的借口，仇士良早就有了。

举行典礼的日期刚一确定，一则流言便忽然在朝中传开了。流言说，宰相和度支已经跟天子商量好了，准备下诏削减禁军的衣料及粮草供应。而这个诏令，将在举行典礼的那天同时发布。

还能有什么借口，比这个消息更能激起士兵们的愤怒呢？

就在流言汹涌传播的那几天，仇士良逢人便说："到时候，如果天子真的下了这样的诏命，那么六军将士必将集结在丹凤楼前示威请愿！"

很显然，这是仇士良在向禁军士兵发布行动指令，也是在对天子和宰相进行恫吓。

李德裕意识到了事态的严重性，立刻做出反应。四月二十一日，亦即大典举行前两天，李德裕紧急要求天子开延英殿，由他当廷申述，辟清谣言。

天子李瀍勃然大怒。

无论他和宰相们是否有过削减禁军军需的打算，仇士良抓住此事大做文章都是让李瀍无法容忍的。他当天便遣使向左、右神策军宣谕："朕与宰相们只讨论过大赦令的内容，从未讨论要削减禁军军需。更何况，即便真有此意，那也是朕的意思，与宰相无关。有人肆意散布谣言，到底是何居心？"

天子亲自辟谣，而且姿态如此强硬，顿时让仇士良陷入了被动。

煽动禁军哗变的借口没了，仇士良自然也就没了兴风作浪的理由。

看来，一切都已非同往日了。仇士良无奈地意识到，眼下的李瀍已经不是当年的李昂，而李德裕更不是当年的李训和郑注了。和这样一群稳扎稳打、滴水不漏的对手过招，仇士良感到了前所未有的压力。

最后，仇士良不得不服软，带着一副诚惶诚恐的表情去向天子低头谢罪。

这是自甘露之变后，原本不可一世的权宦首次在天子面前低头。武宗李瀍大为欣慰，从此对李德裕越发倚重。

通过与仇士良的两次较量，李德裕已经在一定程度上遏制了宦官集团的嚣张气焰。接下来，他要全力对付的，自然就是跋扈藩镇了。

自从元和末年以来，大唐帝国历穆、敬、文三朝，在藩镇事务上一直采取妥协政策，对四方藩镇，尤其是河北三镇割据自专和官爵世袭的现象始终予以默认，包括对此起彼伏的兵变也一直抱着听之任之的态度。只要各地藩镇不公然起兵对抗中央，李唐朝廷就会把节度使的旌节斧钺拱手交给那些骄兵悍将。从前被朝廷视为大逆不道的事情，如今已然变成了一种司空见惯的社会现实。这么多年来，大唐帝国的臣民们似乎也已经麻木了。

然而，到了武宗一朝，这样的政治现状注定要被改写。

因为，武宗李瀍和宰相李德裕都不是那种得过且过、逆来顺受的人。一旦有机会，他们必将在藩镇事务上摆出强硬姿态，重塑李唐中央的权威。

会昌三年（公元843年）四月，一个改写现状的契机终于摆在了他们面前——昭义节度使刘从谏死了，其侄刘稹秘不发丧，以刘从谏病重为由，要求朝廷授予他留后之职。

给不给他这个继承权？

武宗和李德裕很快就做出了回答——不。

昭义镇位于河东，治所在潞州（今山西长治市）。本来，这个地方是李唐朝廷比较放心的一个藩镇，多年来很少出什么问题，甚至每当河北叛乱时，昭义的兵一直是朝廷的平叛主力。但是，最近这些年来，昭义与朝廷的关系却变得越来越差。究其原因，还要从八年前的甘露之变说起。

当年那场震惊朝野的流血事变发生之后，李训、郑注、王涯等朝中大臣全部遭到残忍的屠杀和族诛，昭义节度使刘从谏出于义愤，于开成元年二月给文宗上了道奏疏，说了些公道话，并且把矛头直指仇士良。

他说："王涯等人不过是儒生，荷国厚恩，岂肯轻易谋反？李训、郑注事实上也是为了除掉乱政的宦官，却被诬陷为谋反，说到底其实也没有罪。退一步讲，就算宰相们真有异谋，也应交付司法审判，岂能让宦官肆意屠杀？而且还连累了那么多无辜的朝臣和百姓。臣本想亲赴朝廷，向陛下面陈是非善恶，又担心遭人陷害，祸及子孙。虽然臣不能亲往，但一定会克尽封疆之责，抓紧操练军队，希望在内为陛下之腹心，在外为陛下之藩篱。倘若奸臣仍旧横行，臣会誓死入朝，以清君侧！"

一看到奏疏，仇士良顿时暴跳如雷，叫嚣说刘从谏有窥伺朝廷的野心。当时，文宗李昂已完全落入仇士良的掌控之中，只能象征性地给刘从谏加了个"检校司徒"的荣誉官职，以示勉励。但是，刘从谏却断然拒绝，并且对文宗的懦弱表现颇有微词。

从此，昭义与朝廷便产生了隔阂。

武宗李瀍即位后，刘从谏为了改善与朝廷的关系，赶紧给新天子献上了一匹举世无双的宝马。可不知道出于什么原因，李瀍没有接受。刘从谏越发觉得朝廷不信任他，一怒之下杀了那匹宝马，随后便开始积极扩展军备，明里暗里与中央较劲。相邻诸道见状，顿时大为恐慌，连忙跟着打造兵器、招募士兵，跟他搞起了军备竞赛。

会昌三年春，刘从谏患了重病，自知不久于人世，便对妻子裴氏说："我以忠直事奉朝廷，可朝廷却不明白我的心意，相邻诸道又与我们极不和睦。我死之后，别人来主持军政，我们家恐怕就没有烟火了。"

随后，刘从谏便效仿河北三镇，任命他的侄子刘稹为都知兵马使、族侄刘匡周为中军兵马使，同时把所有的亲信全部安插在军队的要害部门，以确保在他死后，家族子弟能承袭节度使的职位。

四月，刘从谏死，刘稹秘不发丧，强迫监军宦官崔士康上奏朝廷，称刘从谏病重，请立刘稹为昭义留后。刘稹坚信，只要严密控制监军宦官，重金贿赂朝廷使臣，暗中加强戒备，不出三个月，朝廷肯定会乖乖送上节度使的旌节斧钺。

然而，刘稹万万没料到，他这回运气不佳，碰上了两个注定要拿他开刀的人。

首先，武宗李瀍就不会上他的当。李瀍料定刘从谏已死，立刻命使臣前往宣旨，说："若从谏的病尚未痊愈，就先到东都洛阳静养，等到病体稍愈，另有任用。此外，希望刘稹能来京朝见，朝廷定会重加官爵。"

随后，武宗就此事征求宰相和百官的意见。其他宰相、谏官和大多数朝臣都认为，应该仿效河朔诸镇，授予刘稹留后之职，唯独李德裕一人坚决反对。

李德裕的理由是，昭义的情况与河朔三镇截然不同。河朔割据已久，人心难以挽回，所以历朝以来都把他们置之度外。而昭义却近在中央腹心，军队又一向效忠朝廷，只因为当年的敬宗皇帝荒疏朝政，宰相又缺乏远见和谋略，才在刘悟死后把官位授予刘从谏。而今朝廷倘若一意因循，姑息纵容，试问天下藩镇谁不想效法昭义？从今往后，又有谁愿意服从中央权威与天子号令？

武宗随即问李德裕："有什么办法可以对付昭义？"

李德裕胸有成竹地说："刘稹心目中的榜样和靠山就是河朔三镇，只要能让他们不与昭义结盟，刘稹必将无所作为。所以，应派遣大臣前去宣谕成德的王元逵和魏博的何弘敬，告诉他们，历任天子都已经承认他们世代相袭的惯例，但是昭义的情况与他们不同，如今朝廷要对昭义用兵，如果他们不希望看到朝廷的军队进入河北，就应该配合朝廷出兵，攻打隶属于昭义的邢州（今河北邢台市）、洺州（今河北永年县东南）、磁州（今河北磁县），并向所有将士承诺，平叛之后，朝廷一定会厚加赏赐。如果这两镇服从命令，不阻挠中央的军事行动，刘稹必定可以手到擒来！"

邢、洺、磁三州是昭义的财赋重镇，但却远离其治所潞州，是位于太行山以东的一块飞地，而成德与魏博则一北一南把它夹在中间，如果王元逵与何弘敬能奉命拿下这块飞地，朝廷基本上就稳操胜券了。

武宗闻言大喜，立刻按照李德裕的计划行事。

以往，每当河朔诸镇有节度使死亡，后人或部将企图自立，朝廷必定先派出吊祭使前往吊唁，其次再派册赠使、宣慰使前去刺探和斡旋。如果不准备承认其自立，也会先封他一个官爵，直到出现军队抗命的情况，朝廷才会出兵。这么一套繁文缛节下来，往往一拖就是半年，等到战事拉开，藩镇早已做好了充分的战争准备。而这次，武宗李瀍把所有装模作样的太极推手全部取消了，直接向河阳、河东、成德、魏博、河中五镇下达了命令。

这个命令就一个字——打！

会昌三年五月初，讨伐昭义的战争迅速拉开了序幕。

就在这场看得见的战争刚刚打响之际，另一场没有烽烟的战争就先行奏凯了。

这就是天子（宰相）与宦官的战争。

战争是以仇士良的缴械投降而告终的。

这一年五月，仇士良自知斗不过如今的天子和宰相，遂屡屡以老病为由请求调任闲职。武宗正中下怀，随即卸掉他的禁军兵权，改任其为左卫上将军兼内侍监。六月十六日，武宗又下诏，让仇士良以上述职位致仕。

至此，这个曾经一手遮天的权宦，终于自觉主动地匆匆谢幕了。

朝野上下都感到有些出乎意料。事实上，包括武宗李瀍和宰相李德裕在内，对此也都有些始料未及。

不过，这正是仇士良的高明之处。

因为，他是一个善于急流勇退的人。比起那些到死也不愿放弃权力的人，仇士良当然要高明许多。自从安史之乱以后，李辅国、鱼朝恩、陈弘志、王守澄等跋扈宦官大多死于非命，很少能得善终。而对于仇士良来说，这一生能在帝国政坛上呼风唤雨，手握生杀废立之大权，前后共杀二王一妃四宰相，并且除掉了无数政敌，他确实应该满足了。

最后，他期望的东西只有一个。

那就是——寿终正寝。

仇士良知道，属于自己的时代已经过去了。所以他告诉自己，只要曾经拥有，无需天长地久。

职是之故，仇士良向世人谢幕的姿态显得相当的优雅和从容。他致仕的那一天，徒子徒孙们给他开了个隆重的欢送会，随后又把他从宫中一直送到了家里。感慨万千的仇士良忍不住发表了一番告别演说。

这番演说是他宦海一生、跋扈弄权的精髓。

现在，他要把它无私地奉献给自己的党徒们。

仇士良说："你们要记住，千万不可让天子闲暇！应该使他时时刻刻沉醉于奢侈糜烂的生活里，以声色之娱灌满他的耳目，而且还要时时花样翻新，力求日新月异，让天子无暇旁顾。然后，我等就可以得志了。无论如何，不能让天子读书，也不可让他接近读书人，因为他一旦发现前代的兴亡之迹，就会心生惕厉，到那时，我等就会被疏斥了。切记，切记！"

闻此金玉良言，徒子徒孙们顿生醍醐灌顶、茅塞顿开之感，止不住千恩万谢，频频叩首。

这一刻，仇士良苍白无须的脸上绽放出了一个心满意足的笑容。

我虽然走了，但是我并没有输。

因为，我的精神将在一代又一代宦官的身上传承，并且不断地发扬光大。

李唐的天子和文臣们，你们可要小心了！虽然我仇士良跟你们的较量结束了，但是我敢断言，在未来的朝堂上，我的徒子徒孙们跟你们之间的战争，将永远没有结束的时候……

李德裕的人生巅峰

按照李德裕的计划，朝廷此次讨伐昭义能否成功，很大程度上取决于河北的态度。如果成德与魏博愿意奉诏，这场仗还没开打，朝廷就已经赢了一半；可万一他们拒不奉诏，并且跟昭义抱成一团，那么朝廷就有陷入全面战争的危险了。

耐人寻味的是，面对朝廷的诏令，成德与魏博的反应截然不同。

成德节度使王元逵一接到诏令，就亲率大军南下赵州，并很快就攻克了邢州外围的一座堡垒。可是，直到他的前锋攻入邢州境内月余，魏博的何弘敬却依然按兵不动。

王元逵频频向朝廷呈上密奏，称何弘敬首鼠两端，不可不防。接到密奏后，李德裕当即对武宗说："给何弘敬下一道诏书，称朝廷准备派遣王宰（讨伐昭义的主帅）率军借道魏博，直取磁州。如此一来，何弘敬必然担心朝廷打他的主意，不出兵也得出。"

武宗依计而行，随即命王宰率部直趋魏博。

果然不出李德裕所料，何弘敬得到消息后大为震惊，再也不敢耽搁，赶紧集结部队匆匆北上，兵指磁州。

从会昌三年七月到次年年初，昭义军在朝廷军的强大攻势下节节败退，刘稹惶恐，不得不两次上书请降，但均被李德裕断然拒绝。

会昌四年（公元844年）闰七月，刘稹的心腹将领高文端向朝廷投诚，并提供了许多至关重要的军事情报。朝廷军利用这些情报，又打了好几次胜仗，逐渐对潞州形成合围之势。八月，在王元逵与何弘敬的威逼下，作为昭义财赋重镇的邢、洺、磁三州又相继归降。至此，刘稹的败亡已成定局。

眼见昭义大势已去，刘稹身边的两个人就开始寻找退路了。

他们是刘稹的亲信大将郭谊、王协。

当初唆使刘稹拥兵自立时，这两个家伙最卖力，可眼下刘稹马上就要完蛋了，他们当然不想给他当陪葬。

郭、王二人决定杀了刘稹投降朝廷，用他的人头换取富贵。

在郭谊和王协看来，刘稹年少懦弱，要除掉他易如反掌，可问题在于，刘稹身边还有一个厉害角色——他的族兄刘匡周。

刘从谏临死前，有意安排刘匡周担任中军兵马使，目的就是让他辅佐刘稹。所以，要想除掉刘稹，就必须先摆平刘匡周。

为此，郭谊找了一个机会对刘稹说："十三郎（刘匡周排行十三）坐镇帅府，向来刚愎自用，所以诸将都不敢向您进言献计，怕被他猜忌而获罪。山东三州之所以丢失，其根源就在这里。依在下所见，只有请十三郎离开，众将才有可能开诚布公，也才敢向您提出转败为胜的策略。"

少不更事的刘稹信以为真，随即叫刘匡周以生病为由主动辞职。

刘匡周大怒："我身在帅府，诸将才不敢心怀异图，我要是走了，我们刘氏必遭灭门！"

刘稹认为刘匡周是危言耸听，坚持让他走人。刘匡周万般无奈，只好交出中军兵马使的兵权，黯然离开了节度使府。

他一走，刘稹的灭顶之灾就降临了。

郭谊和王协随即设计杀了刘稹，同时将刘氏宗族的男女老少全部捕杀——上自刘匡周、下至襁褓中的婴儿，无一幸免。随后，郭谊和王协又把刘从谏原来的亲信故旧全部灭门。

八月十六日，昭义平定的消息传到长安，宰相入朝称贺。武宗问李德裕："应该如何处置郭谊？"李德裕说："刘稹不过是一个无知小儿，之所以对抗朝廷，都是郭谊等人指使，可到了刘稹势穷力孤的时候，他们又卖主求荣，这种人要是不杀，何以惩恶！"

武宗点点头："朕也是这么想的。"

几天后，刘稹的首级被传送京师。

郭谊、王协等人眼巴巴地等着朝廷的封赏，可他们万万没想到，最后等到的，居然是朝廷的一纸逮捕令。

与刘稹被杀时隔不过半个多月，郭谊、王协等参与谋杀刘稹的昭义旧将，便悉数被绑送长安，然后全部斩首。

昭义之战，朝廷既收回了对昭义的直接管辖权，又极大地震慑了河朔三镇与天下诸藩，可以说是一场不折不扣的胜利。

自"元和中兴"以来，历穆、敬、文三朝，李唐中央与跋扈藩镇的较量无一不以失败告终，只有这一次赢得这么漂亮，忠于李唐的万千臣民无不为之欢欣鼓舞、扬眉吐气。

毫无疑问，此次收复昭义的首功之人非李德裕莫属。

如果没有他的运筹帷幄，李唐朝廷不可能获此完胜。

早在战事刚刚拉开的时候，李德裕就向武宗提了一个问题：数十年来，朝廷频频对藩镇用兵，为何屡屡失利？

这个问题的答案，当然也是武宗李瀍想知道的。

李德裕说，这是因为朝廷的用兵之策一直存在三大弊端。

其一，天子（包括他身边的近臣）直接指挥前线作战，往往一天之内就发出了三四道诏令，甚至连宰相都不知道，如此必然脱离战场实际，无异于纸上谈兵。

其二，前线的监军宦官也各凭己意发号施令，导致前线将帅进退无据，无所适从。

其三，监军宦官们往往将各自军中最骁勇的数百名士兵挑选出来，充当自己的卫队，却将老弱残兵投入战斗。而且每次会战，监军宦官都会带着令旗在高岗上观战，一看形势稍微不利，便率先拔旗而逃，致使全军随之崩溃。

指出这三大弊端之后，李德裕立即与枢密使杨钦义磋商，一起制订了一套对治之策，然后交由天子颁令实施。

这套对治的办法包括：一、禁止各路监军宦官再干预军政，同时规定每个监军只能挑选十名士兵作为卫队；二、除非宰相与中书省建议，否则天子不再直接下诏指挥作战。

在与昭义作战的整个过程中，从中央到前线都严格执行李德裕提出的主张。如此一来，朝廷下达给前线的命令就变得既符合实际又简明扼要了，使得前方将帅有了很大的决策权和自由施展的空间，因而才能在战场上屡屡获胜。

李瀍登基不过短短数年，为患帝国多年的"宦官乱政"和"藩镇割据"就得到了极大程度的遏制，实属难能可贵。然而，令人遗憾的是，在武宗一朝，三大政治顽症只被控制了两个，剩下那个"朋党之争"不但未见消隐，且有愈演愈烈之势。

这其实也不奇怪，因为当朝宰相李德裕本身就是朋党领袖，更是党争的始作俑者。

昭义的成功收复为李德裕获取了空前的政治资本，也把他一举推上了一生仕途的巅峰。刚刚平定昭义不久，武宗便加封李德裕为太尉、赵国公。他虽然表面上再三推辞，但最后还是笑纳了。

此时此刻，功成名就、位极人臣的李德裕最想做的一件事，当然就是找那两个老对手算算总账了。

事实上，早在昭义之战刚刚打响时，李德裕就已经预见到了自己的胜利，所以，他也早就为日后想要做的事情打下伏笔了。

当时，李宗闵正担任太子宾客，在东都洛阳坐冷板凳，李德裕觉得这老小子过得太逍遥，就给他扣上了一个"交通刘从谏"的帽子，把他逐出了东都，贬为湖州（今属浙江）刺史。

李宗闵压根想不起自己啥时候跟刘从谏有过交情，可如今人家李德裕正仕途得意，说你有你就有，没有也有。李宗闵只能自叹命苦，乖乖打起铺盖卷到湖州去了。他唯一能自我安慰的是，湖州这地方总还算山清水秀，日子也不至于太难过。

可是，李宗闵并不知道，他的灾难只是刚刚开始。

只要李德裕当权一天，就绝不会让他的日子好过。

会昌四年九月，亦即昭义刚刚平定一个月后，李德裕就开始算总账了。他对武宗说："刘从谏盘踞昭义十年，太和年间入朝时，牛僧孺和李宗闵当权执政，却不但没有把他扣留，还加授其'同平章事'的中央官职，终于酿成大患，竭尽天下之力才将其平定。说到底，牛僧孺和李宗闵就是罪魁祸首！"

武宗其实也知道这番话是扯淡——当时刘从谏一不叛乱二不谋反，哪个宰相有理由把他扣留？

不过，即便明知道李德裕是在扯淡，李瀍也会帮他扯。因为李瀍本人对牛党向来就没有好感，何况李德裕对朝廷贡献这么大，帮他发泄一下旧怨也是应该的。

罪名有了，第二步就是搜罗罪证。

潞州克复后，李德裕随即派人前去搜查刘从谏生前的书信，希望能找出一两封与牛僧孺和李宗闵的来往信件。

可是，结果却一无所获。

李德裕并不气馁。

在这个世界上，最容易制造的东西就是整人的把柄。

他随即胁迫刘从谏的军务秘书（孔目官）郑庆出面做证，声称："刘从谏每次接到牛僧孺和李宗闵的来信，阅后当即焚毁，所以现在找不到。"

人证有了，接下来就是物证。

李德裕又授意河南少尹吕述给他写了一封信，信中说："刘稹败亡的时候，我亲耳听见牛僧孺发出了叹息和悲愤的声音。"

牛僧孺时任太子太傅、东都留守，跟吕述是同事，所以由吕述来揭发，可信度很高。

最后，李德裕把郑庆的供词和吕述的书信一起呈给了天子。

毫无疑问，天子李瀍立刻作出勃然大怒之状，当即把牛僧孺贬为太子少保，几天后又贬为汀州（今福建长汀县）刺史，一个月后再贬为循州（今广东惠州市）长史；而李宗闵则先是被贬为漳州（今属福建）刺史，继而贬为漳州长史，最后又流放封州（今广东封开县）。

会昌四年冬天，当罪臣牛僧孺和李宗闵满面风霜地奔走在一站比一站更远的流放路上时，位极人臣、志得意满的李德裕正在他温暖如春的宰相府中赋诗饮酒，并欣赏着窗外美丽的雪景。

李德裕无限感慨——跟这两个老对手斗了这么多年，自己总算笑到了最后。

如今，一切都已尘埃落定。从今往后，自己终于可以安安心心地做一个太平宰相了。至于这两个老对手，就让他们在那瘴气弥漫的蛮荒之地了却残生吧。

生，他们回不了长安。

死，他们也别指望葬在长安。

就让他们的肉体在痛苦和绝望中悄悄腐烂，让他们的灵魂在天涯海角无尽地漂泊吧！

宣宗登基

然而，李德裕笑得太早了。

他原以为，刚刚三十出头的天子李瀍必将在相当长的一段时期内统治这个帝国，而自己的权力和地位也必将在未来的岁月里不可动摇地保持下去。

可他错了。

因为，年轻的天子即将不久于人世。

从会昌五年（公元845年）开始，年轻的李瀍就鬼使神差地走上了和他祖父宪宗、父亲穆宗一模一样的老路——服食丹药，希求长生。

没有人知道，这些帝王为什么不能从前人的覆辙中吸取教训。

看见李唐的历代天子就在这种让人无语的历史轮回中不断重复着相同的悲剧，我们不禁想起黑格尔说过的那句话：人类唯一能从历史中吸取的教训就是——人类从来都不会从历史中吸取教训。

这是个悖论，也是一条无奈的真理。

犹如飞蛾扑火般前仆后继奔向死亡的李唐天子们，就是这条真理的最好注脚。

会昌五年正月初一，文武百官为天子李瀍进献尊号，称"仁圣文武章天成功神德明道大孝皇帝"。

尊号总共十六个字，读起来实在费劲。不知道百官在称尊大典上齐声颂扬该名号的时候，中间是否要偷偷换气？

其实，群臣进献的尊号本来要稍微短点儿，只有十五个字。可天子觉得不太满意，就下令加了一个字——道。

对李瀍来说，这个"道"字绝不是可有可无的。

因为，它是"道教"的"道"。

道教是唐朝国教，武宗李瀍一直很崇信，自然希望把这个神圣而高贵的"道"字加进自己的尊号里。这些日子，武宗极为宠幸一个叫赵归真的道士，他服食的长生丹药，都是这个赵归真炼制的。

天子既崇信道教，自然对佛教没什么好感。而赵归真为了进一步抬高道教的政治地位，当然也要处心积虑地打击佛教，于是天天在武宗耳旁说佛教的坏话。很快，武宗对佛教的反感便与日俱增，认为佛教"耗蠹天下"，对国家和百姓都没什么益处。这一年七月，武宗终于颁发了一道诏书，对佛教实施了一次毁灭性的打击。

在有唐一代臻于极盛的中国佛教，就此遭遇了一场灭顶之灾。

唐武宗一声令下，全国共拆毁正规寺院四千六百座，民间小型寺院如招提、兰若、精舍、斋堂等四万余所；勒令僧尼还俗二十六万零五百人，强迫外国游学僧侣两千余人一并还俗；没收良田数千万顷，奴婢十五万人；凡寺院所属一切财产、器物全部收归国有，寺院的建材用于修葺政府的公署和驿站，而铜像、钟磬等物则全部熔毁，用于铸造铜钱……

这就是中国历史上著名的"武宗灭佛"，佛教史上称之为"会昌法难"。

佛教遭遇这场灾难，首先当然是出于武宗李瀍的个人意志，同时还有来自道教的竞争和排挤，但是从客观上讲，这场浩劫其实是在所难免的。因为，当时的佛教与其说是一种与世无争的宗教，还不如说是一个"与国争利"的超级产业。

唐朝自安史之乱以来，整个国家的现状是内战不断，经济凋敝，同时国库空虚，百姓徭役日重，而佛教则与之形成了鲜明对照——随着均田制的破坏，各地寺院不但逐渐占据大量田产，纷纷扩充庄园，驱使奴婢，而且，数量庞大的佛教僧尼又与贵族势力相互攀结，采取各种手段逃避国家赋税，此外，更有不少寺院通过高利贷活动多方牟利……

如此种种，必然在经济上与国家利益产生尖锐的矛盾。所以，唐武宗断然采取"灭佛"之举，绝非一时心血来潮，而是有其深刻的历史和现实原因的。

从"武宗灭佛"的历史事件中，我们不难得出一个结论：当佛教作为一种终极关怀作用于世道人心的时候，它就是这个污浊尘世中茕然独立、不可或缺的一朵莲花；可当佛教忘却自身的精神使命，与芸芸众生一起在万丈红尘中追逐物质欲望的时候，它必将异化成一颗吞噬社会健康肌体的恶性肿瘤。

换言之，当寺院建筑的规模一座比一座庞大，当大雄宝殿的香火一天比一天鼎盛，当佛教的出家人一个比一个更加忙碌也更加富有的时候，我们似乎可以问一个问题——这是佛教兴旺发达的标志，还是它走向异化和堕落的开始？

也许，这个问题并不多余。

会昌五年秋天，武宗李瀍开始变得性情暴躁、喜怒无常，其症状与当年的宪宗皇帝一模一样，可他依然坚持每天服食丹药。

进入冬天，武宗身上的许多器官都出了毛病，可道士赵归真却告诉他，不用担心，这是换骨。

是的，换骨。为了长生不老，为了得道成仙，就必须忍受脱胎换骨的痛苦和考验。

李瀍相信，这是修道者的必经之路，所以他并没有被眼前的困难吓倒，而是咬紧牙关，继续吃药。

武宗向宰相和百官隐瞒了自己的病情。李德裕等人只知道天子最近性情有点异常，而且荒疏了朝政，至于天子的身体已经坏到了什么程度，他们根本一无所知。

直到会昌六年（公元846年）正月三日，武宗忽然不能上朝了，李德裕和满朝文武才意识到事态的严重性。

李德裕立刻要求入宫晋见天子，但却遭到了拒绝。

拒绝他的人不是天子，而是天子身边的当权宦官。李德裕并不知道，此时的天子李瀍已经卧床不起，甚至不能说话了。

每当这种时刻，帝国的命运就会再次落入宦官的手中。

现任左军中尉马元贽和内侍宦官仇公武紧急磋商之后，秘密敲定了新天子的人选。

在此期间，禁中与外廷消息隔绝。李德裕和满朝文武虽然忧心忡忡，但是无计可施。

他们在惶惶不安中等到了三月二十日，终于接到禁中发布的一道"天子"诏书：因皇子年幼，储君必须另行物色德才兼备之人，可立光王李怡为皇太叔，改名李忱，即日起全权负责一切军国大事。

很显然，这道诏书出自宦官之手。

可当李德裕意识到这一点的时候，一切都已经太晚了。

诏书发布的当天，皇太叔李忱就在宫中接见了文武百官。三天后，亦即会昌六年三月二十三日，唐武宗李炎（患病期间改名）驾崩，享年三十三岁。

三月二十六日，李忱即位，是为唐宣宗。

登基的这一年，李忱已经三十七岁。自代宗李豫之后，帝国已经将近一百年没有出现这种中年即位的天子了。

尽管李忱的登基让朝野上下都颇感意外，但对于大多数臣民来说，有一个年长的天子总算是一件幸事。因为，年长就意味着阅历和经验，意味着理智和成熟，意味着不会像穆、敬二宗那样把国事当儿戏，也不会像文宗那么孱弱和意志不坚。

然而，对于李德裕来讲，新君李忱的突然即位显然不是一件好事。

在新天子的登基大典上，当李德裕与天子的目光偶然碰撞的时候，两个人都不约而同地倒吸了一口冷气。

天子事后对左右说："刚才我身边的那个人就是太尉吧？他每次看到我，都让我汗毛直竖。"（《资治通鉴》卷二四八："适近我者非太尉邪？

每顾我，使我毛发洒淅。"）

天子的感觉是汗毛直竖，而李德裕的感觉则是如遭电击。

因为，他看到了这位中年天子的心机和城府，更看到了一种乾纲独断的霸气。

四月初一，新天子李忱开始正式治理朝政。

四月初二，李德裕就被罢去了相职，外放为荆南（治所在今湖北江陵县）节度使。

作为一个大权独揽的强势宰相，李德裕知道自己不可能见容于新天子，但他断然没有料到，这一纸贬谪诏书居然会来得这么快。

不独李德裕自己感到意外，满朝文武也无不惊骇。虽说一朝天子一朝臣，可执政的第二天就把一个位高权重、功勋卓著的帝国元老扫地出门，这种雷霆手段实在是不多见。

随着李德裕的迅速垮台，满朝文武不约而同地预感到——帝国政坛新一轮的乾坤倒转开始了。

当年八月，宣宗李忱下了一道诏书，把武宗一朝被贬谪流放的五位宰相在一天之间全部内调。循州（今广东惠州市）司马牛僧孺调任衡州（今湖南衡阳市）长史，流放封州（今广东封开县）的李宗闵调任郴州（今属湖南）司马，潮州（今属广东）刺史杨嗣复调任江州（今江西九江市）刺史，昭州（今广西平乐县）刺史李珏调任郴州刺史，恩州（今广东恩平市）司马崔珙调任安州（今湖北安陆市）长史。

终于熬到头了。

这几个仕途多蹇的前朝宰相百感交集地打点行囊，迫不及待地踏上了北上的马车。

可是，李宗闵还没来得及踏上马车，便抱憾而终，病死在了贬所。就像李德裕所希望的那样，他的灵魂，从此只能在天涯海角漂泊了。

不过，李宗闵不必遗憾，也不必感到孤单。因为，短短三年之后，他的老对手李德裕就会被一贬再贬，一直贬到比他更远的地方，而且同样死在了贬所。

从会昌六年九月开始，李德裕的人生就只剩下"贬谪"两个字了。

他先是被贬为荆南节度使，不久调任东都留守，大中元年（公元847年）三月又调任太子少保；同年十二月，贬为潮州司马；大中二年（公元848年）九月，再贬为崖州（今海南琼山市）司户。

这最后一贬，把李德裕真正贬到了天涯海角。

大中三年（公元849年）十二月十日，李德裕在无尽的凄怆与苍凉中溘然长逝，终年六十三岁。临终之前，李德裕登上崖州城头，最后遥望了一眼北方的天空，留下了一首绝命诗《登崖州城作》：

> 独上高楼望帝京，鸟飞犹是半年程。
> 青山似欲留人住，百匝千遭绕郡城。

李德裕和李宗闵一样，最终都没能回到帝京长安，没能回到他们魂牵梦绕的那一片故土。

人世间的一切功名利禄、是非恩怨，都已随着他们的肉体在荒凉的帝国边陲悄悄腐烂。

关山万重处，只剩下他们的灵魂在夜夜守望——
守望那永远归不去的长安。

"傻子光叔"的帝王之路

唐宣宗李忱曾经被视为智障人士。

在这个世界上，几乎所有认识他的人都这么认为。

从他出生的元和五年（公元810年）起，到他登基的会昌六年（公元846年），在整整三十七年的时间里，他一直被当成傻子。

李忱是宪宗李纯的十三子、穆宗李恒的弟弟，也是敬、文、武三朝天子的皇叔。如此尊贵的一个宗室亲王，怎么会在整个前半生都被当成傻子呢？

一切都要从头说起。

李忱虽然是宪宗的亲生儿子，但却是庶出。他母亲郑氏仅仅是一名身份卑微的宫女，而且入宫前还是镇海节度使李琦的小妾。说白了，她就是宪宗皇帝平定镇海时获取的一件战利品。入宫之后，她成了郭贵妃（穆宗生母）的一个侍女，因年轻貌美，被宪宗临幸，不久就生下光王李怡，也就是现在的宣宗李忱。

由于母亲地位卑微，光王出生以后，自然享受不到其他亲王那样的荣宠，只能在一个无人注目的角落里孤独地成长。所以，李忱从小就显得落落寡合、呆滞木讷，往往与其他亲王群居终日而不发一言。长大成人后，这种情况不但没有好转，反而愈发严重。人们纷纷猜测，这可能和他在穆宗年间遭遇的一次惊吓有关。

当时，光王入宫谒见穆宗生母懿安太后，不料刚好撞上宫人行刺，虽然这个突发事件没有造成任何人员伤亡，但从此以后，光王就显得更加沉默寡言。十六宅的皇族宗亲们于是认定——这个本来就呆头呆脑的家伙这回肯定是彻底吓傻了。

此后，无论大小场合，光王就成了人们取笑和捉弄的对象。有一次，文宗皇帝在十六宅宴请诸王，席间众人欢声笑语，唯独光王闷声不响。文宗就拿他开涮，说："谁能让光叔开口说话，朕重重有赏！"诸王一哄而上，对他百般戏谑。可这个光叔始终像一根木头，愣是一句话也没有，甚至连嘴角都纹丝不动。见此情景，文宗不禁笑得前仰后合，众人也随之哄堂大笑。

然而，一个年轻的亲王却忽然间止住了笑容。

他就是后来的武宗李瀍。

虽然，性格活跃的李瀍刚才还是戏弄光王最起劲的一个，可现在他却死死盯着这个面无表情的光王，心里飞快地掠过一个念头——一个人能在任何时间、任何场合都不为一切外物所动，如果不是愚不可及，就是深不可测。

李瀍忽然有点不寒而栗。

他下意识地觉得，光王很可能属于后者。

到了李瀍登基之后，那种不寒而栗的感觉始终挥之不去——这个"傻子光叔"真的像所有人认为的那样，是一根木头吗？

不。武宗李瀍越来越觉得，光王内心深处极有可能隐藏着一些不为任何人所知的东西。

倘若真的如此，那么作为天子的李瀍就不能对此无动于衷了。

后来，种种"意外事故"就频频降临到光王身上，要么是和皇帝一起玩马球时突然从马上坠落，要么就是在宫中走着走着突然间摔得鼻青脸肿。

然而，光王的命很硬，始终没有出大事。

在一个大雪纷飞的日子，武宗又邀请诸王和光王随他一同出游。酒后回宫的时候，已经是深夜，跟大家一样微有醉意的光王再次"意外"摔下马背，昏倒在冰天雪地中。

漫天飘飞的鹅毛大雪很快就把他层层覆盖。

李瀍和许多人都料定，这个掉队的家伙肯定是回不来了。

然而，第二天一早，人们却在十六宅里看见了光王，一个活的光王。尽管他走路一瘸一拐，脸上也是青一块紫一块，可这个令人惊讶的事实还是摆在了李瀍面前——光王没死，他好像无论如何也死不了。

武宗李瀍愕然良久，最后终于横下一条心。

他不想再煞费苦心地制造什么"意外"了，他现在想动真格的。

随后的一天，光王突然被四名内侍宦官绑架，关进了永巷，几天后又被扔进了宫厕。内侍宦官仇公武劝武宗干脆把这个傻子杀了，一了百了。

武宗马上就同意了。

可是，武宗没有料到，仇公武并未杀死李忱，而是将他从宫厕中捞了出来，然后把他藏进装粪土的车中，偷偷运出了宫……

光王再一次大难不死，从此流落民间，开始了颠沛流离的逃亡生涯。后来的许多笔记史和民间传说都称，光王隐姓埋名，跋山涉水，一直逃到了浙江盐官（今浙江海宁市西南），在安国寺落发为僧，法名琼俊。二百多年后，北宋的大文豪、也是著名的佛教居士苏轼途经此处，追忆唐宣宗李忱的这段传奇人生，心中感慨，特地留下了一首诗："已将世界等微尘，空里浮花梦里身。岂为龙颜更分别，只应天眼识天人。"

据说，沙弥琼俊后来成了一名四处参学的云水僧，曾与禅宗高僧黄檗禅师一起云游。有一天，他们走到了江西的百丈山。黄檗禅师凝望着悬崖峭壁上奔腾激溅的一道飞瀑，朗声出对："千岩万壑不辞劳，远看方知出处高。"

沙弥琼俊微笑地注视着黄檗。

他知道，这个智慧过人的老和尚早已洞察了他与众不同的身世，也窥破了他深藏不露的内心。现在，老和尚想知道他的下一步打算：究竟是继续走在这条舍妄归真的求法路上，勘破四大五蕴，出离三界六道，最终证得不生不灭的慧命法身，还是回到那熙熙攘攘的俗世，做一个中兴李唐、弘传圣教的人间王者和护法天子？

沙弥琼俊最后收起了笑容。

黄檗禅师看见一道锐利的光芒从沙弥琼俊的眸中激射而出，同时他也听到了答案——

"溪涧岂能留得住，终归大海作波涛。"

会昌六年（公元846年）春天，武宗李瀍病危，朝野人心惶惶。

就在这个微妙的时刻，光王回到了长安。

这个命运多舛、九死一生的光王，这个早已被世人遗忘得一干二净的光王，终于在宦官仇公武等人的簇拥下，出人意料地回到了长安。

这一年暮春，光王李怡忽然就成了皇太叔李忱。

所有人都知道，李瀍一旦晏驾，这个皇太叔李忱就会理所当然地成为新的大唐天子。可是，让人们满怀错愕的是，天子李瀍自己有五个儿子，李唐宗室也还有几十个智力健全的亲王，为什么他们都没有成为储君，而偏偏是由这个智力残障人士入继大统呢？难道人们只能眼睁睁地看着这个傻子光叔摇身一变，成为金銮殿上的真龙天子吗？

这也太不靠谱了。

在帝国命运的转折点上，历史老儿竟然跟大唐臣民们开了一个如此荒谬的玩笑，真是让人气结。

不过，朝野上下的人们很快就回过神来了。

因为他们终于想起——这个傻子光叔是宦官拥立的。

宦官们需要的，本来就是一个傀儡——一个可以任由他们摆布的窝囊废和应声虫。既然如此，光王当然就是不二人选。试问，在李瀍的五个儿子中，在李唐宗室的诸多亲王中，还能有谁，比这个傻子光叔更适合充当傀儡呢？

在皇太叔李忱接见文武百官的仪式上，宦官仇公武的脸上一直荡漾着一个笑容，一个心花怒放的笑容。

是的，他有理由这么笑。

因为好几年前他就知道，自己从臭气熏天的宫厕中捞出的绝不是一个废物，而是一块举足轻重的政治筹码，一个具有高度利用价值的天子胚胎。所以，他甘愿冒着杀头的危险去把他捞出来，甘愿提着脑袋去赌明天。

试问，这样的胆识和魄力，满朝文武又有几人具备呢？

既然你们都没有这种远见卓识，更不敢提着脑袋赌明天，那么此时此刻，你们又有什么资格怪我仇某人笑得这么露骨、这么灿烂、这么自得和张狂呢？

然而，接下来的日子，当李忱以储君的身份开始接手军国大事，仇公武的笑容就在脸上逐渐凝结了。

因为，这个由他一手扶立的傻子突然间就变了，变得让他感觉无比陌生。

过去那种自闭木讷的神情、空洞散乱的目光、怯懦萎靡的状态，全部一扫而光。取而代之的是一张威严而自信的脸庞，一双睿智而深邃的目光，以及沉着有力的言谈和大气雍容的举止，看上去不但和从前的光王判若两人，而且根本不像是一个尚未正式即位的储君，更像是一位御极已久的成熟帝王。

仇公武始而诧异，继而困惑，终而震惊。

难道，这才是光王的本来面目？难道这三十七年来，他一直在倚傻卖傻、忍辱负重，就为了今天的这一刻？

直到此时，仇公武才恍然大悟，当初武宗李瀍之所以一而再、再而三地要把这个傻子光叔置于死地，就是因为早已看穿了光王的本来面目。

然而，现在明白已经太晚了。

因为木已成舟，生米已经做成了熟饭。

宦官仇公武只能将错就错、听天由命了。他只能无奈而悲哀地看着自己精心饲养的金丝雀，突然间挣破鸟笼，直飞蓝天，变成一只搏击长空、睥睨天下的苍鹰……

看着金銮殿上那个脱胎换骨的傻子光叔，满朝文武的讶异程度丝毫也不亚于仇公武。

不过，人们并没有感到悲哀和无奈，而是感到由衷的庆幸。

因为他们知道，这三十七年来，所有人都看错了这个光王。

所以他们相信——一个历经磨难而又百折不挠的人，一个遍尝人间疾苦而又不坠青云之志的人，一旦君临天下，必然也会是一个励精图治、有所作为的帝王。

山河长在掌中看

不出人们所料，新君李忱一即位，就施展了一系列雷霆手段，开始全面清算会昌政治。隐忍了大半生的他，似乎要迫不及待地将武宗李炎所建立的一切彻底推翻。

首当其冲者，就是武宗一朝的代表人物李德裕及其党人。

正式执政的第二天，李忱就罢免了李德裕；第四天，他又把李党的另一位重要人物、工部尚书兼盐铁转运使薛元赏贬为忠州（今重庆市忠县）刺史；同日，薛元赏的弟弟、京兆少尹薛元龟也被贬为崖州司户。

四月底，道士赵归真、轩辕集等人均被杖死或流放岭南。

五月初五，李忱宣布大赦天下，同时开始全面恢复佛教的地位。同日，翰林学士、兵部侍郎白敏中入相。随后，白敏中便在新天子的支持下，开始不遗余力地打击李德裕及其党人。

第二年正月，新君李忱改元"大中"。

这个年号，将伴随宣宗李忱和大唐帝国走过十三年的岁月。而这十三年，将是黯淡无光的晚唐历史上绝无仅有的一抹辉煌。

后人将这个时代誉为"大中之治"，也有人称其为"小贞观"。

大中元年（公元847年）八月初三，武宗朝的另一位宰相李回被贬出朝廷，外放为西川节度使。

大中二年（公元848年）正月初五，右补阙丁柔立上疏为李德裕喊冤，旋即被贬为南阳县尉。

正月二十四日，西川节度使李回再贬为湖南观察使；同日，桂州观察使郑亚也被视为李党成员，坐贬循州刺史。

正月二十八日，中书舍人崔碬受到指控，称其在撰写李德裕的贬谪诏书时有意搪塞，没有写出李德裕的全部罪行，被贬端州（今广东肇庆市）刺史。

同年五月，兵部侍郎、判度支周墀与刑部侍郎、盐铁转运使马植一同入相。

九月，湖南观察使李回再贬为贺州（今广西贺县）刺史。

至此，宣宗李忱基本上完成了对李党的清洗，用行动全盘否定了会昌政治，同时完成了对中枢政治的换血，建立了自己的宰执班子。

一张白纸铺开了。

接下来，宣宗李忱终于可以放手描绘属于自己的时代画卷了。

后人之所以把大中时代誉为"小贞观"，很大程度上，是因为宣宗李忱时时刻刻把太宗李世民作为自己学习的榜样，立志成为一个自律和勤政的明君。

登基不久，李忱便命人把《贞观政要》书写在屏风上，每天政务之余，便站在屏风前逐字逐句地阅读。此外，他还命翰林学士令狐绹每天朗读太宗所撰的《金镜》给他听，凡是听到重要的地方，便让令狐绹停下来，说："若欲天下太平，当以此言为首要。"

还有一件事，也足以证明宣宗的勤政确实非一般君主可比。

二月的一天，宣宗忽然对令狐绹说："朕想知道文武百官的姓名和官秩。"

百官人数多如牛毛，天子如何认得过来？

令狐绹很为难，只好据实禀报："六品以下，官职低微，数目众多，都由吏部授职，臣手上也没有材料；只有五品以上，才是由宰执提名，然后制诏宣授，各有簿籍及册命，称为'具员'。"随后，宣宗便命宰相编了五卷本的《具员御览》，放在案头时时翻阅。

勤政的君主总是喜欢事必躬亲，并且总能明察秋毫，宣宗李忱在这一点上表现得尤其明显。有一次他到北苑打猎，遇到一个樵夫。李忱问他的县籍，那人回说是泾阳人，李忱就问他县官是谁，樵夫答："李行言。"

李忱又问："政事治理得如何？"

樵夫道："此人不善通融，甚为固执。"

李忱一听就来了兴趣，让樵夫说说原委。樵夫答："李行言曾经抓了几个强盗，这些强盗跟北司的禁军有些交情，北司就点名要他放人，李行言不但不放，还把他们杀了。"

李忱听完，一言不发，回宫后就把此事和李行言的名字记了下来，钉在了柱子上。

事情过去一个多月后，恰逢李行言升任海州刺史，入朝谢恩，宣宗就赐给他金鱼袋和紫衣。

有唐一代，这象征着极大的荣宠，尤其在宣宗一朝，这样的赏赐更是绝无仅有。李行言顿时受宠若惊，却又百思不解。

宣宗说："知道你为什么能穿上紫衣吗？"李行言诚惶诚恐地说不知道，宣宗就命人取下殿柱上的帖子给他看。

李行言一看，在深感庆幸的同时，不免也有一丝后怕。假如他当初在宦官的压力下把强盗放了，那么今天等待他的就不是升官受赏，而是贬谪流放了。

还有一次，宣宗到渭水狩猎，路过一处佛祠，看见醴泉县的一些父老聚集在堂中设斋祷祝，祈求任期已满的醴泉县令李君奭能够留任。宣宗当即将这个县令的名字默记在心。过后，怀州刺史出缺，宣宗遂亲笔写给宰相一张条子，将此职授予李君奭。宰相们愕然良久，不知道一个区区的醴泉县令何以竟能上达天听，得到皇帝的青睐。随后，李君奭入朝谢恩，天子将此事一说，宰相们才恍然大悟。

久而久之，朝臣们就明白了，皇上表面上是在狩猎出巡，其实真正目的是要深入民间，掌握民情，并实地考察地方官吏的政绩。

但是，天下之大，宣宗不可能全部走遍。为此，他特意想了个办法，密令翰林学士韦澳将天下各州的风土人情、民生利弊编为一册，专门供他阅览。

天子将其命名为《处分语》。此事除了韦澳之外无人知晓。

不久，邓州刺史薛弘宗入朝奏事，下殿后忍不住对韦澳说："皇上对本州事务了解和熟悉的程度，真是令人惊叹啊！"韦澳略作试探，果不其然，天子掌握的资料正是出于《处分语》。

在这种目光如炬、明察秋毫的天子面前，如果有人心存侥幸，那他就要遭殃了。

有一次，度支在奏疏中把"渍污帛"（被水浸湿污染的布帛）中的"渍"写成了"清"，枢密承旨孙隐中一看，随手就把那个错字的笔画改了过来。

在孙隐中而言，这只是一个下意识的举动，何况这么微小的细节，皇帝肯定也不会发现。不料，宣宗一拿到奏疏，一眼就看见了那个被涂改过的字，顿时勃然大怒，下令追查涂改奏疏的人。随后，孙隐中便以"擅改奏章"的罪名遭到了处罚。

还有一次，新任的建州（今福建建瓯市）刺史于延陵赴任前入朝辞行。宣宗问他："建州距京师多远？"于延陵答："八千里。"宣宗说："你到任之后，为政的善恶我都会了如指掌。不要以为那地方远在天边，这阶前就可直通万里，你明白吗？"

于延陵当即吓得手足无措，不知道该如何回答。

宣宗安慰了他几句，就让他上路了。

于延陵赴任后，或许是把天子的告诫忘了，或许是不相信天子真有那么神，总之政绩并不理想。没多久，于延陵就被贬为复州（今湖北天门市）司马。他懊悔不迭，没想到宣宗根本就不是在吓唬他，他在建州的一举一动果然没能逃脱天子的法眼。

宣宗李忱的事必躬亲还不仅仅体现在治理朝政上，就连生活中的一些琐碎事务也是如此。宫中负责洒扫的那些杂役，李忱只要见过一面，就能记住他们的姓名和各自的职能。所以，不管宫中要做什么事、派什么活，天子往往随口就能点名让人去干，而且每次派任都毫无差错，让宫中的宦官和差役们咋舌不已。

在宣宗李忱十三年的帝王生涯中，这种事情可谓不胜枚举。他几乎要用尽全力把整个天下置于掌中，不论事情巨细。

一个普通人，要想做到凡事亲历亲为并且毫无差池，几乎都是不可能的，可身为日理万机的皇帝，宣宗李忱究竟是怎样做到的呢？

许多年前，当宣宗还是一个小沙弥的时候，就曾在江西的百丈山留下了这么一首诗：

> 大雄真迹枕危峦，梵宇层楼耸万般。
> 日月每从肩上过，山河长在掌中看。
> 仙峰不间三春秀，灵境何时六月寒。
> 更有上方人罕到，暮钟朝磬碧云端。

山河长在掌中看。

这是何等宏大的气魄，何等豪迈的胸襟，何等高远的志向！

除了表明他不同凡响的境界之外，李忱的这句诗，仿佛也为他日后种种令人难以理解的勤政表现做了最形象的注解。

他似乎在用他的实际行动告诉人们——"山河长在掌中看"绝不是一种凌空蹈虚的理想境界，而是一种切实可行的施政手段。

当然，前提是你有成为明君的意志和决心。

大中之治：最后一抹辉煌

宣宗一朝，原本甚嚣尘上的朋党之争终于渐次消歇，偃旗息鼓了，其原因除了两党的党魁相继离世之外，最重要的一点，就是宣宗李忱拥有高超的驭臣之术。

关于宣宗驾驭百官的心机和手腕，还要从大中初年一个宰相的际遇讲起。

这个宰相叫马植，于大中二年五月入相，本来干得好好的，可到了大中四年四月，却突然被贬出了朝廷，外放为天平节度使。此次贬谪事前毫无征兆，令满朝文武都大惑不解。

后来人们才知道，原来是一条腰带惹的祸。

准确地说，是一条宝玉腰带。

这条腰带是御用物品，天子在不久前把它赏赐给了左军中尉马元贽。众所周知，马元贽是拥立宣宗即位的主要功臣之一，所以，不管天子在内心如何看待这个功高权重的宦官，反正在表面上，天子对他是极尽恩宠和礼遇之能事，从登基之后便赏赐不断，这条腰带只是为数众多的赐物之一。

可忽然有一天，在朝会上，宣宗李忱却赫然发现——这条腰带系在了宰相马植的腰上。

这个发现非同小可。天子立刻产生了极大的怀疑和警觉。他当场质问马植，这条腰带是不是马元贽送的。马植已经意识到自己闯了大祸，不敢隐瞒，只好道出真相。第二天，宣宗李忱就毫不留情地罢去了他的相职，将他贬出朝廷。

因为一条腰带而罢去一位宰相，这种事情乍一看会让人觉得荒谬。可在宣宗李忱看来，这件事一点也不荒谬。

原因很简单，首先，马植与马元贽本来就是同宗，而且一个是当朝宰辅，一个是得势宦官，具有这种关系和身份的两个人，原本就应该主动避嫌而不能走得太近。可如今，马元贽居然把天子的赐物转送给马植，这意味着什么呢？是不是有理由认为他们私交很深，甚至有结党的嫌疑？轰轰烈烈的牛李党争刚刚过去，所有人都对之记忆犹新，而在此前每一度你死我活的党争背后，都无一例外地站着宦官的身影。如今，宣宗李忱又岂能让宰相宦官相互勾结的一幕在他面前重演呢？

退一步讲，就算马植与马元贽没有结党，也不搞党争，可仅仅是"禁中与外廷暗中交通"这个事实本身，就足以对登基未久的天子构成某种潜在的威胁了。宣宗李忱绝不会让自己像文宗那样受制于强势宦官仇士良，也不可能像武宗那样事事听从于强势宰相李德裕。因为，李忱从即位的那一刻起就立志要成为一个强势天子。

基于上述理由，李忱就必须把一切可能的危险扼杀在襁褓之中。

大中初年，从宰相马植旋起旋落的命运中，人们不难明白一点——要在天子李忱的朝廷上结党，几乎是一件不可能的事；要在他的朝廷上当宰相，也是一件相当困难的事。

在宣宗一朝前前后后的六七个宰相中，在位时间最久的一个，名叫令狐绹。

从大中四年（公元850年）十月起，到大中十三年（公元859年）十二月宣宗驾崩止，令狐绹为相近十年之久，几乎与宣宗一朝相始终。而令狐绹之所以能稳居相位的唯一秘诀，既不是因为他的政绩特别突出，也不是因为他建立了怎样的功勋，而仅仅是因为——他自觉主动地把自己的相权让渡给了天子。

这是他的聪明之处。

也是他的无奈之处。

要在强势天子李忱的朝廷中做稳宰相，除了选择这样的生存之道以外，令狐绹别无选择。

然而，即便令狐绹十年如一日地夹着尾巴做人，也难免会有偶露峥嵘的时候。而仅仅是一两次偶露峥嵘，就足以导致宣宗的怀疑、愤怒和指责。

我们在前面已经不止一次地看到，宣宗极为重视地方官吏的品行和能力，总是尽可能地亲自把关。为此，他专门下诏规定，各地方刺史如果要调往他州任职，一律要先到京师当面向他做述职报告，经过天子面试合格之后，才能调任他州。

有一次，令狐绹将一个刺史调往邻州，由于此人与他是旧交，而且考虑到只是在相邻两州之间调动，就没有要求他绕道到京师述职，而是直接赴任。随后，宣宗看到此人赴任后呈上的谢恩表，发现此人没有经过他的面试，马上质问令狐绹。

令狐绹慌忙解释："没有别的原因，只是因为两地距离较近，想省去迎来送往的繁文缛节而已。"

宣宗顿时脸色一沉，说："如今各地方刺史大多不称职，往往为害百姓，所以朕才要一一接见，考察他们的行政能力，按其能力高低决定去就。这道诏命颁发已久，如今却被弃置一旁，可见如今的宰相相当有权啊！"

那一刻，令狐绹一句话也说不出来。虽然是寒冬腊月，但全身瞬间爆发出的冷汗，早已浸透了他厚重的裘衣。

在大中时代的十几年间，宣宗就是以这样一种无孔不入的精明和难以置信的强悍驾驭着宰相和百官。

当然，如果总是表现得精明强悍，那宣宗的领导艺术就谈不上有多么高超了。其实很多时候，他也会显得宽厚而随和。就像一个高明的驯兽师一样，他总是优雅地举着鞭子，从容地把握着节奏，时而严苛猛厉，时而又会笑语温存。

可是，在宰相和百官看来，天子李忱笑语温存的时候，绝对比严苛猛厉的时候更加可怕。

比如有一次早朝，宣宗上殿的时候，脸上还是一副和颜悦色的表情，跟百官都很客气，让大家感觉如沐春风。可当宰相和百官一开始奏事，宣宗马上就换了一副脸色，神情威严，正襟危坐。等到奏事完毕，他又冲百官一笑，说："大家可以扯扯闲话了。"接着就向群臣询问一些街头巷尾的奇闻逸事，或者主动谈一些宫中的琐碎趣事。

这一刻，百官高度绷紧的神经终于松弛下来，开始在朝堂上有说有笑地扯闲篇。可就在他们谈得热火朝天、浑然忘我之时，天子却突然板起面孔，没头没脑地说了一句："诸位爱卿要好自为之。不知为什么，朕有时候经常有一种莫名的担心，担心你们会辜负朕，以致日后不能再以君臣之礼相见！"言毕，立刻起驾回宫。

一听此言，百官无不悚然。

大殿上顿时鸦雀无声。

直到天子的銮驾远去，一种无言的恐惧仍然凝固在他们脸上。

为相十年的令狐绹对此感触最深。他不止一次对亲信说过："吾十年秉政，最承恩遇，然每延英奏事，未尝不汗沾衣也！"（《资治通鉴》卷二四九）

宣宗李忱既然能够把满朝文武收拾得服服帖帖，他当然也不想放过那些专权跋扈的宦官。为此，他曾经多次以谈论诗词为名，秘密召见翰林学士韦澳，并屏退左右，单独与他商讨对付宦官的策略。

有一天，宣宗再次秘召韦澳，问："近日，外廷认为宦官的权势如何？"韦澳不敢正面回答，只是顾左右而言其他："外廷都说，陛下威严决断，非前朝可比！"

宣宗一听，不无失望地闭上眼睛，说："完全不对！事实上，朕对他们仍然心存畏惧，你说该怎么办？"

韦澳面露难色，小心地说："如果跟外廷商议，恐怕又会重蹈太和年间之覆辙。臣以为，不如在宦官中选择才德兼备之人，与他们商议。"言下之意，就是以毒攻毒，起用后进宦官，对付当权宦官。

宣宗长叹一声，说："这是下策！朕不是没有试过。从擢升那些后进宦官为黄衣（九品官服）开始，一直到绿衣（六七品）、红衣（四五品），他们都懂得感激皇恩，可一旦穿上紫衣（三品），他们马上就会和那些当权宦官抱成一团！"

知道这个韦澳难当大任，宣宗只好把目光转向宰相令狐绹。他希望令狐绹能拿出一个诛除宦官的计划，可让他大失所望的是——令狐绹的反应居然和韦澳如出一辙。

令狐绹呈上秘奏，说："只要宦官犯罪的时候不要赦免，职务出缺的时候不要递补，日子一久，也就自然淘汰，终归于消灭了。"

宣宗拿到奏疏的时候，唯一的反应就是苦笑。

这不是废话吗？如果这么做就能让宦官"自生自灭"，那前几朝的天子和宰相，又何至于让宦官玩弄于股掌？

不过，宣宗也知道，太和末年的"甘露之变"，已经把满朝文武都吓成惊弓之鸟了。如今，不光是满朝文武，即便放眼天下，恐怕都找不出一个敢跟宦官较量的人。

剪除宦官的计划就此搁浅。终宣宗一朝，李忱再也没找到一个有勇有谋的大臣助他完成这个心愿。

不过，虽然宣宗没机会对付宦官，但是另一方面，宦官在宣宗李忱强大的威慑力面前，实际上也是颇为忌惮的——在整个大中时代的十三年里，宦官集团一直比较收敛，始终不敢兴风作浪，既没有干预朝政的胆量，也没有干预朝政的机会。

宣宗在位期间，除了以强硬手腕消灭党争，并在一定程度上遏制了宦官的嚣张气焰之外，还有一项巨大的历史功绩也不可不提。

那就是河湟的收复。

自从"安史之乱"以来，河湟地区（甘肃及青海东部）已经在吐蕃人的手中沦陷了近一百年之久。玄宗之后的李唐天子们虽然不乏收复河湟的志向，但始终是心有余而力不足。因为藩镇之乱连年不绝，朝廷不得不屡屡用兵，加之朝政又被党争和阉祸搞得乌烟瘴气，使得李唐王朝自顾尚且不暇，更不可能腾出手去收复失地。

到了武宗会昌年间，形势开始发生逆转——吐蕃爆发了大规模内战，国内政局紊乱，人心离散。

而吐蕃开始走向衰亡的时候，正是宣宗李忱登上历史舞台的前夕。

上天似乎注定要把收复河湟的历史功绩送给他。

李忱即位后的大中三年二月，原本由吐蕃控制的秦州（今甘肃秦安县西北）、原州（今宁夏固县）、安乐州（今宁夏中宁县东北）以及石门、驿藏、制胜、石峡、木靖、木峡、六盘这"三州七关"，突然在一夜之间全部归降大唐。宣宗即刻诏命泾原、灵武、凤翔、邠宁、振武等地驻军出兵接应。到这一年七月底，唐朝军队全部进驻，三州七关正式收复。八月，三州民众一千多人扶老携幼来到长安朝见天子。宣宗李忱登延喜门接见。三州父老欢呼雀跃，立刻脱下胡服，换上唐装。围观军民欢声雷动。

本来，三州七关的收复就已经够让大唐臣民出乎意料了，可他们绝对不敢想象，短短两年后，所有河湟失地竟然会被一个叫张义潮的人一一收复，并且全部回归大唐帝国的怀抱。

张义潮本是沙州（今甘肃敦煌市）的一个平民，但却怀有一腔报国的激情和热血。早在吐蕃爆发内乱之时，他便结交了一批豪杰义士，一直在暗中计划起义。不久，沙州的吐蕃守军果然因内乱而军心涣散，张义潮觉得时机成熟，遂发动起义。城内的汉人纷纷响应，吐蕃守将弃城而逃。沙州就此光复。

大中五年（公元851年）二月，张义潮派出的使者历经艰险，将沙州光复的消息送到了唐朝的天德军驻地（今内蒙古乌拉特前旗东北）。同月十九日，捷报递至长安。宣宗李忱大喜，即日下诏，任命张义潮为沙州防御使。

随后，张义潮开始招募军队，训练士卒，并主动出击吐蕃。

在不到一年的时间里，张义潮便以所向披靡之势，先后收复了瓜州（今甘肃安西县）、伊州（今新疆哈密市）、西州（今新疆吐鲁番市东）、甘州（今甘肃张掖市）、肃州（今甘肃酒泉市）、兰州（今甘肃兰州市）、鄯州（今青海乐都县）、河州（今甘肃临夏市）、岷州（今甘肃岷县）、廓州（今青海化隆县）。大中五年十月末，张义潮让他的哥哥张义泽奉上十一州（包括沙州）的地图和簿籍入朝觐见。

十一月，宣宗下诏，在沙州设置归义军，任命张义潮为归义节度使兼十一州观察使。

至此，沦陷了一百年的河湟失地终于全部光复，回归大唐版图。

不可否认，百年失地的收复并不是宣宗的武功，而是一时的机运。如果说消灭党争、遏制宦官和整顿吏治的确是出于宣宗的个人努力的话，那么"收复河湟"无疑是上天给予他的一份出人意料的馈赠。

但不管怎么说，已经在内忧外患的灰暗历史中艰难行进了一百年的大唐帝国，毕竟还是在宣宗李忱的手里闪耀出了一抹辉煌。

就连一直以来作为帝国心腹之患的跋扈藩镇，在宣宗一朝也显得相对平静，没有再掀起太大的波澜。其中的客观因素，固然是武宗一朝强力平藩打下的基础，而主观原因，则是宣宗在藩镇事务上采取了灵活而务实的政策，既非力主征伐，亦非任意姑息，而是根据具体情况决定应对的策略，所以避免了像前几朝那样大规模的战争和动乱。

对于势力强大而且割据已久的河北藩镇，宣宗基本上是让它们保持现状，默认它们在这一个世纪以来所享有的特权。比如大中九年（公元855年）正月，成德节度使王元逵卒，军队拥立他的儿子、节度副使王绍鼎为留后，宣宗就没有予以干预，而是承认了他，并且几个月后便任其为节度使。到了大中十一年（公元857年）八月，沉迷酒色的王绍鼎暴亡，军队再度拥立他的弟弟王绍懿，宣宗也照例予以承认。

但是，对于那些一直处于朝廷有效控制范围内的藩镇，宣宗就毫不手软了。凡有藩镇爆发兵变，或是节度使不称职，宣宗的反应都相当迅速，而且手段非常强硬。

大中九年（公元855年）七月，浙东军队哗变，驱逐了观察使李讷。九月，宣宗便派出礼部侍郎沈询继任观察使，迅速稳定了浙东的局势。同是这一年七月，淮南发生饥荒，百姓流离失所，节度使杜悰却依旧耽于宴游，不尽赈灾抚恤之责。宣宗闻讯，几天后便派宰相崔铉接替了淮南节度使之职，把杜悰贬为太子太傅、分司东都。

大中十二年（公元858年）五月，湖南兵变，大将石载顺等人驱逐了观察使韩悰，杀了大将王桂直；六月，江西兵变，大将毛鹤驱逐了观察使郑宪；七月，宣歙（治所在今安徽宣州市）兵变，大将康全泰驱逐了观察使郑熏。八月，宣宗即命淮南节度使崔铉兼任宣歙观察使，出兵征讨宣歙叛乱；命山南东道节度使徐商征讨湖南叛乱；命光禄勋韦宙为江西观察使，负责征讨江西叛乱。

短短几个月后，宣宗派出的三路人马便都不辱使命，顺利平定了叛乱——十月，崔铉斩杀康全泰及党羽四百余人，平定宣歙；徐商斩杀石载顺，平定湖南；十二月，韦宙斩杀毛鹤及党羽五百余人，平定江西。

大中时代，大唐帝国虽然称不上是什么太平盛世，但起码算是一个相对安定的小康之局。

这在混乱不堪的中晚唐历史上，已实属难能可贵。

然而，尽管"大中之治"在一定程度上止住了大唐王朝江河日下的衰亡之势，却无法从根本上扭转它走向崩溃的历史宿命。

换言之，这个被后世誉为"小贞观"的时代，充其量也只能算是老大帝国的一次回光返照，是末世残阳中的最后一抹辉煌。

"夕阳无限好，只是近黄昏！"（李商隐《登乐游原》）

诗人无限怅惘的一声浩叹，不啻于是对帝国命运的准确预言。

懿宗登基

大中十年（公元856年）春天。唐宣宗李忱四十七岁。尽管这已经是他帝王生涯的第十个年头，可宣宗李忱治国御宇的热情似乎丝毫不减当年。

面对这个从不知疲倦和懈怠为何物的天子，满朝文武当然是既敬佩又欣慰的——谁不希望这个英明神武的天子永远保持充沛的精力，永远拥有过人的智慧和才干，从而长久地维护帝国的和平与安宁呢？

但问题是，这不现实。

人总是会老、会死的，李忱再怎么强悍，在这一点上也不可能超越自然规律。更何况，他前面的六任天子——顺、宪、穆、敬、文、武，没有一个活过五十岁。这个严峻的事实让人不敢对李忱的长命百岁抱有太大的乐观。所以，帝国必须及早确立储君，才能有备无患。

可让人遗憾的是，宣宗李忱始终不愿立储。他似乎一提起这件事情就烦。对此，宰相和百官自然是忧心忡忡。

正月的一天，宣宗召见宰相裴休，让他对朝廷在新一年里的当务之急畅所欲言。裴休不失时机地再次对天子提出："当今首务，无如早立太子。"

宣宗闻言，立刻拉长了脸。

片刻后，裴休听见天子冷冷地说："若立太子，朕岂不是成了闲人？"

对于天子执意不肯立储的原因，百官们自然是议论纷纷。人们普遍认为——这是天子对权力的过度执着和眷恋所致。

这样的分析当然是有道理的。可宰相裴休等人心里都很清楚，这其实只是部分原因。最主要的原因是——天子故意要跟大臣们抬杠。

天子并不是真的不想立储，而是在太子的人选上与大臣们产生了严重分歧。

宣宗李忱一共有十一个皇子，长子郓王李温年已二十四，本是储君的不二人选。可问题是宣宗一点也不喜欢这个长子，所以早早地命他搬出皇宫，住到了十六宅[1]的亲王府里。留在宫中的十个皇子中，宣宗最宠爱的就是三皇子夔王李滋，一直有心要立他为太子。可大臣们认为这不合礼制，应该立长子李温。双方各执己见，互不相让，于是事情就这么搁置了。

日子很快就走到了大中十三年（公元859年），帝国的储君依旧迟迟没有确立。

如果说在此之前，大臣们的担心还只是一种隐忧的话，那么到了这一年，满朝文武的担心已经转变成实实在在的恐慌了。

因为这几年来，这个天纵英才的皇帝又走上了历任李唐天子的老路，开始如痴如醉地追求长生，服食丹药，结果健康状况迅速恶化。从这年春夏之交开始，天子体内的毒性发作，背上生了恶疮。到了八月初，恶疮大面积溃烂，天子卧床不起，再也不能上朝。宰相和百官都没有机会见到天子。

天子病危，储君未立，宫内外消息隔绝。帝国再度落入一个危险的时刻。

宣宗李忱自知不预，立即传召左右枢密使王归长、马公儒和宣徽南院使（宫廷南院总监）王居方，把夔王李滋托付给他们，命其拥立李滋为太子，继承皇位。

天子托孤，而且是废长立幼。这种事情实在是非同小可，必须要有禁军作后盾。三个顾命宦官第一时间就找到了一贯与他们交好的右军中尉王茂玄，获取了他的支持。随后他们又紧急磋商，以天子名义发布敕令，把不属于他们一党的左军中尉王宗实外放为淮南监军，以此保证夺嫡行动的顺利进行。

1　唐代诸王集中居住之地，位于京城安国寺东。——编者注

王宗实没有怀疑，即刻准备出发。可他的副手、左军副使亓元实却意味深长地对他说："皇上卧病已一月有余，您只是隔着房门问候起居，今日突然被外放，这件事到底是何人所为，中尉大人难道就不想见了天子再走？"

　　王宗实如梦初醒，意识到自己被人摆了一道，立刻怒气冲冲地与亓元实一起奔向皇帝寝殿。

　　等他们到达的时候，宣宗已经驾崩，侍从和宫女们正围着遗体哭泣。王宗实与亓元实立即采取行动，召来王归长等三人当面怒斥，指责他们假传圣旨。王归长等人知道斗不过这个禁军的头号人物，只好趴在他脚下乞求饶命。王宗实随即命宣徽北院使齐元简前往十六宅迎接郓王李温。

　　八月九日，王宗实以天子名义发布遗诏，立郓王李温为皇太子，监理国政，同时改名李漼。同日，左右枢密使王归长、马公儒和宣徽南院使王居方被捕，旋即被杀。

　　又一个李唐天子，在两派宦官你死我活的斗争中被懵懵懂懂地推上皇位。

　　大中十三年八月十三日，二十七岁的李漼登基，是为唐懿宗。

　　当宣宗李忱走完他的传奇一生，"大中之治"也随之落下了帷幕。

　　盖棺论定的时刻，历史给予了李忱很高的评价："宣宗明察沉断，用法无私，从谏如流，重惜官赏，恭谨节俭，惠爱民物。故大中之政，迄于唐亡，人思咏之，谓之'小太宗'！"（《资治通鉴》卷二四九）

　　由于这个"小太宗"的励精图治，我们才得以在中晚唐混乱不堪的历史迷局中，有幸瞥见一脉传承自盛唐的明媚、华丽与雍容。

　　然而，当这一页历史翻过之后，黑暗便无情地吞噬了我们的目光。

　　在未来的黑暗岁月里，在山河崩裂的末世烽烟中，昔日那个煌煌大唐的浩气与精魂已然消失殆尽，只剩下最后几张年轻而惶惑的脸，在大明宫摇摇欲坠的殿廷中浮沉和飘荡……

第七章

一盘散沙的唐朝

内忧外患的帝国

懿宗李漼虽然在宦官的拥立下有幸坐上了皇位，但此时的李唐天下并不是那么好坐的。尽管帝国在宣宗李忱的强力治理下获得了十余年的相对安宁，可是各种历史积弊并没有完全去除，顶多只是被暂时掩盖而已。换句话说，表面稳定的大中时代并不足以成为一株让后人享受荫凉的大树，而充其量只是一只摁住弹簧的手。

当宣宗李忱强有力的大手从弹簧上移开，突然迸发出来的反弹力量就注定会震痛懿宗李漼那支纤弱无力的手臂。

对此，李漼有什么思想准备吗？

很遗憾，他没有。

他以为自己坐上的是一把太平天子的龙椅，不料却是一个无比炙热的火山口。

大中十三年十二月，李漼即位才几个月，浙东平民裘甫便揭竿而起，燃起了唐末农民大起义的第一把烽火，差不多与此同时，多年来一直向大唐纳贡称臣的南诏王国也突然变脸，出动军队大举入寇，跟李唐王朝打起了一场旷日持久的战争……

一个内忧外患的时代就这么开场了。

裘甫是浙东的一个平民，起事之初，手下仅有一百来号兄弟，可这些人个个凶悍无比，都有以一当十之勇。所以裘甫一拉起反旗，就迅速攻陷了象山（今浙江象山县）。当地官兵屡次围剿都铩羽而归，以致明州（今浙江宁波市）的城门在大白天也四面紧闭。随后，裘甫又乘胜进攻剡县（今浙江嵊州市），一时浙东骚然。

第二年正月，浙东观察使郑祗德派出的官兵又在桐柏观（今浙江天台县西北）遭遇惨败，指挥官刘勍仅以身免。几天后，裘甫占据剡县，开放府库，招兵买马，短短几天之内，队伍就扩大到了数千人。郑祗德大恐，仓促招募了五百名新兵前往征剿，结果在剡县西面再度被裘甫打败，率兵的三个将领全部阵亡，部众几乎全军覆没。

裘甫数战皆捷，四方的无业游民蜂拥来附，变军人数迅速激增至三万人。裘甫立刻抖擞起来，自称天下都知兵马使，建年号"罗平"，还铸造了一颗"天平国"的大印。

三月下旬，变军越发猖獗，又先后劫掠了衢州、婺州（今浙江金华市）、台州（今浙江临海市）、上虞等地，攻陷了唐兴（今浙江天台县）、余姚、慈溪、奉化、宁海。所到之处，青壮年全部抓为壮丁，而老弱妇孺则遭到了无情的屠杀。

浙东叛乱的消息传到长安，令懿宗李漼大为震骇。

江南可是帝国的"钱袋"和"粮仓"啊，怎么能起火呢？

安史之乱以来，帝国北方长年兵连祸结，社会生产遭到了严重破坏，加上河北诸藩一直拥兵割据，赋税自享，所以帝国的赋税收入便只能依赖于江淮地区。幸运的是，这一百多年来，帝国南方总体上还算安定，因而得以支撑朝廷的用度。可眼下，浙东裘甫的首开叛乱无疑一举打破了江南的安宁，并将直接威胁李唐中央的财政收入，懿宗朝廷自然会为之震恐。

眼看星星之火即将燎原，懿宗赶紧派遣前安南都护王式接任浙东观察使，并命忠武、义成、淮南各道的兵力归他调度，全力镇压裘甫叛乱。

王式虽是一介文官，却是一个有勇有谋之人。据说他在担任安南都护期间，便以其过人的胆识和才干而"威慑华夷"。得知朝廷派王式前来平叛，裘甫及其党羽大为恐慌，军心开始涣散。有人劝他分一些兵力袭取福建，准备一条退路，又有人劝他据险固守，实在不行就逃到海上。裘甫听来听去，却始终拿不定主意。

这一年四月，王式抵达浙东治所越州，一面整顿军纪，一面下令各地开仓放粮，赈济贫民。这种做法极大地挽回了民心，当地百姓开始支持官军，于是战场上的形势陡然一转。不久，官军屡战屡胜，先后迫降了变军大将洪师简、许会能、王皋等人，大破毛应天、刘天平、孙马骑等部，失陷的城池也接连收复。

六月下旬，节节败退的变军已被团团围困，只剩下剡县一座孤城。裘甫眼见大势已去，只好出城投降。

八月，裘甫被押送京师，斩首于东市。

至此，懿宗李漼悬着的一颗心终于落地。十一月，朝廷大赦天下，改元"咸通"。

猖獗一时的东南民变虽然被迅速镇压了，但此时此刻，在帝国的西南边陲，一场更大规模的战争却正在如火如荼地进行着。

这就是南诏与大唐的战争。

此时的懿宗当然不会料到，这场战争不仅规模浩大，而且还将持续十多年之久，几乎与他的整个帝王生涯相始终……

都说世界上没有无缘无故的爱，也没有无缘无故的恨。南诏之所以突然跟大唐翻脸，当然也不会是无缘无故的。

南诏原本依附于吐蕃，但自从德宗年间，宰相李泌实施了围堵吐蕃的战略之后，南诏便转而投靠了大唐。这些年来，南诏年年向大唐称臣纳贡，一直恪守臣藩之礼。当然，南诏同时也从大唐捞到了不少好处。

第一个好处，就是向唐朝派遣留学生（留学费用由唐朝出）。自德宗以来的五六十年间，南诏每年都要派出数以千计的留学生，统一前往成都学习唐朝文化，期间的生活和学习费用全部由当地政府承担。这事情要是搁在天宝年间，财大气粗的唐朝政府绝不会皱半下眉头，可自从安史之乱之后，唐朝各级政府的经济状况就大不如前了，几乎都要掰着指头过日子，就算有点闲钱，也得随时准备应付战争、灾荒等不时之需。现在可倒好，自己尚且要精打细算、一分钱掰成两半花，却还得打肿脸充胖子，省吃俭用地供养那些南蛮子弟，当地政府自然是满腹牢骚，所以提供给留学生的待遇也就一年不如一年了。

对此，南诏当然很不爽。其国王丰祐立刻给唐朝递交了一封国书，扬言要把留学生全部召回去，并且措辞极为傲慢。

除了留学生外，南诏从大唐得到的第二个好处，就是纳贡。

按理说，南诏向唐朝纳贡，应该是唐朝得好处，怎么反而是南诏得好处呢？

原因很简单——中国历来讲究礼尚往来，既然人家藩属国千里迢迢前来纳贡，作为泱泱大国的唐朝自然也要回礼。

所以，南诏每年纳贡，唐朝都要对使团大加赏赐，所赐物品的价值远远高于那些贡品。

南诏尝到了甜头，"纳贡"的积极性大为高涨，人人都抢着去唐朝"上贡"，于是派往唐朝的使团人数便逐年递增。久而久之，唐朝政府自然是不堪重负。到了宣宗年间，在西川节度使杜悰的建议下，李唐朝廷终于大幅度削减了对南诏纳贡使团的赏赐，不再做赔本买卖了。

南诏国王丰祐再次气得吹胡子瞪眼，当年岁末便不再纳贡，仅派使节送了一道贺表了事。之后几年，是否纳贡也全凭他的心情而定，心情好了就随便弄一些去凑数，心情不好非但不纳，反而还会派小股部队到唐朝边境去袭扰劫掠。

因此，到了宣宗末年，唐朝和南诏虽然还没发展到敌对状态，但两国关系其实已经到了决裂的边缘。

大中十三年，宣宗驾崩，懿宗即位，李唐朝廷派宦官向四方发布讣告，通知各藩属国派吊祭使赴长安吊唁。巧合的是，南诏国王丰祐也在这个时候死了，可唐朝却对此一无所知。结果，派往南诏的这一路宦官自然就看不到人家的好脸色了。

此时，南诏的新任国王是丰祐的儿子世隆。他看一眼诏书就随手扔在了一边，怒气冲冲地对唐朝使者说："我国也有丧事，为什么朝廷不派人来祭悼？而且诏书上居然还写着先王的名字，这不是侮辱本王吗？"

使者一脸尴尬，无言以对。随后，世隆就把使者打发到了城外的简陋客栈，接待规格低得不行。宦官们满腹委屈，回到长安后，便把此番遭遇一五一十地向懿宗做了禀报。

年轻气盛的懿宗李漼一听也火了。他当即做出报复，坚决不对世隆进行册封，也就是不承认他南诏国王的身份。懿宗还给出了两条不册封的理由：

一、胆敢不派遣使者前来吊唁，分明是对朝廷不尊；

二、世隆的名字犯讳，"世"字犯太宗讳，"隆"字犯玄宗讳，显然是大不敬罪。

懿宗以为，世隆为了求得朝廷册封，一定会乖乖地低头认错。

可他错了。这个新任的南诏国王远比他想象的执拗得多，也强悍得多。接到李唐朝廷问罪诏书的那天，世隆发出了一声冷笑。你以为老子稀罕你的册封吗？你不让老子当国王，老子就自己当皇帝！

几天后，懿宗非但没有看到世隆低头认错的上表，反而接到了一则令他目瞪口呆的奏报——世隆称帝，国号"大礼"，改元"建极"，同时发兵入侵大唐边境，已经攻占了播州（今贵州遵义市）。

南诏与大唐的战争就此揭开序幕。

咸通元年（公元860年）十一月，安南都护李鄠向入侵的南诏军队发起反攻，收复播州。但南诏却趁他后方空虚，发兵三万，在安南蛮族的引导下奔袭安南治所交趾（今越南河内市），并一举攻占。李鄠后路被抄，只好仓皇逃奔武安（今越南海防市）。

咸通二年（公元861年）正月，懿宗下诏命邕州（岭南西道治所，今广西南宁市）及相邻各道紧急发兵援救安南，阻止南诏的进攻。六月，朝廷以失职的罪名把安南都护李鄠贬为儋州司马，同时任命盐州（今陕西定边县）防御使王宽为安南经略使。

七月，南诏军队又攻陷邕州。

咸通三年（公元862年）二月，南诏再犯安南，王宽无能，频频上书告急。懿宗朝廷不得不再易主帅，命湖南观察使蔡袭取代王宽，并紧急动员忠武、义成、武宁、宣武、荆南、山南东道、湖南、鄂岳八道士兵共三万人，归蔡袭指挥。

南诏见唐军声势浩大，遂暂时撤退。

同年十一月，南诏集结了五万人马卷土重来，于咸通四年（公元863年）正月再度攻陷交趾。蔡袭率众力战，左右皆战死，他身中十箭，最后蹈海而亡；大将元惟德等人奋力砍杀两千多敌兵，其后也是寡不敌众，壮烈殉国。

南诏两度攻陷交趾，共杀死和俘虏唐朝军队十五万人。安南各蛮族见南诏势盛，纷纷投降。前线接连战败，李唐朝廷不得不放弃安南，命驻守安南的各道士兵全部后撤，退守岭南西道。

懿宗即位才短短几年，帝国的内忧外患便纷至沓来，朝野上下的有识之士无不为之深感忧惧。可是，懿宗李漼却丝毫没有表现出应有的忧患意识，而是天天沉浸在游乐宴饮之中。

左拾遗刘蜕愤而上疏："如今南蛮大举入侵，干戈满途，天下并不太平。皇上在所有人面前都没有忧虑的神色，又如何责成人臣尽死效忠？恳请陛下减少娱乐活动，等到四方承平、人心安定，再图享乐也为时不晚！"

然而，懿宗李漼却置若罔闻。

摊上这样一个享乐皇帝，帝国的命运也就可想而知了。

庞勋之乱：大唐的人心散了

从咸通四年一直到咸通七年（公元866年），懿宗朝廷先后派遣的前方主帅康承训和张茵均未克复安南。与此同时，南诏王国在世隆的手中进入了全盛时代，其版图北逾金沙江，东抵黔中，西达怒江，南抵越南中部。

咸通七年六月，新任安南都护高骈终于对安南发起反攻，在交趾大破南诏军队，并于十月进围交趾，经过将近一个月的苦战，最终将其攻陷，砍下三万多首级。随后，高骈又击败归附南诏的蛮族，杀了他们的酋长；十月底，蛮族士众一万七千人归降大唐。

至此，安南收复。十一月，懿宗诏令安南、岭南西道与西川守军各守疆域，不得再进攻南诏，并遣使向南诏表示修好之意。同月，在安南设置静海镇，以高骈为节度使。

边境刚刚恢复暂时的安宁，懿宗李漼便又变本加厉地纵情声色了。

懿宗李漼酷爱音乐，所以光是在殿前随时侍奉的乐工就将近五百人，每月举办的音乐酒会不下十余次，席间各种山珍海味、美酒佳肴应有尽有，歌舞和戏剧表演也是一场接着一场。对那些优伶和乐工，懿宗的出手相当阔绰，其赏赐动辄千缗。

懿宗的温柔乡还不仅大明宫一处，比如曲江（长安东南）、昆明（大明宫内）、灞水、浐水（渭水支流）、北苑、南宫（皇城外的兴庆宫）、华清宫（陕西临潼）、咸阳宫等处，都有天子专门命人设置的福地洞天。每当他兴致一来，便会立刻起驾前往，以致侍从们经常来不及筹备和布置。为此，有关部门只好在上述各处常备音乐、酒食、锦帐、帘幕等物，以防天子突然驾到。此外，李唐皇室大大小小的亲王们也随时处于待命状态，每当天子起驾，他们就会前呼后拥地陪同圣驾出发。天子每次巡幸，宫廷内外各色人以及各衙司随驾侍从的人数往往多达十余万，所耗费的钱财更是不计其数。

人在逍遥享乐的时候，日子是很容易过的。

时间一晃就到了咸通九年（公元868年）。这年夏天，当懿宗李漼仍然在他的温柔乡中乐而忘返的时候，一场比裘甫之乱规模更大的兵变爆发了。

咸通三年安南沦陷时，朝廷曾从徐州（徐泗镇治所）调了八百名士兵前往桂州（今广西桂林市）驻防。当初，徐泗镇招募他们时便与其约定，役期以三年为限，期限一到立刻派兵换防。结果，这批士卒在桂州整整待了六年，却始终没有等到换防的调令。思乡心切的戍卒们屡屡向徐泗观察使崔彦曾写信抗议，要求回镇。崔彦曾便召集了将领尹戡、杜璋、徐行俭等人商议，这些人一概劝他拒绝，理由是徐泗镇目前军费困难，而派兵接防的开支又太大。他们向崔彦曾建议，命令这批戍卒再驻守一年。

收到徐泗镇的答复后，戍卒们立刻炸开了锅。

这批戍卒中的大多数本来就不是良民，比如都虞侯许佶、军校赵可立、姚周、张行实等人，原来都是徐州地面上的强盗，只因州县无力征讨才将他们招安。而这伙人之所以接受招安，目的就是想升官发财，不料到头来什么油水都没捞着，还在这穷乡僻壤吃了六年的苦头，他们当然吞不下这口恶气。

这一年七月，许佶等人召集八百名戍卒发动兵变，杀了大将王仲甫，推立粮料官庞勋为首领，一路向徐州杀了回去，所过之处烧杀抢掠，州县莫之能御。

十月十七日，庞勋变军一口气杀到了彭城（徐州州府所在县）。

由于一路上不断纠集和招募，此刻变军数量已达六七千人，鼓噪之声喧天动地。

正所谓盗亦有道。这伙强盗出身的乱兵虽然一路上没少杀人抢劫，可一回到家乡，他们立马变了一个人。进抵彭城后，他们不但对百姓秋毫无犯，而且大加慰抚，因此百姓纷纷依附。结果，只用了不到一个时辰，变军就攻破了外城。随后，百姓又帮助变军进攻内城，推来草车焚烧城门，旋即又将内城攻破。变军杀进城中，俘虏了徐泗观察使崔彦曾，并把尹戡、杜璋、徐行俭等人开膛破肚，碎尸万段，然后又屠杀了他们全族。

当日，城中自愿归附变军的士民又有一万多人。

随后的日子，各地前来投奔庞勋的人络绎不绝，都愿意为他效死。不仅是徐州附近州县，就连光州（今河南潢川县）、蔡州（今河南汝南县）、兖州（今山东兖州市）、郓州（今山东东平县）、沂州（今山东临沂市）、密州（今山东诸城市）以及淮河一带、浙江地区的变民，也都从四面八方赶来归附……

对此，李唐朝廷和各级官员都百思不解，为什么帝国会在一夜之间冒出这么多变民？为什么一个小小的庞勋兴兵作乱，竟然会有那么多百姓帮他攻城，而且还从远近各地争先恐后地跑来追随他？

这个庞勋一无声望，二无资历，三无领袖魅力，四无远大的政治抱负，五无号令天下的政治纲领，如此典型的"五无人员"，凭什么能够振臂一呼，应者云集呢？

也许，唯一的解释只能是——大唐的人心散了。

人心为什么会散？

答案很简单：民穷思变。

自从安史之乱以来，杀伐争战就成了大唐帝国的社会常态。为了应对此起彼伏、层出不穷的各种危机，历届李唐朝廷无不付出了沉重的代价，并且承受着巨大的财政压力，而这样的压力，最终必然要转嫁到老百姓头上。

德宗年间，李唐朝廷虽然实施了两税法改革，在名义上取消了各种苛捐杂税，但其主要作用，只是通过限制和收缴地方财权，从而缓解李唐中央的财政危机而已，实际上并未减轻老百姓的负担。此外，虽然两税法的主观目的之一，是想防止地方政府在正常赋税之外非法聚敛，但实际上，各藩镇州县普遍阳奉阴违，从未停止过对百姓的压榨和盘剥。

处于"社会食物链"最底端的老百姓，既没有自己的利益代言人，又没有正常的诉求渠道，只能在死亡边缘苦苦挣扎。收成好的时候，人们或许还能图个温饱，可一旦碰上灾年，就难免于困苦和冻馁了。

然而，各级官吏为了保住自己的乌纱和各种利益，根本不会顾及老百姓的死活。到了懿宗年间，百姓与官府的矛盾已经极其尖锐。咸通十年（公元869年）六月，陕州（今河南三门峡市）爆发了一场小规模的民变，驱逐了当地观察使崔荛。从这个事件中，人们足以看出当时的官民矛盾已经发展到了怎样的程度。

当时，陕州发生了旱灾，当地农民颗粒无收，而官府不仅没有赈灾之意，还屡屡催收钱粮，百姓只好集体到官府请愿。观察使崔荛看着这帮闹哄哄的乱民，不屑地指着庭前的一棵树，说："看见了没有，这叶子不是长得好好的，哪来的旱灾？"随即命人把为首的农民抓了起来，暴打了一顿。

请愿百姓忍无可忍，马上回去召集四邻乡亲，拿起锄头镰刀冲进了官府，准备宰了崔荛。崔荛仓皇逃命，一口气跑出了百八十里地。后来，崔荛跑得口干舌燥，实在是跑不动了，只好到路边的一户人家讨水喝。主人认出了他，但并未点破，而是拿过一个海碗，往里头长长地撒了一泡尿，然后递到他的嘴边。

崔荛知道，他要是不喝，唯一的结果就是被活活打死。为了保命，他只好捏着鼻子把那碗尿灌进了肚子。

哪里有压迫，哪里就有反抗。

当官府连饭都不让老百姓吃饱的时候，老百姓凭什么不能让当官的喝尿呢？

与此同理，当那个叫庞勋的人突然拿起武器反抗朝廷的时候，早就对官府深恶痛绝的老百姓凭什么不能推着燃烧的草车帮他攻城呢？凭什么不能马不停蹄地从四面八方跑来投奔他呢？

造反固然是一种无奈的选择，但既然生存底线早已被突破，老百姓就只能选择这种最后的自我保护方式。

苟政猛于虎。

如果你不想被虎吃掉，就只能把虎打死，二者必居其一。

庞勋之乱震惊了李唐朝廷。

徐州沦陷次月，懿宗朝廷便紧急派遣大将康承训、王晏权、戴可师兵分三路进攻徐州，并大举动员诸道兵力归三帅统领；同时，又采纳康承训的建议，征调沙陀部落的酋长朱邪赤心，会同吐谷浑、达靼、契苾等部落征讨庞勋。

李唐朝廷的这场平叛之战，一开始打得并不顺利。先是康承训率领的中路军因诸道兵力尚未集结而遭遇叛军狙击，退守宋州（今河南商丘市）；不久，求胜心切的南路军主帅戴可师又在都梁（今江苏盱眙县南）被叛军王弘立部击溃，戴可师战死，所部三万人仅剩几百人脱逃，所有武器、粮草、辎重、车马全部落入叛军之手。

在接二连三的胜利面前，庞勋的暴发户本性暴露无遗，"自谓无敌于天下"，天天宴饮游猎。军师周重劝他说："自古以来，由于骄奢淫逸导致得而复失、成而复败的例子太多了，更何况功业未成就骄傲奢侈，岂能成就大事？"

可庞勋却把军师的告诫当成了耳旁风。

也许在这一刻，庞勋的败亡就已经注定了。

从咸通十年正月开始，官军逐渐扭转了劣势，对叛军展开了全面反攻，尤其是朱邪赤心率领的沙陀骑兵，因其骁勇善战而在战场上发挥了不可小觑的作用。随后的半年多，官军节节胜利，相继击溃叛军的王弘立、姚周等部。到了这一年九月，庞勋屡战屡败，最后带着残部两万人逃至蕲县（今属安徽）西面，被官军四面合围，部众几乎被全部歼灭，庞勋也死于乱兵之中。

同年十月，变军的余党基本上肃清，庞勋之乱宣告平定。朝廷论功行赏，擢升康承训为河东节度使、同平章事；任命沙陀酋长朱邪赤心为大同军（治所云州，今山西大同市）节度使，并赐名李国昌（李国昌的儿子，就是唐末历史上叱咤风云的李克用）。

庞勋之乱虽然历时不久便被平定，但显然已经动摇了李唐王朝的统治根基。

史称"唐亡于黄巢，而祸基于桂林"（《新唐书·南诏传赞》）。"桂林"指的就是以庞勋为首的桂林戍卒发动的这场叛乱。表面上看，庞勋之乱似乎是偶然的，但实际上，它和先前的裘甫之乱一样，都是由来已久的社会危机不断积累、最终突破临界点的标志。

犹如在地底疯狂奔突的岩浆突然找到了火山喷发口，这样的危机一旦爆发，就绝不会是局部的和短暂的，更不是通过一两场平叛战争就能扑灭的。因为，更多的叛乱和战争必然会紧随其后喷涌而出，其结果，就是焚毁一切，吞噬一切。

僖宗登基：乱世小皇帝

作为一个王朝崩溃的前兆，"民不聊生，叛乱纷起"与"皇帝昏庸，朝政腐败"往往是互为表里的。

懿宗时期的朝政就乏善可陈。

懿宗在位十几年，先后任命的多位宰相要么是平庸无能之辈，要么就是贪赃枉法之徒。比如咸通中后期的两个宰相路岩和韦保衡，就是以贪财和弄权而闻名于朝野的。

路岩于咸通五年以翰林学士、兵部侍郎衔入相，其时年仅三十六岁，可谓少年得志。他执掌朝柄期间，大肆收受贿赂，生活奢侈糜烂，并且专权用事，党同伐异，可懿宗偏偏对他宠幸无比，把朝政大权都交给了他。

咸通十年（公元869年），一个叫陈蟠叟的地方官看不惯路岩的恃宠弄权，便借一次入朝之机对懿宗说："请陛下没收边咸一家的财产，就足以供应军队两年的薪饷和粮食。"懿宗听得没头没脑，问他："边咸是谁？"陈蟠叟说："路岩的亲信。"

懿宗恍然大悟，原来是拐着弯在弹劾路岩啊！这不是拐着弯在骂朕有眼无珠、所用非人吗？

懿宗大怒，随即把陈蟠叟流放到了爱州（今越南清化市）。

从此，再也没人敢多嘴一句。

跟路岩相比，另一个弄权宰相韦保衡所享的荣宠更是有过之而无不及。因为韦保衡的身份非常特殊，早在拜相前，他就是当朝的驸马爷。

咸通十年正月，懿宗把他最宠爱的女儿同昌公主嫁给了时任右拾遗的韦保衡。婚礼极尽奢华，天子用尽宫里的奇珍异宝给公主当嫁妆，还赏赐了广化里的一座豪宅，门窗之上都镶嵌珍宝，就连井栏、药臼和槽柜也都用金银打造，畚箕和笊篱也都用金丝编成，另外又赏赐现钱五百万缗，其余各种赐物的价值也相当于五百万缗。

成婚未及一年，驸马韦保衡就摇身一变成了当朝宰辅。满朝文武瞠目结舌，都说这种事情闻所未闻。韦保衡入相后，和路岩沆瀣一气，极力打压异己。当时，康承训在平定庞勋时立功，受到重用，韦保衡和路岩十分嫉妒，便对懿宗说："康承训讨伐庞勋时逗留不进，平定后又没有把余党全部肃清，而且带头抢夺战利品，事后又没有及时奏报朝廷……这种人实在不该重用。"

懿宗一听，二话不说就罢免了康承训的河东节度使、同平章事之职，贬为蜀王傅（蜀王李佶的老师）、分司东都，不久后又贬为恩州（今广东恩平市）司马。

咸通后期，当路岩和韦保衡联手剪除诸多政敌后，两大红人为了争夺第一红人之位，不可避免地发生了内讧。由于韦保衡兼有驸马的身份，最后理所当然地在这场较量中胜出。咸通十二年（公元871年）四月，路岩被贬出朝廷，外放为西川节度使。

知道自己这么多年来得罪的人太多，路岩不免担心会在赴任的路上遭人报复，于是对京兆尹薛能说："我上路后，就怕有人会用瓦砾给我饯行啊！"言下之意，是让薛能派兵护送。

这个薛能是路岩一手提拔的，所以他相信薛能肯定会还他一个人情。没想到薛能却两眼一翻，拿腔拿调地说："近来宰相出城时，京兆府司没有派人护卫的先例啊！"

路岩又羞又恼。可他除了感叹世态炎凉之外，实在没什么可说的。离京赴任那天，他果然在路上被人用石头瓦砾乱砸了一气。还好他早有防备，才没被人砸死。

路岩被排挤出京后，韦保衡在朝中就一人独大了。可是，还没等他尽情享受权力的美味，所有富贵荣华就悄然终结了。

因为，庇荫他的大树倒了。

咸通十四年（公元873年）三月，一向崇佛的懿宗派人去法门寺迎请佛指舍利。大臣们纷纷劝谏，甚至提到了宪宗迎请佛骨不久便崩逝的事情。不料懿宗却说："朕能活着见到佛指舍利，死也无憾了！"

当时没有人想到，天子随口说出的这句话竟然会一语成谶。

只过了一个夏天，懿宗就病倒了。

七月十六日，懿宗病情突然加重。和宣宗临终前一样——帝国还没有确立储君。这样一个时刻，无疑再度为宦官提供了大显身手的机会。

这一次，上场的宦官是左右中尉刘行深和韩文约。他们把目光锁定在了懿宗的第五子普王李儇身上。因为李儇这一年刚刚十二岁，很适合做他们的傀儡。

十八日，刘行深和韩文约以皇帝名义下诏：立李儇为皇太子，监理国政。

十九日，懿宗李漼在咸宁殿驾崩。同日，李儇登基，是为唐僖宗。

懿宗一死，韦保衡的好日子也就到头了。九月，被韦保衡打压已久的政敌开始报复，纷纷对他发出指控。韦保衡旋即被贬为贺州（今广西贺县）刺史；一个月后，再贬为崖州澄迈（今海南澄迈县东北）县令；几天后，就被新天子赐死了。

与此同时，路岩的下场也和他如出一辙，先是被贬为新州（今广东新兴县）刺史；次年正月，路岩刚走到江陵（今属湖北），新天子就追诏削除了他的官爵，改为流放儋州（今属海南），几天后又被勒令自尽，家产全部抄没，妻儿充为官奴。

当十二岁的李儇被懵懵懂懂地推上皇帝宝座时，他肯定不会意识到，自己已经荣膺了两项唐朝之最。其一，他是大唐开国二百五十余年来年纪最小的皇帝；其二，他登基之时，正是帝国形势最严峻、忧患最深重、社会矛盾最尖锐的时刻。

疲惫不堪的帝国马车正在朝着万丈深渊奔驰，可小皇帝李儇却对此一无所知。他一边兴高采烈地握着手中的缰绳，一边东张西望地打量着周遭的一切。虽然帝国是老的，可在小皇帝眼中，属于他的江山却是簇新亮丽、多姿多彩的。

从当普王的时候起，李儇就是个贪玩好动的孩子。他有一个朝夕相随的玩伴——宫中马房的宦官田令孜。随着李儇的登基，原本地位低贱的田令孜就摇身一变，成了位高权重的枢密使。

直到此刻，左右中尉刘行深和韩文约才发现他们犯了一个严重的错误。因为他们完全忽略了这个小小的"弼马温"，所以他们拥立李儇的行动等于是在替田令孜做嫁衣。

小皇帝李儇即位后，就尊称田令孜为"阿父"，把政务全都扔给了他，然后一门心思地投入到了各种游乐当中。

阿父田令孜虽是弼马温出身，但读过一些书，粗通文墨，加上人比较聪明，所以就当仁不让地当起了帝国的幕后推手。他大权独揽之后，便大肆卖官鬻爵，招权纳贿。他想封什么人当什么官，从来不需要通过天子，更不用跟宰相和百官打招呼了。为了体现自己跟小皇帝的亲密无间，田令孜每次去见天子，必亲自带上酒食，一边和天子开怀畅饮，一边神侃海聊，以便让所有人都知道，他和皇帝毫无君臣之分，更像是一对忘年交。

小皇帝继承了他父亲的秉性，喜欢跟乐工、优伶厮混在一起，所赏赐的金钱动辄万计，宫中的库藏很快告罄。田令孜就帮小皇帝想了一条生财之道，让他派宦官去长安东西两市中搜刮商人的货物和财宝。小皇帝依计而行，果然财源滚滚。有人不服上告，田令孜就命京兆府把告状者抓起来乱棍打死。

对此，宰相和百官也都噤若寒蝉，没人敢站出来说话。

面对无知贪玩的小皇帝和一手遮天的田令孜，人们只能仰天哀叹——

大唐的气数尽了。

就在小皇帝即位的第二年，亦即乾符元年（公元874年）十二月，各地的加急战报就雪片般地飞进了长安。

天德军（今内蒙古乌拉特前旗东北）奏报：党项、回鹘军队入侵边境。

感化军（治所徐州）奏报：庞勋余党四处劫掠，州县无法禁止。

西川边境奏报：南诏军队三次抢渡大渡河，唐朝防河兵马使、黎州（今四川汉源县）刺史黄景复力战不敌，全线溃败；敌寇进占黎州，并已越过邛崃关，前锋进抵雅州（今四川雅安市）……

与此同时，帝国内部各种积重难返的社会矛盾也全面爆发了。

懿宗一朝，由于天子的穷奢极侈，加上连绵不绝的内外战争，导致国库空虚，所以各种赋税聚敛日甚一日，令百姓苦不堪言。而天灾又往往与人祸形影相随。咸通末年，关东（潼关以东）地区连年遭遇水灾旱灾，各州县又隐瞒不报，相互推诿，以致民间饿殍遍野，成千上万的百姓流离失所，哭告无门……

无论哪个时代，中国底层老百姓的忍耐力都是世界上最强的，如果你没有把他们逼到绝路，他们绝不会造反。几千年来，中国老百姓对生活的理解无非就是面朝黄土背朝天，日出而作日落而息，而他们对幸福的理解，也无非是一亩三分地、老婆孩子热炕头。只有当统治者把他们这种最低限度的要求以及最微薄的希望都粉碎无遗的时候，他们才会铤而走险。而一旦他们选择了造反，所爆发出来的能量就是毁灭性的。

乾符元年冬天，这种毁灭性的能量几乎一夜之间就在帝国的四面八方遍地开花。

其中一朵毁灭之花的名字，叫作黄巢。

很快，乱世小皇帝李儇和他的朝廷就将听到一声震天动地的呐喊——

"我花开后百花杀！"

黄巢：被社会遗忘的人

乾符元年冬天，面对各地飞来的战报，年仅十三岁的僖宗李儇自然是手足无措。

新任宰相郑畋、卢携经过一番紧张谋划，随即拿出了应对的办法。命兖州、郓州等道兵马共同围剿庞勋余党，又调派当初收复安南的功臣、时任天平节度使的高骈前往西川，抵御南诏入侵。

高骈不愧是出色的将领。他一到西川，便亲率五千精锐步骑主动出击，大破南诏军队，并一直将其赶出了大渡河，砍杀并俘虏了大量敌军，擒杀了十几个蛮族酋长。随后，高骈修复了邛崃关以及大渡河沿岸的各座要塞，又在戎州（今四川宜宾市）马湖镇构筑城堡，派重兵驻守，号"平夷军"。此外，高骈还在南诏入蜀的必经之路和各个战略要地修建城堡，每座城堡都派数千士兵驻防，从而在南诏军队面前筑起了一道铜墙铁壁。

从此，南诏军队再也不敢轻易入侵。几年后，随着南诏国王世隆的病卒，盛极一时的南诏王国便和李唐王朝一样走向了衰落，而南诏与唐朝绵延多年的战争，至此终于画上了句号。

乾符二年（公元875年），外患刚刚平息，风起云涌的唐末农民起义便揭开了大幕。

第一根出头的椽子是王仙芝。

王仙芝，濮州（今山东鄄城县）人，于乾符元年十二月在长垣（今属河南）起兵，次年六月杀回老家，攻占了濮州和曹州（今山东定陶县），士众迅速发展到数万人。天平节度使薛崇出兵进剿，却屡屡被王仙芝击败。

紧跟着王仙芝浮出历史水面的人，就是黄巢。

黄巢，冤句（今山东东明县南）人，早年曾与王仙芝搭伙贩卖私盐，精于骑射，为人任侠仗义。但是，他和王仙芝有一个很大的区别，就是他识文断字，粗粗涉猎过一些儒家经典，可以算半个文人。所以，他也曾经抱有"书中自有黄金屋"的理想，试图用知识改变命运，像所有读书人一样通过科举走上仕途。然而，现实一次次地对他进行了无情的嘲弄和打击。黄巢屡屡参加进士考，却每一次都名落孙山。

黄巢觉得自己成了一个被社会遗忘的人。

就在他万念俱灰的时候，变幻无常的命运却给他打开了另一扇窗口——一个远比走仕途和贩私盐都危险百倍、却获利更丰的机会。

黄巢紧紧抓住这一个机会，从此走进了波澜壮阔、血雨腥风的晚唐历史。

乾符二年六月，黄巢在冤句聚集了数千人，拉起了响应王仙芝的反旗。很快，这两个昔日的私盐贩子就成了并肩战斗的义军领袖。他们合兵一处，劫掠州县，横行山东（崤山以东）。那些缴不起重税和失去土地的贫困百姓争先恐后地投奔到了他们的麾下，义无反顾地加入到了抢钱、抢粮、抢地盘的行列中。

乾符二年七月，京畿地区再次爆发了大规模的蝗灾。遮天蔽日的蝗虫所过之处，万顷良田瞬间变成一片赤地。京兆尹杨知至连忙向天子李儇上奏。

可是，他上奏的却不是灾情，而是喜讯。

他在奏疏中说："蝗虫飞到京畿地区，都不吃稻谷，纷纷身抱荆棘而死！"

自从盘古开天辟地以来，还从没听说过这种舍生取义、活活饿死的蝗虫，这说明什么呢？说明天子李儇的德政足以泽被万物，连冥顽不灵的蝗虫都被他感化了。

于是，宰相们纷纷入朝向僖宗表示祝贺。

听说在自己的德政之下，居然出现了万古未有的超级祥瑞，小皇帝李儇乐得合不拢嘴。尤其是听说那些蝗虫宁可饿死也不吃稻谷，小皇帝觉得它们简直太可爱了。

乾符三年（公元876年）秋天，王仙芝和黄巢转战中原，先后攻陷阳翟（今河南禹州市）、郏城（今河南郏县）、汝州。东都洛阳大为震恐，士民携家带眷，纷纷出城逃难。十一月，义军又南下攻克郢州（今湖北钟祥市）、复州（今湖北天门市）。十二月，王仙芝和黄巢又横扫申州（今河南信阳市）、光州（今河南潢川县）、庐州（今安徽合肥市）、寿州（今安徽寿县）、舒州（今安徽潜山县）、蕲州（今湖北蕲春县）等地，所过之处，官兵望风披靡。

眼见变军声势越来越大，僖宗朝廷不得不接受了宰相王铎的再三建议，对王仙芝进行招安，给了他左神策军押牙兼监察御史的官职。

接到诰命的那一天，王仙芝激动得一夜没有合眼。

从一个整天被官府追杀的私盐贩子，成长为帝国的一名禁军将领和中央官员，王仙芝觉得这是自家祖坟冒青烟了。

他知足了。

王仙芝决定立刻接受招安。可是，正当他遐想着自己手举朝笏走上金銮殿的情景时，黄巢却面无表情地站在了他的面前。

他的兄弟黄巢正用一种鄙视的目光看着他，目光里有两层意思。

一、王大哥，你居然就这点儿出息？朝廷随便给你一官半职就把你买了？

二、朝廷凭什么就给你一个人封官，把老子和弟兄们都给晾在一边？

那天，黄巢再次感到了一种被人遗忘的痛楚。所以，他一直试图用目光向王仙芝传达自己的困惑和愤怒。可是，王仙芝却一时无法从极度的兴奋和喜悦中自拔出来，所以根本没有读懂黄巢的目光。

最后，黄巢走了上去，对王仙芝说："我们曾经在神明面前立下誓言，要除暴安良，横行天下，如今你一个人去朝廷当官，让这五千多号弟兄往哪里投奔？"

还没等王仙芝反应过来，黄巢已经狠狠一拳砸在了他的脸上。

鲜血顺着王仙芝的脸庞流了下来。透过迷蒙的血眼，王仙芝看见黄巢身后无数的弟兄们正在向他挥舞着拳头。

看来，自己是永远也洗不白了。

王仙芝在内心发出了一声悲凉的长叹——贼永远是贼！

后来，王仙芝撕毁了朝廷给他的那一纸任命状，在蕲州城内烧杀掳掠了一天，随即带着另一名副手尚君长和三千多人呼啸而去。

而黄巢则与他分道扬镳，带着剩下的两千多人走上了另一条路。

从乾符四年（公元877年）正月开始，王仙芝与黄巢时而各自为战，时而又合兵一处，虽然四处攻城略地，可在朝廷诸道军队的围追堵截之下，所占领的城池都是旋得旋失，始终未能建立长期立足的根据地。农民军和官军一度陷入了相持和胶着的状态。

这一年十一月，朝廷的招讨副使、总监军宦官杨复光再度向王仙芝传达了招安的信息，而一直对此仍然抱有希望的王仙芝正中下怀，当即派遣尚君长前去与杨复光接洽。不料，尚君长刚走到半路就被招讨使宋威擒获。宋威因与农民军多次交战失利而怀恨在心，一意要置尚君长于死地，所以当即上奏朝廷，谎称在战斗中生擒了尚君长。杨复光连忙上奏，声明尚君长是投诚，并非在战场上被擒。朝廷派御史进行调查，但还没等结果出来，宋威就一不做二不休地砍下了尚君长的脑袋。

两次试图被招安未果，又丧失了一个得力助手，此后的王仙芝信心大减，战斗力也大为削弱，因而在战场上接连失利。乾符五年（公元878年）正月初六，朝廷的招讨副使曾元裕又在申州（今河南信阳市）东面大破王仙芝，砍杀一万多人，招降并遣散了一万多人。曾元裕因功擢为招讨使，宋威被免职。

王仙芝自此一蹶不振。

短短一个月后，王仙芝在黄梅（今属湖北）与曾元裕进行决战，招致惨败：王仙芝战死，首级被传送长安；士众被斩杀五万多人，余众星流云散。

王仙芝一死，僖宗朝廷解除了一个重大威胁。但是与此同时，新的威胁又接踵而至——时任沙陀副兵马使的李克用在几个副将的拥戴下，趁中原战乱发动兵变，诛杀了大同防御使段文楚，占领了云州（今山西大同市）。

已被中原民变搞得焦头烂额的僖宗朝廷再也无力讨伐李克用，只好想了一个办法，把李克用的父亲、时任振武节度使的李国昌调任大同节度使，另行派人接任振武节度使，目的是把李国昌父子置于一镇，以免他们分别据守振武和大同。

然而，朝廷的如意算盘很快就落空了。

李国昌接到调令后就把它撕得粉碎，同时也彻底撕破了尊奉朝廷的假面。他们父子不但要同时据有二镇，而且要趁天下大乱抢占更多的地盘，甚至逐鹿天下。

随后，李国昌砍杀了振武的监军宦官，并与李克用联兵，攻破了大同周边的遮虏军、宁武军、岢岚军等多处朝廷军营，迅速成为帝国北方最大的割据势力。

王仙芝败亡后，尚君长的弟弟尚让率领残部投奔黄巢，推举黄巢为主帅，号"冲天大将军"，改元"王霸"，并委任百官。

随后的日子，已被朝廷任命为镇海节度使的高骈全力以赴对付黄巢，不断调兵遣将，加强了对他的围剿。黄巢在中原战场屡屡失利，手下数十位将领被招降，不得不在乾符五年三月渡过长江，转战南方。七月，黄巢军进入浙东，凿开七百里山路，转入福建战场。十二月，黄巢攻陷福州，福建观察使韦岫弃城而逃。

乾符六年（公元879年）春，黄巢挥师直趋岭南。

帝国的财赋重镇广州，就此暴露在黄巢的面前。

进入岭南之后，黄巢致信浙东道观察使崔璆和岭南东道节度使李迢，透露了归顺朝廷的意思，条件是授予他天平（治所郓州，今山东东平县）节度使之职。这里是黄巢的老家，他显然是希望能够衣锦还乡。

然而，朝廷却断然拒绝，粉碎了他衣锦还乡的希望。黄巢退了一步，要求担任广州节度使。僖宗召集大臣商议，左仆射于琮说："广州是国际商船和各种珍宝货物的重要集散地，怎么能交到反贼手里？"宰相建议给黄巢一个"率府率"（东宫侍卫队长、正四品上）的职务，僖宗同意。

可是，这回轮到黄巢不干了。

接到"率府率"的任命状后，黄巢当场将它撕得粉碎，随即对广州发起猛攻。这一年九月，广州陷落。黄巢逮捕了节度使李迢，命他起草奏疏说已经投降了黄巢。李迢说："我世代荷国厚恩，亲戚故旧遍布朝廷，手可断，疏不可草！"黄巢马上就把他砍了。

由于黄巢的士兵均是北方人，他们进入岭南后水土不服，才一个多月便纷纷染上瘟疫，死了三四成，部下劝他回师中原。黄巢也意识到广州非久留之地，便于十月末率部沿湘江而上，攻占潭州（今湖南长沙市），次月又由江陵北上，直扑襄阳。

我花开后百花杀

新年转眼又到了。

这是广明元年（公元880年），僖宗李儇即位后的第七个年头。这一年，李儇已经十九岁，早已不再是小皇帝了。可是，他的玩性不但丝毫未改，而且各项游戏技能还突飞猛进——举凡骑马、射箭、舞剑、蹴鞠、斗鸡等等，他无不拿手，尤其精通数学、音乐和赌博。

所有文体活动中，僖宗最擅长的还是打马球。他曾经对宫中戏子石野猪说："朕如果参加'打球进士科'考试，一定能当状元！"石野猪说："也不见得。如果碰上尧、舜当主考官，恐怕陛下免不了要落榜。"僖宗闻言大笑。

帝国已经千疮百孔，摇摇欲坠，可僖宗李儇却浑然不觉，依旧在他的小天地里自在逍遥。

此时的李儇做梦也不会想到，这一年冬天，那个叫黄巢的私盐贩子就将率领大军杀进长安，然后一屁股坐在他的金銮殿上，夺取了属于他的一切。而他这个大唐天子却只能没命地奔跑在逃亡路上，惶惶若丧家之犬。

也只有到那个时候，李儇才会蓦然发现——原来，当皇帝也并不是那么好玩的。

广明元年无疑是黄巢的幸运之年，也是他一生中最辉煌的岁月。

这一年上半年，他在江西战场遭遇了一些短暂的挫折，在信州（今江西上饶市）困守了一段时间，士卒再度因染上瘟疫而损失过半。但是到了五月，幸运女神就开始频频关照他了。

他先是用诈降的手段击败了高骈的麾下猛将张璘，继而又一举突破了高骈的封锁线，从此军威大振。整个下半年，黄巢在北征的路上便势如破竹，如入无人之境了。

六月二十八日，黄巢军攻陷宣州（今属安徽）；七月，从采石（今安徽马鞍山市西南）横渡长江，大举北上；九月，攻陷泗州（今江苏盱眙县淮河北岸）；十月，攻陷申州（今河南信阳市），横扫颍州（今安徽阜阳市）、宋州（今河南商丘市）、徐州（今属江苏）、兖州（今属山东）各境，兵锋所及之处，士民纷纷逃亡。

十一月十七日，号称六十万的黄巢大军攻克东京洛阳，唐朝的东京留守刘允章率百官迎接拜谒。

十二月初一，黄巢的前锋部队开始进攻潼关，两天后将其攻克，大军随即直指长安，当天进抵华州（今陕西华县）。

十二月初四，僖宗慌忙下诏，封黄巢为天平节度使，可黄巢面对诏书的唯一反应就是发出一阵仰天狂笑。

十二月初五，大唐王朝的文武百官听说乱兵已经攻克潼关，散朝后便开始各自逃命。宦官田令孜带着五百名神策兵，拥着僖宗从金光门仓皇出逃，随行人员只有福、穆、泽、寿四王以及数名嫔妃。

天子和百官一跑，长安旋即陷入了无政府状态，城中的士兵和百姓趁乱冲进宫中，大肆抢夺府库中的财物金帛……

广明元年十二月初五。黄昏。唐朝的金吾卫大将军张直方带着几十名文武官员，毕恭毕敬地来到灞上，准备迎接黄巢。

一轮血红的残阳挂在西天，把长安城外的原野渲染得一片金黄。

远远地，张直方看见一顶用黄金装饰的轿子慢慢进入了他的视野，一群头发披散、用红巾扎束、身穿锦绣衣服的武士护卫在黄金轿两侧。在他们身后，是漫山遍野全副武装的铁甲骑兵。再往后，则是一望无际、仿佛绵延千里的各种辎重车辆。

此时，坐在黄金轿中的这个人正双目微闭，口中喃喃自语。

他在吟咏一首诗。

他已经很多年没有吟咏过这首诗了。

因为写诗的那一年，他正在经受屡屡落第的打击，正在咀嚼被社会遗忘的痛楚。而此刻，他情不自禁地再次吟诵它。没有别的理由，只因当年所有的痛苦，都已经在这一刻化成了冲天的快意和豪情。

当黄巢透过轿帘的缝隙，遥遥望见长安城上的那一排雉堞时，他忍不住把这首《咏菊》大声地念了出来——

待得秋来九月八，我花开后百花杀。

冲天香阵透长安，满城尽带黄金甲。

当黄巢大军浩浩荡荡地开进长安时，百姓们争先恐后地夹道围观，如迎王师。黄巢的副手尚让一路上不断晓谕百姓："黄王起兵，本来就是为了百姓，绝不会像李唐皇帝那样不爱惜你们，你们只管安居乐业，不要害怕！"

刚开始的几天，一切果然如同尚让所说——士兵们对百姓秋毫无犯，长安城内人人安居乐业，一派秩序井然。

这几年来，黄巢的士兵们从北打到南，又从东打到西，走到哪抢到哪，很多人早已腰缠万贯，所以他们进了长安城后，不但不再拿群众一针一线，而且还时常慷慨解囊，把财物施舍给那些贫穷的人。

百姓们又惊又喜——都说黄巢的军队是强盗，可这样的"强盗"，显然比朝廷官兵好上百倍啊！

看来，官方的宣传根本就不可信。

然而，短短几天之后，一切就都变了。

因为大兵们实在是憋不住了。自从造反的那一天起，烧杀掳掠已经逐渐变成他们的生活方式，甚至成为他们生命中最大的乐趣，如今叫他们每天不烧不抢、无所事事，简直比叫他们去死还难受。

于是，几乎就在一夜之间，黄巢的大兵们就撕掉了温良恭厚、乐善好施的假面，纷纷抄起武器和火把，急不可耐地冲上了街头。

刹那间，繁华富庶的大唐帝京就变成了一座死亡之城。

到处都在抢劫和纵火，到处都在强奸和杀人。每一座房子都烈火熊熊，每一条街道都浓烟滚滚，每一处坊间都充斥着令人发指的暴行，每一个角落都弥漫着绝望和恐怖的气息。长安的士民们目瞪口呆地看着这一切，眼中写满了困惑、惊恐和无助。

黄巢与尚让也只能目瞪口呆地看着这一切。尽管他们频频勒令士兵停止暴行，可是却屡禁不止……

黄巢领导的这次"起义"除了攻城、杀人、抢劫、纵火、强奸之外，除了让黄巢和他的农民弟兄们翻身做主、从被压迫者变成压迫者之外，并没有任何制度建设的东西，也看不出他们对历史发展做出了什么贡献。

当然，有一点还是非常突出的，那就是社会人口大大减少，缓解了过剩的人口与有限的土地之间的紧张关系，客观上提高了人均土地面积的占有量。

凡是黄巢军队经过的地方，只能看到"赤地千里"、血流成河，只能看到落后、野蛮、残忍、暴虐、血腥，以及对社会的巨大破坏。尽管黄巢和他的弟兄们揭竿而起的原因是朝政腐败和民不聊生，尽管农民们争取生存权的斗争具有一定的正当性与合理性，但这并不能成为他们宣泄仇恨、滥用暴力的借口，更不能以此作为"革命者"剥夺他人生命财产权的理由。

归根结底，黄巢"起义"的最大动力，不过是"王侯将相宁有种乎""彼可取而代之"这种黄袍加身的梦想罢了。而他们"起义"的结果，充其量也就是通过暴力手段完成政治权力和私人财产的转移。即便他们成功摧毁了旧王朝，历史也仍然是在原地踏步，甚至有可能出现倒退。

狼虎谷

广明元年十二月十一日，为了让长安士民对李唐王朝死心，黄巢下令屠杀了所有来不及跑掉的滞留长安的李唐宗室成员。

连婴儿都没有放过。

十三日，黄巢在大明宫含元殿即皇帝位，国号"大齐"，改元"金统"，封其妻曹氏为皇后，任命尚让为太尉兼中书令。

一个所谓的"新政权"就这么建立起来了。

不过可惜的是，到头来，黄巢还是没有革掉李唐王朝的命，自己的脑袋反而被革掉了。

就在黄巢称帝的同时，僖宗李儇和他的流亡朝廷一路逃到了兴元（今陕西汉中市）。惊魂甫定之余，僖宗匆忙下诏，命诸道出兵收复京师。数日后，附近诸道的勤王之师相继来集，可兴元的物资和粮食却极度匮乏，根本供养不起这么多军队，也无法长久支撑流亡朝廷的用度。最后，在田令孜等人的劝说下，僖宗只好沿着当年玄宗的逃亡路线进入蜀地，于第二年元月二十八日抵达成都。

随后的日子，僖宗一再下诏，命时在淮南的功臣高骈征讨黄巢。

僖宗对高骈寄予厚望。他相信，这个能征善战的高骈当初既然能够平定安南、击退南诏，如今也一定有本事光复长安。

然而，僖宗没有料到，此时的高骈已经不是过去那个忠于朝廷、急于建功的高骈了。如今，高骈一人身兼淮南节度使、盐铁转运使、东面都统等多个重要职务，手中既有兵权又有财权，俨然是一方土皇帝。有道是位子决定思维，屁股决定脑袋，眼下的高骈最关心的只是如何保有自己的既得利益，而根本不是社稷的安危。所以，接到僖宗的诏令后，高骈一直以各种借口推托，始终不肯出兵。

宰相王铎料定高骈已经心存异志，于是再三向僖宗请求亲自出征。中和二年（公元882年）正月，僖宗任命王铎为主帅，率忠武节度使周岌、河中节度使王重荣、河阳节度使诸葛爽、宣武节度使康实等诸道兵马征讨黄巢。与此同时，僖宗罢免了高骈的东面都统之职，不久又免其盐铁转运使之职。高骈大怒，从此不再上缴赋税，公然与中央决裂。

对于高骈的反目，僖宗极为恼火，但却无可奈何。

因为，自从黄巢横扫天下、入据长安后，大唐帝国便已逐渐陷入分崩离析之局了。如今，不仅高骈在淮南与中央分庭抗礼，帝国的四面八方也都燃起了叛乱的烽火，如浙东、魏博、荆南（治所在今湖北江陵县）、邕州（今广西南宁市）、平卢（治所在今山东青州市）、怀州（今河南沁阳市）等藩镇州县，都相继发生了动乱，就连僖宗目前所在的西川，不久前也刚刚爆发了一场兵变。此外，这几年来，割据忻、代二州（今属山西）的李克用也一直没有停止过对四境的袭扰，大有称雄北方之势……

总之，所有迹象表明——此时此刻，流亡西川的李唐中央对地方的控制力已经越来越弱，帝国的崩溃只是时间问题了。

王铎亲赴前线之后，诸道官军开始从各个方向陆续往京畿一带集结。黄巢的势力逐渐萎缩，只保有长安和同、华二州（今属陕西）。然而，半年多下来，尽管王铎率领各军对长安形成了一个包围圈，但却只能与黄巢进行拉锯战，始终没有取得任何突破。一直到这一年九月，黄巢麾下一员猛将的投诚，才让僖宗朝廷看见了一丝平定黄巢的希望。

这个在紧要关头出卖黄巢的人，就是朱温。

朱温，于大中六年（公元852年）出生于宋州砀山（今安徽砀山县）的一个小山沟。跟历史上的所有开国皇帝一样，这个未来的后梁太祖一出生就带上了神话光环。据《旧五代史》记载，他出生的那天，他家的茅草屋突然红光冲天，邻人大惊失色，以为着火了，赶紧跑来扑救。可跑到房前才发现，朱家好好的，什么都没发生，唯一跟往日不同的是——里面传出了响亮的婴儿啼哭声。

众邻人啧啧称奇，都说此儿绝非凡胎，将来必有一番造化。

朱温诞生时的这个神迹，与五百年后出生在安徽凤阳的那个朱重八一模一样。这是巧合还是有意识地"借鉴"，我们不得而知，但有一点不难看出中国人的想象力实在贫乏，乃至帮皇帝编个神话都要撞车。

朱温虽然带着神迹出世，但小时候的家境却不太好，父亲老早就去世了，寡母无力抚养他们兄弟三人，只好把排行最小的朱温送给邻县一个叫刘崇的人收养。

也许是因为父亲死得早，从小没人管教，所以朱温长大后变得性情暴戾，好勇斗狠，什么营生都不想干，成天游手好闲，打架斗殴，极为乡人鄙视。他养父刘崇怒其懒散，动不动就拿棍子揍他。

在养父家里，唯一疼朱温的人就是刘崇的老母亲。这位老妇人时常告诫家里人说："朱三不是常人，你们应该善待他。"家人很不屑，问她何故。老妇人说："他有一次熟睡，我忽然看见他化成了一条赤蛇。"言下之意，朱温有天子之象。

家里人听了，无不嗤之以鼻。

就朱三这种好吃懒做的货色，也能当皇帝？做梦去吧！

没人肯信老妇人的话，自然也就没人肯给朱温好脸色看。而朱温则不以为意，继续过他那小混混的日子，既不务农，也不经商，更不想读书应考。

朱温就这样混到了二十多岁。当身边几乎所有人都对这个泼皮无赖彻底绝望的时候，属于朱温的时代来临了。

乾符年间，各地农民起义风起云涌，黄巢也在曹州（今山东定陶县）一带纵横驰骋，朱温立刻投奔到了黄巢麾下，由于作战勇敢，很快就成了领兵队长。

随后的几年，朱温跟随黄巢南征北战，屡立战功，迅速成长为独当一面的将领。黄巢攻克长安后，命朱温率部驻守东渭桥。不久，朱温设计招降了唐将诸葛爽，从而再立大功，旋即被黄巢任命为同州防御使。

同州是黄巢政权在长安东面的最主要屏障。黄巢把这样的战略重地交给朱温，足见对他的赏识和信任。然而，就在这个时候，朱温已经敏锐地预感到了黄巢政权即将败亡的命运。随后，朱温断然斩杀了黄巢派到他身边的监军宦官，举城投降了李唐朝廷。

朱温的投降，无异于斩断了黄巢的一支臂膀，同时也把势穷力蹙的黄巢政权进一步推入了绝境。

得知黄巢骁将朱温倒戈，僖宗大喜过望，当即任命他为同华节度使，不久又改任其为右金吾大将军、河中行营招讨副使，并赐名"全忠"。

此刻的僖宗当然不会料到，短短二十年后，这个朱全忠就将成为帝国的终结者，一手颠覆三百年的大唐江山。

中和二年十二月，河中节度使王重荣以"雁门节度使"作为交换条件，成功招降了骁勇善战的李克用。僖宗大喜，随即加封李克用为"东北面行营都统"，命他全力征讨黄巢。中和三年（公元883年）二月，李克用率兵进围华州，于三月将其攻克。

至此，同、华二州相继失守，长安门户洞开，困守孤城的黄巢已经陷入内无粮草、外无援兵的绝境。四月初八，李克用率先从光泰门攻进长安。黄巢力战不敌，只好焚烧宫室，从蓝田方向突围而去。

长安光复后，李克用因功升任河东节度使，朱全忠升任宣武（治所汴州）节度使。僖宗随即命他们会同忠武节度使周岌、武宁节度使时溥一起肃清黄巢余部。

五月，黄巢率余部窜至蔡州（今河南汝南县），发兵攻城。唐朝守将秦宗权兵败城破，投降黄巢。此后的一年里，黄巢与秦宗权合兵一处，兵威复振，又在中原大肆劫掠。朱全忠、周岌与时溥勉力围剿，却始终不能取胜。

中和四年（公元884年）二月，眼看朱温等人与黄巢基本上打得两败俱伤了，李克用才从容出手，率军渡黄河南下，于五月在中牟（今属河南）北面大破黄巢军队，砍杀一万余人。黄巢军队一举溃散，尚让率部众投降时溥，其他的将领投降朱全忠，黄巢带着最后的残兵不足一千人东走兖州。李克用一路穷追不舍，一直追到了黄巢的老家冤句。

由于马不停蹄地奔走了两百多里，人马都已极度疲乏，骑兵中能跟上的只有几百人，加之粮草已绝，李克用只好率兵撤回汴州，在城外扎营，准备稍事休整后再行追击。

中和四年五月十四日这天，当李克用带着他那支悍勇无匹的沙陀军队进入汴州城时，宣武节度使朱全忠的心里忽然涌出了几个念头。

念头一：这沙陀人李克用果然名不虚传，打仗确实了得。

念头二：收复长安他抢了首功，眼下大破黄巢他又出尽了风头，如果再让他亲手灭了黄巢，那他就成了帝国的头号功臣，再加上他手下这支所向无敌的沙陀军，到时候，天底下还有谁能和他李克用抗衡？

念头三：如果真让李克用走到了那一步，那我朱全忠凭什么和跟他一较短长？

念头四：如今的天下，有朱全忠，就不能有李克用——不是你死，就是我亡。

念头五：啥也别想了，先下手为强。

当天，朱全忠便向李克用发出了热情邀请，硬是请他住进了上源驿的高级宾馆，随后又举办了一场丰盛的宴席。席间，朱全忠不但对李克用礼遇甚周，而且态度十分谦恭。李克用三杯酒下肚，倨傲的神色就浮了上来，言语之间盛气凌人，根本不把朱全忠放在眼里。朱全忠一边赔着笑脸不停劝酒，一边冲身边的大将杨彦洪使了个眼色。

李克用和随从们很快就喝得酩酊大醉，没有人注意到杨彦洪很早就悄悄离席了。

酒宴到黄昏才告结束，李克用已经烂醉如泥，左右刚把他搀起来，四周就响起了惊天动地的喊杀声。

突然间，朱全忠的军队就像潮水一样漫了进来。那一刻，亲兵们的酒一下子全醒了，可李克用依旧不省人事。亲兵们一边奋力抵挡，一边用冷水浇醒了李克用。

大梦初醒的李克用用了好一会儿才明白自己的处境。他在心里把朱全忠的祖宗十八代全都问候了一遍，然后抓过弓箭跳了起来。虽然仍旧有些头重脚轻，但他接连射出的几箭还是不偏不倚地射入了几个宣武士兵的心脏。

此时，宣武士兵开始在四面纵火，烈火浓烟顷刻就把他们包围了。左右亲兵拥着李克用翻过院墙，拼死杀出一条血路，在枪林箭雨中突围而出。他们最后逃到汴州南门，亲兵用绳索把李克用缒下城墙，总算让他逃过了这场劫难。可是，那天跟随他进城的三百多名亲兵却全部战死……

李克用和朱全忠就这么结下了血海深仇。

从这一刻开始，他们之间的恩恩怨怨就将伴随着风雨飘摇的大唐帝国走完最后的二十年，并且一直延续到他们的后代身上，最终演变成五代初年国与国之间的连年征战和惨烈杀伐。后梁开平二年（公元908年），李克用弥留之际，交给了儿子李存勖三支箭，同时把自己最刻骨铭心的三个仇人的名字告诉了李存勖，叫他一定要报仇雪恨，否则自己死不瞑目。

这三个仇人的名字，第一个就是朱全忠。

中和四年（公元884年）夏天，黄巢一直在没命地奔跑，而唐将李师悦和黄巢降将尚让也一直在后面拼命地追击。六月十五日，李师悦和尚让终于在瑕丘（今山东兖州境内）追上了黄巢，对他进行了最后一次致命的打击。

在这最后一战中，黄巢残部死的死，散的散，几乎被消灭殆尽。六月十七日，黄巢带着他的家人逃进了狼虎谷（今山东莱芜市西南）。

狼虎谷，一听这名字就透着几分凶险。

是的，这里就是一代枭雄黄巢的终结之地。

当黄巢带着满身的疲惫策马走进这片草木繁茂的山谷时，四周一片寂静，静得仿佛只能听见自己的心跳声。此刻，黄巢没有注意到他的外甥林言已经悄悄跟在了他的背后。

一阵阴寒的山风倏然钻入黄巢的脖颈。他下意识地打了一个寒噤。突然，后背生出了一丝异样的感觉。黄巢猛然转过头来。

一道森冷的刀光，一张狰狞的面孔。

这就是黄巢在这个世界上看见的最后景象。

林言干脆利落地砍下了黄巢的头颅，同时还砍下了他兄弟、妻子、儿女等十几个人的头颅。一一砍完之后，林言就拎着这一大串头颅走上了弃暗投明的道路。

可他刚刚走出狼虎谷，迎面就撞上了追击他们的沙陀军队。

还没等林言说出半句效忠李唐的豪言壮语，沙陀士兵就咔嚓一声砍下了林言的脑袋，把他加进那一串头颅中，策马回营邀功请赏去了。

尘土飞扬的道路上，黄巢的头颅和林言的头颅随着剧烈起伏的马背不断颤动。

它们时而狠狠地撞在一起，时而又冷冷地四目相对……

从公元875年六月起兵，到公元884年六月败亡，黄巢起义历时整整九年。

在这九年里，他转战大半个中国，攻陷了唐朝的东西两京，创建了大齐政权，到达了他的人生巅峰，同时也把李唐王朝推进了万劫不复的深渊。

我花开后百花杀。

从某种意义上说，黄巢做到了。他确实用无数人的鲜血浇灌了自己的野心和梦想，用无数人的白骨铺平了自己通往权力巅峰的道路，从而让自己真正成为了一株名副其实的"毁灭之花"。

对于风雨飘摇的大唐帝国而言，还算幸运的是，这朵毁灭之花在短暂的绽放之后就被连根拔起了。然而，真正的不幸在于——他并不是最后一朵毁灭之花。

人们很快就会发现，正是在黄巢败亡之后，一幕比一幕更为惨烈，一次比一次规模更大的群雄混战才在九世纪最后的那些年里频频上演。正是在这朵毁灭之花凋谢之后，百朵千朵的毁灭之花才在大唐帝国的土地上争先恐后地灼灼绽放。

一个黄巢踉跄跌倒在血泊与尘埃中，而更多的黄巢，却正凶猛地驰骋在唐朝末年血雨腥风的天空下……

| 第八章 |

凄凉大唐晚景

遍地枭雄

平定黄巢的第二年三月十二日，僖宗李儇终于从成都回到了阔别四年多的长安。

经过这几年刀兵战火的无情洗劫，此时的大唐帝京早已变成一座残破荒凉的死城，到处长满了野草和荆棘，狐狸和野兔随处可见。

劫后余生的李儇神情凄楚地站在大明宫中，感觉一切恍如隔世。

十四日，僖宗改元"光启"。

从这个年号不难看出，僖宗李儇是希望帝国能够摆脱所有黑暗、屈辱和不幸，能够重新开启幸福和光明。

然而，这终究只是他的一厢情愿和美好幻想。

因为，此时的大唐帝国早已分崩离析，面目全非了。

光启元年（公元885年），朱全忠据宣武（汴、宋诸州），李克用据河东（太原、忻、代诸州），秦宗权据蔡州，王重荣据河中（蒲、晋诸州），李可举据卢龙（幽、蓟诸州），王镕据成德，时溥据武宁（徐、泗诸州），高骈据淮南八州，刘汉宏据浙东（越州）。此外，邢、洺、郓、齐、曹、濮、淄、青、宣、歙等州也都有大小军阀拥兵割据。

在这种遍地枭雄的局面下，李唐中央政令所及，只剩下河西（黄河以西，今陕西北部）、山南（秦岭以南，今陕西南部及四川东北部）、剑南（剑阁以南，今四川中南部）、岭南（今广东、广西、海南及越南北部）数道，满打满算，也就几十个州而已。

各方军阀割地自雄，截留财赋，致使两河及江淮的漕运彻底断绝，各地赋税根本无法送达朝廷。自从长安沦陷，李唐中央的财政三司（户部、度支、盐铁）就已名存实亡，僖宗回京后，朝廷的财政收入也仅能依靠京畿、凤翔、同、华几个州，府库日渐枯竭，连朝廷开支和百官俸禄都已无法维持，更不用说士兵薪饷和各种赏赐了。

如此惨淡的局面，不但令天子李儇焦心，更令李唐朝廷幕后的那个掌控者焦心。

这个人就是大宦官田令孜。

自从僖宗登基之后，田令孜从一个小小的马坊使一跃而成枢密使，旋即擢升右军中尉，不久又迁左军中尉，彻底掌控了禁军，把原左右中尉刘行深和韩文约排挤得无影无踪。盘踞中枢后，极具政治野心的田令孜并未就此止步。因为他很清楚，如果没有藩镇势力作为后盾和根基，他在朝中的权力就始终是不稳固的，况且关东叛乱日益猖獗，形势越来越严峻，更需未雨绸缪。所以，早在黄巢攻进长安之前，田令孜就已经很有先见之明地把他的三个心腹任命为三川节度使。陈敬瑄据西川，杨师立据东川，牛勖据山南西道。而为首的这个陈敬瑄，正是田令孜的亲哥哥（田令孜本名陈仲则，入宫后投靠田姓宦官，改姓田）。

僖宗流亡西川后，田令孜更是把天子和整个流亡朝廷紧紧攥在了手里。由于长安沦陷时禁军已经溃散，田令孜便在蜀地招募了五万四千人，重新组建了左、右神策军。这支新禁军名义上是为了保护天子和流亡朝廷，事实上却是他田令孜的近卫军。有了这支武装力量，田令孜就更加有恃无恐了。

但是，五万多人所需的薪饷、粮草、兵器、铠甲、服装以及各种物资无疑构成了一笔庞大的军费开支。当田令孜带着这支军队跟随僖宗回到长安后，残酷的现实一下子摆在了他的面前——早已山穷水尽的中央财政根本养不起这支军队。

领不到军饷的士兵们开始不断发出抱怨。田令孜心急如焚。如果再不想办法搞到钱，兵变随时可能爆发。

最后，田令孜终于想到了一个财源，那就是安邑、解县两地的盐池收入。

安邑（今山西运城市东北安邑镇）和解县（今运城市西南解州镇）是当时最大的两个产盐地，一直都是归朝廷的盐铁使管辖，其盐业专卖的利润收入直接上缴中央财政。但自从广明元年长安沦陷、天子流亡之后，这两大盐池就落到了河中节度使王重荣的手中。王重荣只是每年象征性地向中央输送三千车食盐，而绝大多数利润则落入了他的个人腰包。田令孜决定夺回这两座金山。

这一年四月，在田令孜的授意下，僖宗下诏，让他兼任了两池盐榷使。王重荣被断了财路，马上跳了起来，不断上疏抗议。五月，田令孜又授意僖宗下诏，将王重荣调任泰宁（治所在今山东兖州市）节度使。王重荣当然是怒不可遏，所以拒不奉诏，并且不断上疏抨击田令孜，还在奏疏中列举了田令孜的十大罪状。

眼看矛盾一触即发，田令孜急忙联络静难（治所邠州，今陕西彬县）节度使朱玫和凤翔节度使李昌符，准备与他们联手对付王重荣。王重荣马上向李克用求援。由于朱玫和李昌符暗中依附朱全忠，自然被李克用视为敌人，于是李克用便与王重荣结成了联盟。十一月，李克用上表，请僖宗斩杀田令孜、朱玫和李昌符。僖宗当然不会同意，而是下诏让他们和解。但是事情发展到了这一步，天子的和稀泥已经毫无用处了。十二月，双方在同州一带开战，李昌符和朱玫被李克用打得大败，仓皇逃回本镇。李克用率兵直扑京城。

田令孜情急之下，只好挟持僖宗，从开远门逃出了长安，再度出奔凤翔。

回到长安还不到一年，僖宗李儇就被迫开始了第二次流亡生涯。

光启二年（公元886年）正月，田令孜想再次强迫僖宗前往兴元，僖宗不肯。当天晚上，田令孜带领军队进入凤翔行宫，强行挟持僖宗前往宝鸡（今属陕西）。

经过同州一战，朱玫和李昌符才发现李克用和王重荣的势力远比他们想象的要强大，而田令孜手里除了天子这个筹码外一无所有，于是转而投靠了王重荣，并与他一起上表请杀田令孜。

田令孜担心朱玫等人会兴兵前来，不敢在宝鸡多作停留，遂于二月下旬劫持僖宗前往兴元，而最终目的地当然就是他的老巢西川。

得知田令孜挟持天子跑了，朱玫和李昌符随即出兵追击。

从宝鸡到兴元的这一路，僖宗一行走得极为艰难。不仅道路崎岖难行，而且随时都有兵马围追堵截。三月中旬，僖宗一行经历千难万险，终于抵达兴元。

朱玫没有劫回僖宗，大为恼怒，于是心生一计。

他的想法非常大胆，但是却很简单，就是找一个傀儡，另立朝廷。

这一年四月初三，朱玫胁迫百官，拥立肃宗的玄孙、襄王李煴监理国政，同时自命为左、右神策十军使。

僖宗被迫走到兴元后，死活不肯再跟着田令孜入蜀。田令孜思前想后，决意放弃僖宗，以求自保。随后，他主动向僖宗推荐杨复恭继任左军中尉，同时自命为西川监军，旋即逃往西川。

五月，朱玫加封自己为侍中兼诸道盐铁转运使，同时号令百官，专擅大权。

李昌符心里老大不平衡，坚决不肯接受朱玫给他的新官职，并上表给驻留兴元的僖宗，准备接过田令孜丢弃的这张牌，借此同朱玫抗衡。

与此同时，李克用和王重荣也是火冒三丈。

田令孜本来是他们驱逐的，可如今朱玫不但窃取了朝政大权，而且俨然成了田令孜第二，这让他们无论如何也不能接受，于是向僖宗上表，决意讨伐朱玫。

十月，朱玫迫不及待地拥立李煴即皇帝位，改元"建贞"，遥尊僖宗为太上皇。远在兴元的僖宗得到消息，不禁悲愤莫名，可他一筹莫展，只好问计于杨复恭。杨复恭遂以僖宗的名义发布檄文到关中，宣称有能斩朱玫首级者，便以静难节度使之职赏他。

此举果然奏效。李克用和王重荣尚未出兵，朱玫的部将王行瑜便砍下了朱玫的脑袋。

朱玫一死，依附他的二百多名文武官员只好拥着新立的皇帝李煴逃奔河中（今山西永济市）。可这群无头苍蝇根本跑错了方向。因为这是王重荣的地盘，往这里跑无异于飞蛾扑火。王重荣满面笑容把他们接进城中，随即手起刀落，砍下了李煴的脑袋，同时杀了一百多个大臣，并将余下的人全部囚禁。

光启三年（公元887年）三月中旬，僖宗李儇从兴元返回凤翔。

凤翔节度使李昌符本来就想效法田令孜和朱玫"挟天子以令诸侯"，现在僖宗自己送上门来，他当然不会让他从自己的手上溜掉。

随后，李昌符便以长安宫室荒废为由，强行把僖宗扣在了凤翔。

这一年，僖宗李儇年仅二十六岁。可当他回顾自己短短二十几年的生命历程，却感觉仿佛已经过了好几辈子。

留在凤翔的日子，每当僖宗回忆起荒唐而奢侈的少年时代，又想到这几年颠沛流离、席不暇暖的流亡生涯，总是会不由自主地潸然泪下……

滞留凤翔的第二年春天，终日郁郁寡欢的僖宗李儇终于病倒了。

李昌符意识到，再扣留这个病恹恹的天子不但已经毫无意义，而且还很容易给人兴兵讨伐的借口，遂将僖宗放归。

二月二十一日，僖宗拖着沉重的病体再度回到长安，次日下诏，改元"文德"。

三月初二，僖宗疾病发作；初五，病情加重，陷入弥留状态。左军中尉杨复恭立即以天子名义下诏，拥立寿王李杰（懿宗第七子）为皇太弟，监理国政。

文德元年（公元888年）三月初六，僖宗李儇在灵符殿驾崩。同日，皇太弟李杰即位，改名李敏，次年又改名李晔，是为唐昭宗。

昭宗：孤独的拯救者

唐昭宗李晔是一个生不逢时的天子。

无论从哪一方面来看，李晔都不像是一个亡国之君。他二十二岁登基的时候，史书是这么评价他的："昭宗即位，体貌明粹，有英气，喜文学，以僖宗威令不振、朝廷日卑，有恢复前烈之志。尊礼大臣，梦想贤豪，践阼之始，中外忻忻焉！"（《资治通鉴》卷二五七）

这样一个英气勃发、锐意中兴的天子，的确是和他的父兄懿、僖二宗截然不同，倒是和宪宗、宣宗颇为神似。难怪朝野都为之感到欣喜，并对其寄予厚望。假使他早生几十年，也许完全有可能缔造出媲美于"元和中兴"和"大中之治"的政治局面。

然而，不幸的是，从李晔登基的那一天起，甚至从更早的时候起，大唐帝国就已经陷入一个无可挽回的亡国之局了。

即便李晔有力挽狂澜之心，有振衰起弊之志，即便他拥有一个帝国拯救者所应具备的全部勇气、斗志、豪情、胆识、魄力、自信心、使命感，可他唯独缺了一样——时代条件。

他缺乏能够让他一展身手的时代条件。

天时、地利、人和，李晔一样也没有。他就像一个孤独的拯救者，置身于千千万万个帝国终结者的包围圈中，左冲右突，奋力厮杀，可到头来却发现——自己只是一个单兵。

一个疲惫绝望的单兵。

一个无人喝彩的单兵。

一个苟延残喘的单兵。

一个没有同盟、没有援军、最终力竭身亡的单兵。

虽然昭宗李晔从昏庸无能的父兄手中接过来的是一个烂摊子，但他却没有表现出丝毫的畏难和疑惧，而是显得踌躇满志。刚一即位，他就迫不及待地迈出了第一步。

这第一步是收拾一个人。

这个人就是田令孜。

昭宗要收拾田令孜的原因很多。首先，他是僖宗朝的大权宦。在李晔看来，僖宗之所以骄奢荒淫，帝国之所以叛乱蜂起，其罪魁祸首就是田令孜。其次，田令孜转任西川监军不久，僖宗就已经下诏将他流放端州（今广东肇庆市），可他却仗着西川节度使陈敬瑄这把保护伞，拒不奉诏。由此可见，田令孜的问题已经不仅是权宦祸乱朝政的问题，更是与强藩内外勾结、藐视中央的问题。所以，昭宗现在拿他开刀，既是为了维护朝廷纲纪，更是为了杀一儆百，震慑天下的割据军阀。

最后，或许也是一个不便明说的理由——李晔想报仇。

那是私仇，让李晔刻骨铭心的私仇。

广明元年冬天，黄巢杀进长安，当时的寿王李杰跟随僖宗仓皇出逃。因为事发仓促，没有准备足够的马匹，所以除了僖宗和田令孜外，其他亲王都只能步行。当时寿王才十四岁，走到一片山谷的时候，再也走不动路，就躺在一块石头上休息。田令孜策马上前，催促他上路。寿王可怜巴巴地说："我的脚很痛，能不能给我一匹马？"田令孜冷笑："这里是荒山野岭，哪来的马？"说完挥起一鞭狠狠地抽在寿王身上，驱赶他动身。那一刻，寿王李杰回头深深地看了田令孜一眼，一句话也没说就一瘸一拐地上路了。

从那一刻起，寿王李杰就告诉自己——如果哪一天自己得势，绝不放过这个阉宦。

所以，昭宗有十分充足的理由收拾田令孜。

巧合的是，就在昭宗准备对田令孜采取行动时，跟陈敬瑄打了好几年仗的阆州（今四川阆中市）刺史王建又上疏朝廷，请求把陈敬瑄调离西川。昭宗有了一个现成的借口，便于文德元年六月下诏，命宰相韦昭度充任西川节度使兼两川招抚制置使，另外派人取代田令孜的西川监军之职，同时征召陈敬瑄回朝担任左龙武统军。

可想而知，田令孜和陈敬瑄当然不会奉诏。接到诏令后，他们便积极整饬武备，准备随时与朝廷开战。

十二月，昭宗命韦昭度为行营招讨使，命山南西道节度使杨守亮为副使，另外划出原属西川的四个州，设置永平军（治所邛州，今四川邛崃市），以王建为节度使，让他与韦、杨二人共同讨伐陈敬瑄。

讨伐西川的战役刚刚打响，昭宗就把目光锁定在另一个权宦身上了。跟田令孜比起来，这个人现在对昭宗的威胁更大。

他就是杨复恭。

自从拥立昭宗即位后，杨复恭就自恃功高，不可一世了。他不但一手把持禁军，专擅朝政，而且收养了为数众多的义子，把他们派到各州镇担任节度使、刺史、监军，从而缔造了一个以他为核心的遍布朝野的庞大网络。在这帮义子眼中，当然只有杨复恭，根本没有朝廷。比如龙剑（治所龙州，今四川平武县东南）节度使杨守贞、武定（治所洋州，今陕西洋县）节度使杨守忠等人，就从不向中央缴纳赋税，并且动不动就上表诽谤和讥笑朝廷。

这样的权宦要是不铲除，昭宗李晔的中兴大计只能沦为笑谈。所以，从登基的那一天起，昭宗的所有大政方针基本上都是与宰相孔纬、张濬等人商议定夺的，竭力避免让杨复恭干预。宰相们也经常以宣宗为例，鼓励昭宗整治宦官。

　　杨复恭专权跋扈，自然不把昭宗放在眼里。百官们上朝都是步行，唯独他上殿是坐着轿子来的。有一天在朝会上，昭宗和宰相孔纬刚刚谈及四方造反的人，杨复恭又坐着轿子大摇大摆地来到了殿前。孔纬就故意提高嗓门说："在陛下您的左右，就有将要造反的人，何况是四方呢！"昭宗明白孔纬的用意，就假装惊愕地问他所指为何。孔纬指着杨复恭说："他不过是陛下的家奴，却坐着轿子上殿，而且养了那么多壮士为义子，或典禁兵，或为藩镇，不是要造反是什么？"

　　杨复恭面不改色："以壮士为义子，目的是让他们效忠皇上、保卫国家，怎么能说是造反呢？"

　　昭宗冷然一笑，把话接了过去："你想要保卫国家，为何不让他们姓李，却让他们姓杨？"

　　杨复恭顿时哑口无言。

　　这件事情过去不久，有一天，昭宗忽然对杨复恭说："你的义子中，是不是有一个叫杨守立的？朕想让他来当侍卫。"

　　为了证明自己养这些义子就是要"保卫国家"的，杨复恭二话不说就把杨守立领进了宫。

　　反正他有的是义子，多一个不多，少一个不少。

　　此时的杨复恭并不知道，昭宗绝不仅仅是要一个"侍卫"那么简单。杨守立入宫后，昭宗立刻赐名他李顺节，然后在不到一年的时间内，就把他从一名普通的禁军侍卫迅速擢升为天武都头（禁军一部指挥官），同时又让他兼任镇海节度使，不久又加封同平章事。

　　平步青云的李顺节自然是对天子感恩戴德。

　　受宠若惊之余，他也渐渐明白了天子的用意所在。

　　他知道，天子是想让他对付杨复恭。

　　李顺节当然乐意充当这个角色。原因很简单，杨复恭的义子多如牛毛，他只是其中毫不起眼的一个，可天子的心腹宦官却只有他一个。如果跟天子联手铲除杨复恭，到时候，岂不是轮到他李顺节来收养义子了？

为了这个美好的前景，李顺节死心塌地投靠了昭宗。在接下来的几年中，他施展浑身解数，与杨复恭展开了明争暗斗，并且为昭宗提供了诸多有关杨复恭的秘密情报。

昭宗李晔看着这一切，嘴角不禁泛起了一丝笑容。

网已经撒开了。

李晔在心里说，一旦时机成熟，朕就会毫不犹豫地将杨复恭集团一网打尽。

守望春天

除了收拾宦官，昭宗李晔第二件要做的事情，无疑就是对付藩镇了。

李晔很清楚，要对付藩镇，自己手中就必须有一支军队——一支真正忠于朝廷、不被任何势力掌控的军队。

为此，他从即位之初就一直在招兵买马。到了大顺元年（公元890年），朝廷终于组建了一支十万人的军队。有了这张底牌，昭宗就可以跟藩镇叫板了。

那么，要从哪里开刀呢？

这些年来，天下诸藩中发展最快、势力最强的，非河东李克用莫属。要对付藩镇，肯定要先从他下手。但是，李克用是光复长安、平定黄巢的功臣，朝廷要对他用兵，肯定需要一个说得过去的借口。

正当昭宗为此绞尽脑汁之际，借口忽然就有了。

大顺元年正月，李克用悍然从太原出兵，一举吞并了东昭义（治所邢州，今河北邢台市），旋即又进攻云州（今山西大同市）。云州防御使赫连铎急忙向卢龙节度使李匡威求救。李匡威深知，一旦云州失陷，李克用的矛头就会直指河北，于是迅速率领三万人前往救援。李克用陷入腹背受敌之境，加之麾下两员勇将又一死一降，只好引兵撤回太原。四月，赫连铎、李匡威与朱全忠先后上疏朝廷，请求讨伐李克用。

昭宗召集宰相和百官廷议。以宰相杜让能、刘崇望为首的多数大臣坚决反对，而宰相张濬和孔纬却极力主战。尤其是张濬，这个一贯自诩有东晋谢安和前朝裴度之才的宰相斩钉截铁地说："只要给我兵权，少则十天，多则一个月，必定削平李克用！错失这个良机，日后将追悔莫及！"

其实，昭宗比任何人都更想利用这个机会消灭李克用，可他自己却不想把讨伐李克用的意思说出来，而是把话留给了张濬和孔纬。

昭宗之所以这么做，是想万一讨伐李克用失败，自己顶多就是丢卒保车，把张濬他们牺牲掉而已，断不至于让李克用有反抗朝廷的口实。所以，昭宗召开此次廷议，其目的也不过是让文武百官替他当一回证人而已。

天子既然是这个心思，那这次廷议就纯属走过场了。当主战派和主动派各自把观点亮出来后，昭宗忽然说了一句："李克用有讨平黄巢、复兴帝国之功，今日趁其新败而发兵讨伐，天下人将如何看待朕呢？"

孔纬立即接过话茬："陛下的思虑是一时之仁，张濬的提议却是万世之利。昨日，我们已经计算过了，调动士兵、运送粮饷、犒劳赏赐等等费用，一两年内都不至于匮乏。现在，就看陛下您的决断了！"

最后，昭宗悠悠地叹了一口气，用一种相当勉强的口吻说："这件事就交给二位贤卿了，希望不要让朕蒙羞。"

大顺元年五月，昭宗下诏削除了李克用的所有官爵，并开除其宗室户籍（当初朱邪赤心被赐皇姓时，编入了李唐宗室户籍）；同时，任命张濬为讨伐河东的主帅，京兆尹孙揆为副帅，并命朱全忠、李匡威、赫连铎各自从本道出兵，对李克用形成围剿之势。

五月二十七日，张濬率五万军队出征，昭宗亲临安喜楼为他饯行。张濬屏退左右，对天子说："待臣平定外忧，再为陛下铲除内患！"

这个内患，当然就是指杨复恭了。

此刻，杨复恭正躲在屏风后面，把这句话一字不漏地听了去。

军队开到长安城东面的长乐坂，轮到左、右神策中尉饯行。杨复恭向张濬敬酒，张濬不喝，推说醉了。杨复恭鼻子一哼："宰相大人既然已经大权在握、专主征伐，又何必如此扭捏作态呢？"张濬盯着他的眼睛，一字一顿地说："等我平定叛贼回来，你就知道我为何扭捏作态了！"

杨复恭悚然一惊。

张濬得意地跃上马背，头也不回地扬长而去。

从张濬率领大军出征的那一刻起，昭宗就陷入了无比的焦灼和紧张之中。

因为，这个灾难深重、岌岌可危的帝国，太需要一场胜利来提振元气、鼓舞人心了。

他强烈地希望，张濬能够像前朝宰相裴度那样，一举讨平跋扈藩镇，让他这个踌躇满志的天子在"匡扶社稷、中兴李唐"的道路上迈出坚实的第一步。

然而，希望从来是美好的，而现实却终究是残酷的。

这个眼高手低、志大才疏的张濬，非但没有像他自己说的那样，只用一个月就讨平李克用，反而在将近半年的时间里损兵折将，一再败北，最终全线崩溃。

回顾这半年来接二连三的败报，昭宗的心仿佛在滴血——

八月，大战还没开始，副帅孙揆就在长子（今属山西）西面的山谷中被河东伏兵生擒，旋即被杀。

九月，南面主将朱全忠在马牢山（今山西晋城市东南）被河东军击败，大将邓季筠被俘，同时被杀被俘的士兵有一万多人。

九月下旬，北面正副主将李匡威、赫连铎在蔚州（今河北蔚县）取得一次短暂的胜利之后，随即遭到李克用主力的迎头痛击。李匡威的儿子、赫连铎的女婿皆被俘，同时被杀被俘的士兵数以万计。

十月，当各路讨伐军已被李克用各个击破后，张濬率领的主力才刚刚推进到晋州。先头部队与河东军在汾州（今山西汾阳县）遭遇，刚一交战就败退下来，后方大军不战自溃。河东军乘胜追击，直抵晋州城下。张濬出城御敌，再败，从各镇征调的士兵哗然四散，各自逃回本镇。张濬在晋州困守了一个月，料定大势已去，只好带着残部从含口（山西绛县西南）仓皇逃遁，越过太行山逃到河阳（今河南孟州市），然后拆卸民房的木板拼凑木筏，渡过黄河狼狈南下。

至此，中央讨伐大军死的死，逃的逃，几乎全军覆没。

这场大张旗鼓的讨伐河东之战，就这样以志在必得的姿态开场，而以彻头彻尾的失败告终。

昭宗充满希望的一颗心瞬间跌入失望和悲哀的谷底。

紧接着，一阵恐惧就袭上了心头。他知道，不给李克用一个说法，他肯定跟朝廷没完。

大顺二年（公元891年）正月初九，昭宗万般无奈地把张濬贬为鄂岳观察使，把孔纬贬为荆南节度使。然而，李克用并不罢休。他怒气冲天地上了一道奏疏，说："张濬以陛下万世之业，邀自己一时之功，知臣与朱温深仇，便与其私相联结。臣今身无官爵，名是罪人，不敢回到陛下分封的藩镇，只能暂到河中居住，应该去向何方，恭候陛下指令！"

河中？

昭宗一下就傻眼了。这不是赤裸裸的威胁恐吓吗？

河中（今山西永济市）与潼关仅仅隔着一条黄河，李克用只要带兵到河中，再一步跨过黄河，天子和朝廷就是他砧板上的鱼肉了。

接到奏疏的当天，昭宗就忙不迭地把张濬再贬为连州（今广东连州市）刺史，把孔纬再贬为均州（今湖北丹江口市西北）刺史，同时下诏恢复了李克用的所有官爵。

二月，昭宗担心李克用还不满意，又加封他为中书令，并把张濬再贬为绣州（今广西桂平县南）司户，才算是把李克用安抚住了。

讨伐河东之役不到半年就败了，而早在三年前就开打的西川之役，同样遭遇了失败。而且，西川的失败比河东更让昭宗痛心疾首。因为河东败得干脆，顶多只是短痛，而西川则打了整整三年，发兵十几万，旷日持久，丧师费财，无疑是令人难以忍受的长痛。

大顺二年三月下旬，宰相和财政大臣不得不向昭宗禀报，国库已经空了，再也没办法给西川前线输送一毫一厘的军费了。

那一天，文武百官看见天子李晔忽然把头低了下去，而且沉默了很久。最后，李晔无奈地颁下一道诏书：恢复原西川节度使陈敬瑄的所有官爵，同时命王建等人罢兵休战，各回本镇。

接到诏书的那天，陈敬瑄和田令孜忍不住相视而笑。

可他们笑得太早了。

因为，天子虽然放弃了，但王建却没有放弃。

在接下来的几个月里，王建非但没有退兵，反而加大了进攻的力度，先后占领了西川辖区内的大多数州县，然后猛攻成都。陈敬瑄数次出城迎战，却屡屡被打败。到了七月下旬，内无粮草、外无援兵的陈敬瑄和田令孜终于绝望了，不得不开城投降。

田令孜亲手把西川节度使的帅印和旌节交给了王建。

随后，王建把陈敬瑄和田令孜放逐到了偏远的州县，并于两年后将其诛杀。

昔日称霸一方的军阀被消灭了，可王建却从此成为西川的土皇帝。天复三年（公元903年），王建自封为蜀王。公元907年、亦即唐朝覆亡的那一年，王建在成都称帝，国号"蜀"，史称王建为前蜀高祖。

登基才三年，昭宗在藩镇事务上就遭受了两次重大挫折，这对于一个锐意中兴的天子而言，实在是一个沉重的打击。

不过，让昭宗在痛苦中感到一丝欣慰的是——几年来，与权宦杨复恭的斗争取得了不小的进展，基本上可以收网了。

大顺二年九月，昭宗发现李顺节已经有效地掌握了部分禁军，于是断然采取行动，将杨复恭贬为凤翔监军。杨复恭拒不赴任，并以生病为由提出致仕，试图以此要挟昭宗。不料昭宗却顺水推舟，同意了他的致仕请求。杨复恭恼羞成怒，遂与义子杨守信日夜谋划，准备发动叛乱。

十月初八，昭宗命李顺节带领麾下禁军进攻杨复恭的府第。杨复恭率卫士抵抗，杨守信也立刻率部前来增援。

双方展开激战。稍后，宰相刘崇望又率领一队禁兵参与进攻，杨守信不支，部众溃散，只好跟杨复恭一起带着族人从通化门逃出，亡命兴元，投奔山南西道节度使杨守亮。

骄横跋扈的权宦杨复恭终于被驱逐了，昭宗感到了一阵前所未有的轻松。

不过与此同时，一种新的不安却悄然向他袭来——一代权宦杨复恭被打倒了，新一代宦官李顺节会不会恃宠生娇、居功自傲，成为杨复恭第二呢？

昭宗觉得，答案是肯定的。所以，他不能不把这种危险扼杀在萌芽状态。

这一年十二月十二日，昭宗就命人把李顺节诱杀了。

也许，昭宗这种兔死狗烹的做法显得相当腹黑，但是为了不让李顺节成为新一代权宦，为了不让这几年对付宦官的所有努力付诸东流，他只能这么做。

大顺二年冬天，一场又一场大雪从苍旻深处缓缓飘落，层层叠叠地覆盖在大明宫的垂宇重檐上，并且摇曳着落在天子李晔的发梢、鼻梁、眉间、心上。

是的，心上。李晔感到整整一个冬天的大雪很可能全部落在了他的心上。否则，他的心头何以变得如此僵硬、沉重而冰凉？

天仿佛已经裂开了。

大雪仿佛永远下不完。

来吧，让暴风雪来得更猛烈些吧。李晔站在大明宫铺满积雪的殿庭中，有些悲壮地仰望苍天。让暴风雪来得更猛烈些吧，直到把这个肮脏的世界全部覆盖，直到把所有罪恶、阴谋、杀戮、流血、死亡全部覆盖……

然后，春天就该来了吧？

到那个时候，这个世界也许就干净了吧？

灵魂中的七道伤

春天终究还是来了。然而，这个世界并没有丝毫改变。

新年正月，昭宗改元"景福"。

尽管这个世界充满了罪恶和苦难，充满了无尽的缺憾，但无论如何，我们还是要对它抱有希望。因为除了这个喧哗与骚动的世界，我们一无所有。

李晔对自己说。

景福元年（公元892）一开春，凤翔节度使李茂贞、静难节度使王行瑜、镇国节度使韩建、同州节度使王行约、秦州节度使李茂庄突然联名上奏，指控山南西道节度使杨守亮窝藏乱臣贼子杨复恭，请求出兵讨伐，并共推李茂贞为山南西道招讨使。

昭宗很清楚，这些人打着讨伐贼臣的幌子，事实上无非是想吞并他镇、扩张地盘。所以，他很快就下了一道调停的诏书，命他们和解。

但是，五节度根本不听他的。

二月，李茂贞与王行瑜悍然出兵攻打兴元，半年后将其攻克。李茂贞随即将兴元据为己有。杨守亮、杨复恭等人逃奔阆州。

景福二年（公元893）正月，昭宗眼见李茂贞果真吞并了兴元，不得不采取补救措施，任命李茂贞为山南西道节度使，同时派宰相徐彦若取代他的凤翔节度使之职。

李茂贞勃然大怒。他之所以出兵，目的就是为了据有两镇，如今天子想用山南交换他的凤翔，他当然不会答应。随后，李茂贞不但拒不奉诏，还上表羞辱天子，说："您贵为天子，可惜连自己的舅父都保护不了（昭宗舅父王环几年前被杨复恭谋杀）；您贵为九州共主，却连杨复恭家的一个小子（杨守亮）都不敢杀，真是可悲可叹！"

受到这等羞辱，昭宗当然不能容忍，当即宣布讨伐李茂贞，命宰相杜让能立刻征调士兵，筹集粮饷。杜让能再三劝阻，表示此时朝廷无力同强藩抗衡，只能暂时忍耐。可昭宗却睁着血红的眼睛说："朕不甘心做一个懦弱无能的天子，无所作为地坐视社稷衰亡！你只管为朕筹备粮饷，军事行动自有亲王负责，成败与你无关！"

天子都把话说到这份上了，杜让能还能怎么办？

他只能从命。

九月初十，昭宗命覃王李嗣周为京西招讨使，率三万禁军护送徐彦若去凤翔就任。

李茂贞闻讯，立刻与王行瑜联手，发兵六万在周至布防。

李嗣周率领的这支禁军都是新近招募的京师少年，而李茂贞与王行瑜的部下却都是久经沙场的百战之兵。所以，这一战的结果也就不难想见了。

九月十七日，李茂贞挥师进攻。两军尚未交锋，朝廷军就不战而溃，四散逃亡了。李茂贞迅速兵临长安城下，要求诛杀首倡征讨之人。杜让能派人送了一封信给李茂贞，说："发动战争不是皇上的意思，都是我出的主意。"

十九日，李茂贞陈兵临皋驿（长安西），请诛杜让能。杜让能当即入宫向天子辞别："臣早知必有今日，请用臣的生命解除皇上所受的威胁。"

昭宗不禁潸然泪下，说："朕与你永别矣！"

这一天，昭宗下诏贬杜让能为梧州（今属广西）刺史，次日再贬为雷州（今属广东）司户。然而，李茂贞并不退兵。他扬言，不杀杜让能，誓不罢休！

至此，昭宗再也无力保全杜让能了，只好赐他自尽。不久，昭宗下诏，以李茂贞为凤翔兼山南西道节度使，并兼中书令；十一月，又任命静难节度使王行瑜为太师，赐号"尚父"，并赐免死铁券。

得到了这些，李王二人方才心满意足，引兵西去。

乾宁二年（公元895年）正月，河中节度使王重盈（王重荣的弟弟）病卒，部将推举他的侄子王珂为留后。此时，王重盈的儿子王珙在保义（治所陕州，今河南三门峡市）担任节度使。他原以为父亲一死，河中自然也要归他所有，不料王珂却捷足先登，王珙很不甘心，立刻出兵进攻河中，同时上疏昭宗，宣称王珂非王氏子，要求朝廷另行委派节度使，实际上就是暗示朝廷把河中也一并给他。

王珙说"王珂非王氏子"，令王珂大为恼怒。因为，王珂本是王重荣的侄子，后来过继为养子，血缘关系还是挺近的，而河中本来就是王重荣传给王重盈的，所以他认为自己肯定有资格继任节度使。而且，王珂还是李克用的女婿，有这么一座大靠山，他当然更不会向王珙示弱。

随后，王珂赶紧向李克用求救，李克用随即上表替女婿请命。与此同时，王珙则用重金贿赂李茂贞、王行瑜和韩建。很快，三节度也联名为王珙请命。

面对这个僵局，昭宗大为头疼。两边都有强藩撑腰，都不能得罪，不过相比之下，李克用对朝廷的威胁似乎要比李茂贞等人小一些。所以最后，昭宗只能两害相权取其轻，以李克用奏请在先为由，拒绝了李茂贞等人的请求。

如此一来，关中三镇与朝廷的矛盾便再度激化了。

五月，李茂贞等三镇各出数千精兵，浩浩荡荡杀进了长安，准备废掉昭宗，另立吉王李保。不过，他们很快就得到了李克用自河东出兵的消息，于是不敢久留，只杀了一些与他们不睦的朝臣和宦官，同时迫使昭宗把河中给了王珙，随后留下部分兵力控制朝廷，方才各回本镇。

六月，李克用率兵大举南下，传檄讨伐李茂贞等三人。当时，驻留长安的兵力有两支，一支是李茂贞的义子李继鹏，另一支是王行瑜的弟弟王行实。

听说李克用大兵压境，两人大为恐惧，于是长安城中就出现了相当戏剧化的一幕，李继鹏企图劫持昭宗前往凤翔，而王行实也想劫持昭宗前往邠州，两军随即大打出手，一时京师大乱。最后，昭宗只好在禁军部将李筠的保护下逃离长安，越过秦岭，于七月初到达石门（今陕西蓝田西南）。

昭宗登基之时，几乎所有人都认为他的品德与才干远胜僖宗百倍，可没人会料到，他最终不但重蹈了僖宗的流亡命运，而且日后的遭遇比僖宗还要不幸百倍。

八月，李克用大军进驻渭桥，派兵前往石门护驾，并分兵进攻三镇。李茂贞知道自己不是沙陀军的对手，只好杀掉李继鹏，上表请罪。昭宗随即赦免李茂贞，命李克用讨伐王行瑜。

八月底，昭宗返回长安。

九月，李克用开始大举进攻王行瑜，很快便兵临邠州（今陕西彬县）城下。王行瑜登上城头，痛哭流涕："我王行瑜没有罪啊，胁迫天子的事都是李茂贞和李继鹏干的，请您到凤翔去问罪吧，我王行瑜愿意自缚向朝廷请罪。"

李克用在城下仰着头说："王尚父，你谦恭得有点过头了吧？我奉朝廷之命讨伐三个叛贼，阁下是其中之一。你想自己回朝廷，我可不敢擅自做主。"

数日后，王行瑜抛弃城池，带着全家老小向西而逃。可他刚刚跑到庆州（今甘肃庆阳县）地界时，就被自己的部将砍杀了，首级也被传送京师。

一场祸乱总算平息了。

十二月，昭宗加封李克用为晋王，他的所有部下和子孙也全都加官晋爵。李克用遣使谢恩，同时秘请昭宗诛杀李茂贞。

昭宗觉得，如果杀了李茂贞，李克用的势力将更为强大，到时候就没人可以制衡了。因此，昭宗婉拒了李克用的请求。李克用不禁对左右感叹："我看朝廷的意思，似乎怀疑我别有用心。我敢断言，李茂贞不除，关中将永无宁日！"

后来发生的事情，果然被李克用不幸言中。

昭宗从石门返京后，深感手下无兵之苦，于是很快就招募了数万人，在禁军之外又组建了殿后四军，全部交给宗室亲王统领。

得知朝廷招兵买马的消息，李茂贞立刻跳了起来。在他看来，天子此举显然是在针对他。乾宁三年（公元896年）七月，李茂贞再次勒兵，直逼京畿。昭宗大恐，一边遣使向李克用告急，一边再次逃离长安，准备前往太原。没想到，昭宗一行刚刚跑到华州（今陕西华县），便被韩建给扣了下来。

当时，李克用正被幽州的刘仁恭牵制，无暇南下勤王，于是昭宗便被韩建软禁了整整两年。在此期间，韩建与李茂贞互为表里，逼迫昭宗解散了刚刚组建的殿后四军，处决了护驾有功的禁军将领李筠，并且罢黜了诸王的兵权。不久，又发兵围攻诸王府邸，丧心病狂地将通、沂、睦、济、韶、彭、韩、陈、覃、延、丹十一王全部杀死。其后，又迫使昭宗下诏罪己，恢复了李茂贞的所有官爵。

做完这一切，韩建和李茂贞才于第三年八月把昭宗放还。

昭宗第二次回到长安之后，改元"光化"。

这是他登基后的第五次改元。纵观昭宗一生，在位十五年，总共七次改元，平均差不多两年改一个年号，是自安史之乱以来改元最频繁的一任天子。

也许，改元本身并不能直接说明什么问题。但是，当我们回溯整个唐朝历史，就会有一个耐人寻味的发现，唐太宗李世民一生在位二十三年，仅仅使用了"贞观"一个年号；而唐玄宗李隆基一生中最鼎盛的二十九年，也仅仅使用了"开元"一个年号。而这两个年号，却成了盛唐的标志，成了太平盛世的代名词。

而反观唐昭宗七次改元所置身的这个时代，我们也许就会有一种近乎无奈的顿悟——原来，唐朝末年这七个年号并不是普通的年号。

它们是七簇血迹、七道泪痕，是一个巅峰王朝临终前的七声呼告，是一个末世帝王绝境中的七次挣扎，是一个突围未遂的士兵遗落在战场上的七把断戟，是一个失败的男人灵魂中永不愈合的——

七道伤口。

光化政变：天子成了阶下囚

自从光化元年（公元898年）回到长安后，昭宗李晔就仿佛变了一个人。

从前的天子温文尔雅，冷静自律，如今却变得酗酒贪杯、喜怒无常。对此，最为不安的莫过于他身边的宦官了。因为自登基以来，昭宗对付藩镇没什么本事，可打击宦官却很有一套。大宦官田令孜和杨复恭都在他手里头栽了，而就在光化三年（公元900年）春，他又和宰相崔胤联手除掉了专权揽政的左右枢密朱道弼、景务修。宦官们人人自危。无论是身居高位的权宦，还是专供洒扫的小黄门，都对这个性情难测、日渐暴戾的天子又惧又恨。

当时，宦官集团的首领是左右中尉刘季述、王仲先与左右枢密王彦范、薛齐偓。一种相同的忧虑和恐慌不断在他们中间蔓延。鉴于这种处境，四人很快就达成了共识——应该主动出击，绝不能坐以待毙。

经过多次密谋，四个权宦终于制订了一个行动方案——伺机发动兵变，拥立太子即位，逼迫天子退位为太上皇，同时与凤翔李茂贞、镇国韩建结为奥援，对内控制朝廷，对外威逼诸藩，挟天子以令诸侯。

方案既定，接下来就是等待时机了。

这一年十一月初四，昭宗到北苑狩猎饮酒，深夜回宫时已经酩酊大醉，忽然狂性大发，砍杀了几个侍从宦官和宫女。次日清晨，宫门迟迟未开。刘季述意识到机会来了，便以"宫中必有变"为由，到中书省叫上崔胤，然后带着千名禁军破门而入，直趋昭宗寝殿。

众人进入寝殿，眼前的一幕顿时让他们目瞪口呆——昨夜被杀的几个人仍旧僵硬地躺在地上，鲜血喷溅得到处都是，而天子居然还四仰八叉地躺在龙床上呼呼大睡。

刘季述冷笑着对崔胤说："瞧瞧吧，这就是主上的所作所为。这样的人，如何还能治理天下？废昏立明，自古皆然！为国事计，这恐怕不能算不忠吧？"

看着刘季述身后全副武装的禁军士兵，崔胤脸色苍白，冷汗直流，只能诺诺点头。

初六，刘季述召集百官入宫，陈兵殿前，拿出一份要求太子监国的联名奏章，命崔胤和百官传阅后签署。满朝文武没人敢说半个"不"字，纷纷签字画押。

然后，逼宫行动就开始了。

刘季述拿着百官联名的奏章，率领一千多名禁军，一路大摇大摆地进入宫中，路上逢人便杀，一直杀到了昭宗所在的思政殿。

听见外面杀声四起，昭宗吓得从御榻上一头栽下。刚爬起来想跑，刘季述就走过来一把按住了他，说："陛下厌倦当皇帝了吧？如今，朝野内外一致要求太子监国，请陛下移居东宫（少阳院），好好静养吧。"

昭宗不甘心地说："前天与贤卿们一块饮酒，多喝了几杯，哪里会糟到这种地步呢？"

刘季述晃晃手上的奏章："这事不是我们干的，都是南司（朝臣）的意思，我们也没办法。请陛下暂居东宫，等局势稳定了，再接您回宫。"

当天，昭宗被迫交出传国玉玺，与皇后一起被押送少阳院，随从的只有嫔妃、公主和宫女十几个人。看着天子的一副窝囊样，刘季述忽然生出一种施虐的渴望，于是把天子叫到面前，拿起一根银棒在泥地上写写画画，说："某年某月某日，你不听我的话，这是你的第一条罪；某年某月某日，你不听我的话，这是你的第二条罪；某年某月某日……"如此这般，一直数落了几十桩，直到把天子脚边的地方都画满了，才意犹未尽地停了手。

离开的时候，刘季述亲手锁上院门，又把铁水灌进锁孔，随后命左军副使李师虔率兵把守，让他严密监视天子的一举一动。最后，刘季述又命人在院墙上凿了一个洞，用来递送饭菜，同时严令所有人，一律不准把兵器、剪刀、针之类的东西递进去。

很显然，刘季述是不想让昭宗自杀，而是要把他困在里头活受罪，让他求生不得，求死不能。

几天后，昭宗让人递出话来，要求得到一些银钱布帛。

刘季述一听就乐了。

阶下之囚要钱干什么？莫非你是想拿钱贿赂看守，改善处境？呵呵，想得倒美！

昭宗的请求被拒绝了。他只好退而求其次，提出只要纸和笔。

刘季述再次冷笑。

纸和笔？你又想干什么？难不成是想写封求救信递出去，让人来把我杀了，好把你救出去？你真把我刘季述当傻瓜了？

可想而知，昭宗的所有要求都被刘季述一口回绝。

当时已是深冬，天气极其寒冷，跟天子一起被关的嫔妃和公主们缺衣少被，哀泣声日夜不绝。

初十，在刘季述等人的一手策划下，太子李裕改名李缜，即皇帝位，同时以李晔为太上皇，少阳院也改名问安宫。

天子成了阶下囚，并且遭到废黜和虐待，天下诸藩人人心知肚明，可人人都按兵不动。

这是一个极其微妙的时刻。所有人都在等待和观望，没有人愿意当出头鸟，都想后发制人，坐收渔翁之利。其结果，就是什么事也没发生——昭宗被废整整一个月，天下依旧一片沉默。

在此情况下，宰相崔胤不得不采取行动了。

凭着平日与禁军将领孙德昭等人的私交，崔胤暗中找到他们，请求他们诛杀宦官，救出天子。当然，崔胤给他们开出了很高的价码，承诺事成之后必将给予高官厚禄。孙德昭等人怦然心动，遂于次年正月初二发动兵变，将刘季述、王仲先等四人全部杀死，救出了昭宗。

昭宗复位后，第一时间便把刘季述等四人满门抄斩，同时诛杀了一大批党羽。紧接着，昭宗论功行赏，任命孙德昭为静海节度使、同平章事，并赐名李继昭。

昭宗虽然复位了，但这场政变仍然令他和宰相崔胤心有余悸。不久，崔胤就向昭宗提出，所有祸乱的根源皆因宦官掌握兵权，要彻底根除祸乱，唯一的办法就是把禁军兵权收回来，由宰相掌控。

这何尝不是昭宗的想法？可是，这件事却没有那么简单。因为在唐朝，宦官掌控禁军的历史已经有一百多年，所有人早把这看成了天经地义的事情，绝不是说变就能变的。此外，从禁军本身的角度来讲，他们肯定跟宦官更为亲近，对文臣则没什么好感。因为一般而言，文臣总是比较讲究纲纪和原则的，这对禁军将士无疑会形成束缚。而宦官就不同了，除了利益，他们不会在乎任何东西。

所以，崔胤刚刚提出建议，立刻在禁军中引起了轩然大波，将领们纷纷发出强烈抗议。就连已经离开禁军的李继昭也站了出来，替昔日同僚向天子进言说："我们世代从军，从没有听说把军队交给书生的！"

昭宗无奈，只好再次以宦官韩全诲、张彦弘分任左右中尉。

这两个宦官以前都当过凤翔监军，和李茂贞的关系非同一般。如今宰相崔胤跟宦官势同水火，韩、张二人势必要引李茂贞为援。而与此同时，跟朱全忠私交甚笃的崔胤则担心自己遭到宦官报复，当然也要以朱全忠为外援。

可想而知，在接下来的日子里，这两派势力必将要展开你死我活的斗争。而大权旁落、命若飘蓬的天子李晔，也必将在这样的恶斗中再度成为牺牲品。

在九世纪的最后几年里，中原的朱全忠俨然已经取代河东的李克用，成了天下势力最强的军阀。

自从文德元年（公元888年）消灭相邻的劲敌秦宗权之后，朱全忠就展开了大规模的扩张行动。首先，他把兵锋指向了东方，先是在景福二年（公元893年）消灭了盘踞徐州的时溥，接着又在乾宁四年（公元897年）吞并了郓州和兖州。随后，朱全忠又把目光转向了北方的河朔三镇。

光化元年（公元898年）五月，朱全忠渡河北上，攻取了李克用辖下的邢、洺、磁三州。同年十二月，李克用的部将李罕之以潞州投降朱全忠。光化二年（公元899年），幽州的刘仁恭南侵魏博，朱全忠援助魏博的罗绍威击退刘仁恭，从而将魏博纳入了自己的势力范围，随后又兵临镇州城下，逼降成德的王镕。光化三年（公元900年）十月，朱全忠又进攻定州，逼降义武的王处直。刘仁恭出动大军援救，被朱全忠击败，部众被杀六万多人，刘仁恭大势已去，只好向朱全忠臣服。

至此，河北诸镇全部归附朱全忠，李克用的右臂已被齐齐斩断。

紧接着，朱全忠又把目光转向了河中。

在朱全忠看来，只要再卸掉李克用这另外一条膀子，河东就是自己的囊中之物了。

流亡的路上没有方向

天复元年（公元901）正月，朱全忠突发大军，一举攻陷了河东的绛州和晋州，扼住了河东与河中的咽喉，随后大军直扑河中。

河中节度使王珂知道自己根本不是朱全忠的对手，慌忙向李克用发出十万火急的求救信，他的妻子在信中质问李克用："女儿随时可能被敌人俘虏，父亲大人为何坐视不救？"李克用无奈地回信："敌军扼守晋、绛，我军寡不敌众，如果我执意出兵，势必和你们一同灭亡。告诉王郎，倘若实在不能坚守，不如全族归顺朝廷。"

到了这个地步才让女儿女婿归顺朝廷，显然只是一种聊胜于无的虚幻慰藉。

二月，被打得毫无还手之力的王珂不得不向朱全忠投降。朱全忠随即将王珂全族迁到大梁，不久便将其诛杀。三月，朱全忠派遣大将氏叔琮率兵五万，自天井关出太行山，兵锋直指李克用的老巢太原；同时又调动魏博、成德、天平、义武等诸道大军，分别从新口（今河北武安市西）、土门（今河北鹿泉市西南）、马岭（今河北邢台市西北）、飞狐（今河北涞源县）、阴地（今山西灵石县西南）等方向出发，兵分六路，对李克用发起了总攻。

随后，氏叔琮一路攻城略地，以所向披靡之势逼降了河东的多员大将，于三月底兵临太原城下。

至此，李克用已经没有退路，只能背水一战了。随后的日子，李克用毅然离开帅府，亲自登城组织防御。当时正逢天降大雨，数十天内连绵不绝，城墙遭雨水浸泡后连连坍塌。李克用指挥士兵随塌随筑，多日衣不解带，连吃饭喝水都没有时间。

就在太原危在旦夕的紧要关头，老天爷救了李克用一命。

由于氏叔琮贪功急进，部众多日苦战，身体已经虚弱到了极点，加之连日大雨，很多士兵都感染了疟疾，战斗力大为削弱。此外，由于战线拉得太长，补给线又被大雨阻断，粮草已然不继。在此情况下，朱全忠不得不向氏叔琮下达了撤兵的命令。

李克用就此躲过一劫。

但是，经此重创，李克用已经元气大伤。后来的几年里，他只能收缩战线，休养生息，再不敢轻易跟朱全忠直接交锋，更无力与他逐鹿天下了。

据有河中之后，朱全忠向北遏制河东，向南威胁关中，势力空前壮大，天下已经无人可以匹敌。

走到这一步，朱全忠问鼎天下的野心便已昭然若揭了。接下来，他自然要把目光瞄向关中，瞄向长安，瞄向大明宫中那个目光忧郁、神情凄惶的天子李晔。与此同时，宰相崔胤与宦官韩全诲之间的斗争也已进入了白热化状态。

由于崔胤在朝中的势力不小，韩全诲等人担心斗不过他，便暗中联络李茂贞，准备把昭宗劫持到凤翔。而崔胤则料定宦官们必有这个打算，也赶忙致信朱全忠，宣称奉天子密诏，命他发兵入京保护天子。朱全忠本来就想把昭宗劫到洛阳，置于自己的掌控之中，见信后正中下怀，遂于这一年十月从大梁出兵，直驱长安。

十月十九日，韩全诲等人得知朱全忠已经出兵，立即率兵入宫，胁迫昭宗随他们西走凤翔。昭宗悲怆莫名，秘赐手札于崔胤，最后一句说："我为宗社大计，势须西行，卿等但东行也。惆怅！惆怅！"（《资治通鉴》二六二）

天复元年十一月初四，韩全诲陈兵殿前，对昭宗说："朱全忠大军迫近京师，打算劫持陛下到洛阳，企图篡位，我们请陛下驾临凤翔，集结勤王之师共同抵御。"昭宗说什么也不肯走，韩全诲便命人纵火焚烧宫室。昭宗万般无奈，只得和皇后、嫔妃、诸王共计一百多人，一步一回头地登上了离京的马车。

那一天，天子泪流满面。所有同行的人也全都放声恸哭。

走出宫门很远之后，天子李晔忍不住又回头看了一眼——熊熊烈火正在疯狂燃烧，把大明宫的上空映照得一片通红。

那一刻，李晔觉得有另一场烈火正在自己的灵魂深处燃烧。

许多东西，已经在这场无形的大火中灰飞烟灭。诸如勇气、豪情、梦想，诸如信心、希望、使命感……所有这一切，全部都化成缕缕青烟，在冬日的寒风中飘散。

朱全忠大军自河中入关后，先是进逼华州，迫降了韩建，继而攻打邠州，逼降静难节度使李继徽，如入无人之境。

得到消息后，李茂贞与韩全诲震恐，赶紧假传天子诏命，急召李克用入关。李克用随即发兵袭击朱全忠的后方。朱全忠匆忙回镇河中。

天复二年（公元902年）四月，崔胤前往河中，泣请朱全忠讨伐李茂贞，救出天子。五月，朱全忠发精兵五万，再次入关，进击凤翔。六月初十，李茂贞出兵与朱全忠在虢县北面展开激战，结果李茂贞大败，被杀一万余人。十三日，朱全忠进围凤翔。

从这一年六月到十一月，李茂贞下辖的其他州县相继被朱全忠占领，凤翔就此变成一座孤城。那些日子，朱全忠的士兵天天在凤翔城下击鼓叫嚣，骂守城的人是"劫天子贼"，而城上的凤翔士兵则骂攻城的人是"夺天子贼"。

凤翔受困日久，粮食耗尽，加上这一年冬天天气奇寒，城中饿死冻馁的人不计其数。往往是一个人刚刚倒地，还没咽气，身上的肉就被人剐了去了。市场上公开出售人肉，每斤叫价一百钱，狗肉则叫价五百钱。日子一长，就连李茂贞本人的积蓄也全部耗尽。而昭宗李晔则只能拿着他和小皇子的衣服到市场上变卖，以换取一点可怜的粮食。公主和嫔妃们更是天天喝稀饭，不仅有上顿没下顿，而且就连这最后一点粮食也即将告罄……

天复三年（公元903年）正月，李茂贞再也无力支撑，只好斩杀韩全诲、张彦弘等宦官，向朱全忠投降，同时放归天子。朱全忠入城后，将所有宦官全部屠灭，前后共杀七十二人。此外，又秘密派人搜捕京畿附近所有已经辞官归隐的宦官，又杀了九十人。

正月二十七日，昭宗回到长安。这是他第三次流亡后的王者归来。昭宗在心中暗暗祈祷，希望这是最后一次。

然而，令人遗憾的是——这并不是最后一次。

一年之后，昭宗还将第四次被迫离开长安，踏上流亡之路。并且这一次，他再也没有回来。

昭宗回京后，崔胤当即上奏，要求将宦官斩尽杀绝。昭宗同意了。正月二十八日这天，朱全忠在大明宫中展开了一场大屠杀，一日之间杀了数百名宦官，喊冤哀号之声响彻宫廷内外。随后，那些奉命出使各藩镇的监军，也纷纷被就地捕杀。

大屠杀过后，皇宫中只留下三十个年纪幼小的小黄门，以供洒扫。

不久，左右神策军并入六军，全部交由宰相崔胤统领。

宦官时代就此终结。

自安史之乱后，为患帝国一百五十多年的"宦官乱政"终于画上了句号。大明宫里，再也看不见那些面白无须，手握生杀废立大权的人了。然而，到了这一刻，大唐帝国距离那个覆灭的终点也已经不远了……

天复三年二月，昭宗下诏，赐给朱全忠"回天再造竭忠守正功臣"的名号。

朱全忠命心腹将领朱友伦、朱友谅率步骑一万留守京师，然后回军大梁。随后的日子，朱全忠对东方的残余势力（淄青镇）展开了最后的兼并战争，以雷霆万钧之势先后攻克博昌（今山东博兴县）、临淄、登州（今山东蓬莱市）等地，而后进围青州。

九月，淄青节度使王师范投降。

至此，大河南北全部被朱全忠纳入囊中。

接下来，是不是应该轮到朱全忠挟天子令诸侯了？

是的。不过在此之前，朱全忠必须先除掉一个人。

这个人，就是他这些年来最得力的盟友——宰相崔胤。

自从铲除宦官集团后，崔胤就掌握了朝廷的军政大权，大有一手遮天之势，不但百官进退要以他的好恶为转移，就连天子的一举一动也要向他报告。天复三年五月，崔胤又以禁军兵员严重不足为由，奏请天子招募士兵、扩充军队。他这么做，表面理由当然是为了保护朝廷和天子，其实是为了培植和巩固他的个人势力。

这一切，当然都没有逃过远在汴州的朱全忠的眼睛。

朱全忠意识到，这个在朝中日渐坐大的家伙已经不再是自己的盟友了。换句话说，他已经失去了利用价值。道理很简单，当初朱全忠跟崔胤交结，目的无非是想让他在朝中充当内应，随时窥伺天子和朝廷的动静，可现在，长安业已驻留了自己的军队，天子也已完全处于自己的掌控之中，留着这个崔胤还有什么用呢？

留着他，无异于留着一颗绊脚石。

天复四年（公元904年）正月，朱全忠秘奏天子，指控崔胤擅权乱政，离间君臣，随后便命心腹将领朱友谅杀了崔胤。

最后，朱全忠就要"挟天子令诸侯"了。

正月十三日，朱全忠驻兵河中，强迫昭宗迁都洛阳。二十二日，迁都行动开始，汴州军队强行驱赶长安城中的士民和百官上路，一刻也不准停留。成千上万的百姓们扶老携幼，一路不停地哀叫哭号。二十六日，朱全忠命军队将长安城内的宫殿、民宅及所有建筑全部拆毁，拆除下来的木料全都扔进了渭水。

绝世繁华的帝京长安，从此沦为一座废墟。

二十八日，昭宗一行到了华州，当地百姓夹道欢迎，山呼万岁。昭宗不禁泣下，说："勿呼万岁，朕不复为汝主矣！"（《资治通鉴》二六四）

当天晚上，昭宗下榻在华州行宫，黯然神伤地对左右说："民间有句俗语说，'纥干山头冻杀雀，何不飞去生处乐'，朕如今漂泊流亡，不知道最终要落向何方？"

言毕已经涕泪沾襟，左右皆陪着天子同声落泪。

流亡的路上没有方向。但是，肯定会有一个终点。

洛阳，会是昭宗李晔的终点吗？

走向终点

从长安走向洛阳的一路上，昭宗李晔一次次寻找机会派人向诸藩告急，命河东李克用、西川王建、淮南杨行密等节度使火速率兵勤王。朱全忠发现天子始终徘徊不前，知道其中有诈，遂一再催促。昭宗先是推托皇后刚刚生产，不便上路，随后又授意司天监上奏，说星象有变，东行不利。

然而，不管昭宗找什么借口，朱全忠给他的答复只有一个相同的动作——杀人。

昭宗说皇后刚刚生产，朱全忠就命人杀了医官。昭宗说星象有变，朱全忠就命人杀了司天监的人。到最后，昭宗终于无可奈何，只能硬着头皮继续上路。

自从崔胤被杀后，禁卫六军基本上就溃散了，跟随天子东行的，只有两百多个内苑的少年，但也仅是陪伴天子打球，以供差遣而已，根本谈不上保卫天子的安全。

即便如此，朱全忠还是没有放过他们。

天复四年闰四月初九，昭宗一行抵达洛阳郊外。朱全忠在营帐中摆设宴席，召集那两百多个少年一同赴宴，然后就在宴席上把他们全部勒死了。

之所以用绳子勒死，而不是用刀砍，是为了不让鲜血弄脏他们身上的衣服。因为那些衣服，朱全忠有用。事先，朱全忠已经找了两百多个年龄、身材都与他们相仿的少年。事后，他让这些人穿上了死者的衣服，一如往常地侍奉天子。昭宗刚开始毫无察觉，过了好几天才发现，但也只能佯装不知。

闰四月初十，昭宗李晔进入洛阳，于次日改元"天祐"。

此时的昭宗，显然对未来还抱有一丝希望。

然而，此时的李唐之天，已经没有人可以庇佑了。

历时二百八十多年的大唐帝国，开始进入了倒计时状态……

随后的几个月里，朱全忠得到耳目奏报，说李克用、李茂贞、王建、杨行密等藩镇之间公文往来异常频繁，文中都是一些振兴社稷、匡复李唐的话。朱全忠随即产生了一种夜长梦多之感。而且，在朱全忠看来，昭宗年长，在位日久，要将他取而代之，相对于幼主无疑要困难得多。思虑及此，朱全忠决定采取最后的行动。

天祐元年（公元904年）八月，留在洛阳负责监视天子的心腹将领蒋玄晖、朱友恭、氏叔琮接到了朱全忠的行动指令。

八月十一日深夜，蒋玄晖等人带着几百名士兵敲响了皇帝寝宫的大门，声称有紧急军情要奏，必须面见天子。嫔妃裴贞一刚打开宫门，一眼就看见了杀气腾腾的士兵，不禁脱口而出："奏事何须带这么多兵？"

话音未落，蒋玄晖的手下史太已经一刀把裴妃砍倒在了血泊中。

随后，蒋玄晖等人长驱直入，又撞见了昭仪李渐荣。

蒋玄晖喝问："皇上在哪？"

昭仪李渐荣已经意识到发生了什么，赶紧高声呼叫："宁可杀了我们，也不能伤害天子！"

此时，昭宗正喝得烂醉如泥，倒在床上呼呼大睡，但是李昭仪故意发出的叫喊还是惊醒了他。昭宗慌忙从床上跳起，躲到了寝殿的柱后。然而，蒋玄晖已经带人冲了进来。李昭仪也冲进来挡在了天子身前，史太先把她砍倒，随即一把揪住天子，高高地举起了那把带血的屠刀……

那一刻，没有人知道唐昭宗李晔的眼前，是否闪过他十五年不堪回首的帝王生涯。是否还会想起，他即位之初那一番拯救社稷、匡扶李唐的雄心壮志。

没有人知道。

我们只知道，这一刻的李晔终于可以休息了。这个左冲右突、奋力厮杀的单兵，这个疲惫绝望、无人喝彩的单兵，这个没有同盟、没有援军的单兵，此刻终于可以躺下休息了。

他太累了，需要一场长眠——一场永不被世人惊扰的长眠。

昭宗一死，接下来发生的事情就显得顺理成章了。

八月十二日，蒋玄晖假传诏书，拥立辉王李祚（昭宗第九子）为太子，改名李柷，并宣布由太子监国。同日，年仅十三岁的李柷在昭宗的灵柩前即位，史称昭宣帝，又称哀帝。

而上面所有这些事情发生的时候，朱全忠都不在洛阳。也就是说，他拥有"昭宗被弑案"的不在场证明。

直到十月，朱全忠才"听说"蒋玄晖、朱友恭等人刺杀了昭宗。

听到消息的这一刻，朱全忠露出痛不欲生的表情，发出如丧考妣的哭泣，然后又做了一个"投身触地"的危险动作。整个过程一气呵成，真实自然，足以令观者悚然动容。表演完毕，朱全忠才不无悲愤地说："这些奴才辜负了我，害我蒙受万世骂名！"

十月初三，朱全忠来到洛阳，扑在昭宗的灵柩上痛哭流涕，然后晋见昭宣帝，赌咒发誓说这些事都与他无关。十月初四，朱全忠将朱友恭贬为崖州（今海南琼山市）司户、氏叔琮贬为白州（今广西博白市）司户，随即又命他们自杀。朱友恭临死前大喊："卖我以塞天下之谤，如鬼神何！行事如此，望有后乎！"（《资治通鉴》卷二六五）

然而，此刻的朱全忠会畏惧鬼神、担心绝后吗？

显然不会。

因为，他要做的事还很多，要杀的人也还很多。

天祐二年（公元905年）二月初九，朱全忠在洛阳宫的九曲池大摆宴席，盛情邀请昭宗的九个儿子（德王、棣王、虔王、沂王、遂王、景王、祁王、雅王、琼王）赴宴。九王酒酣耳热之际，朱全忠命人把他们全部勒死，然后投尸九曲池。

六月，朱全忠又将裴枢等颇具时望的三十几名朝臣召集到白马驿，一夜之间全部砍杀。左右对他说："这群人平时自诩'清流'，要是把他们投入黄河，岂不成'浊流'了！"朱全忠纵声大笑，随即将这三十几具尸体全部抛入黄河。

十一月，朱全忠晋位相国，总揽帝国朝政（总百揆）。

做完这些，朱全忠就图穷匕见了。

天祐四年（公元907年）三月，朱全忠逼迫昭宣帝禅位。四月，朱全忠更名朱晃，将汴州改为开封府，即皇帝位，国号"大梁"，改元"开平"，同时废昭宣帝为济阴王，不久后又将其诛杀。

这位朱晃（朱全忠、朱温），就是历史上的后梁太祖。

至此，历时二百八十九年的大唐帝国宣告覆亡。

唐朝虽然覆灭了，但是死亡和裂变却远远没有终结。

因为，朱温篡唐只不过是完成了中枢政权的转换而已，并没有一统天下。他建立后梁时，十世纪初的中国全境仍然是一个分崩离析、群藩割据的乱世残局。除了朱温建于中原的后梁政权外，遍布四方的主要割据势力还有河东的李克用、李存勖父子，幽州的刘仁恭、刘守光父子，凤翔的李茂贞，淮南的杨行密，西川的王建，浙江的钱镠，福建的王潮，湖南的马殷，广州的刘隐……

在十世纪的上半叶，几代乱世军阀轮番入据中原，你方唱罢我登场，先后建立了"后梁、后唐、后晋、后汉、后周"五个中枢政权，史称"五代"。与此同时，散处四方的藩镇也分别建立了"前蜀、后蜀、吴、南唐、吴越、闽、楚、南汉、荆南、北汉"等割据政权，史称"十国"。

这就是中国历史上著名的乱世之一——五代十国。

直到公元960年，赵匡胤建立北宋之后，开始南征北讨，一一消灭了散处四方的割据政权，历时半个多世纪的乱世残局才逐步走向终结。

（全书完）

书写完了，屈指一算，差不多写了三年，一千余个白天与黑夜。

这三年里，我把自己从现实世界中剥离出来，埋首故纸堆，一天十几个小时噼噼啪啪敲击键盘，朋友冠我以"人肉打字机"之名，我会心一笑，回过头来继续敲，用行动告诉他什么叫浑然忘我、甘之如饴。每天，我足不出户，万缘断绝，俨然不食人间烟火，一心唯与古人神交。倘若不是QQ自动弹出的新闻窗口告诉我这个世界都发生了什么，我几乎就穿越成唐朝人了。

现在，敲完最后一个句号，我的魂才飘飘摇摇地落回肉身之中。这一刻，我有一种恍如隔世之感。就像《尘埃落定》里的那个傻子少爷每天醒来都要这样问自己：我是谁？我在哪里？

三年的唐朝之旅，我的心魂到一千多年前酣畅淋漓地爽了一把，却把现实的这具肉身搞得疲惫不堪。在这三年里，我的体重增加了三十多斤，两鬓多出了数十根白发，活脱脱一个标准的中年宅男，至于久坐码字引发的腰酸腿疼、关节痛、鼠标手、肩周炎等等毛病，那就更多了，不提也罢。

累，真累！

有时候我经常想，人要是只有精神，没有肉体，那该多好！就像老子说的："吾所以有大患者，为吾有身；及吾无身，吾有何患！"

其实，老子这话说得不太厚道。人活在世上，肉身替我们干了多少事，我们把它使唤累了，使唤坏了，不感谢它就算了，怎么还能埋怨它呢？可不知道为什么，在这一点上，我和老子一样不厚道，总觉得肉身于精神而言是一种桎梏，一种累赘。

说起《大唐兴亡三百年》的写作，可谓事出偶然。尽管我和很多人一样，在几千年的中国历史中，对唐朝心存偏爱，情有独钟，但几乎没想过要把它完整地写出来，因为生怕自己笔力不逮。

2008年初，我在天涯社区的煮酒论史尝试着写了唐朝历史的后半截，不料跟帖者甚众，而且帖子还被编辑推荐为"天涯头条"，于是不少网友对我说，何不把整个唐朝都写一下？

我一想，也对，然后就开始翻检史料，潜心构思。

三年前的那个夏天，当我在空白的WORD文档上敲出第一句——"隋炀帝杨广死于一个阳光明媚的春天"时，我就知道，我被某种强大的力量攫住了。不管我愿不愿意，我都再也无法挣脱。

也许，这就叫上天注定。

人一辈子要干什么，其实冥冥之中自有安排。很多时候，不是我们选择了事情，而是事情选择了我们。而在三年前的那个夏天，我知道，是唐朝选中了我。

当然，面对卷帙浩繁的唐朝史料，我也产生过一丝惶恐，但是，更多的却是一种难以抑制的兴奋。于是，我一头扎进故纸堆，开始回溯千载、神游物外，开始面朝一千多年前那座名叫长安的城，心如潮涌，纵情狂奔……

从杨广华丽而凄迷的目光中，我看见了隋末大地的滚滚烽烟；在李世民纵横驰骋的马背上，我听见了大唐雄浑的脉动与心跳。

我见过玄武门前的四度喋血，也见过大明宫中的万国衣冠；我听过箭指天山的壮士长歌，也听过折戟辽东的英雄叹惋。

感业寺内，女尼武媚泪痕犹在；洛阳宫中，一代女皇却已笑靥嫣然。

太液池旁，霓裳羽衣歌舞未歇；燕赵大地，渔阳鼙鼓却已动地而来。

当藩镇铁骑踏破长安，我感受了大地的战栗；当李唐皇室屡屡播迁，我目睹了天穹的裂变。在九世纪的黑夜里，"元和"与"大中"曾经光芒乍现，可当它们像流星一样划过天际，接踵而来的，却是更深更浓的黑暗。

当黄巢种下的菊花开满长安，我闻到了一个王朝衰朽弥留的气息；当朱温点燃的兵燹燃遍中原，我看见了一个帝国仓皇趔趄的身影……

我就这样走过唐朝的二百八十九年，仿佛经历了一个生命的轮回。

现在，摆在读者面前的这七本书，一百六十余万字，就是这趟轮回之旅的见证。我不知道它好还是不好，我只知道，我尽力了。

最后，要感谢我的家人，我的出版商读客公司，以及天涯煮酒的众多网友。没有家人承担家务，我当不成"坐家"；没有读客公司的用心，这套书的市场化程度肯定要打折扣；没有网友的支持，我会感觉孤独。三年了，网友们还一直守着帖子等我更新，在这里，我想对他们说一声：谢谢！

王觉仁

2011年9月9日于福建漳州